FLEURUS

LA GRANDE ENCYCLOPÉDIE

SCIENCES

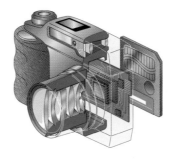

cité
des sciences &
de l'industrie

EDITIONS
FLEURUS

Direction d'ouvrage : Cité des Sciences et de l'Industrie

Coordination éditoriale : Florence Soufflet
Avec la participation de Dominique Blaizot

Direction de la rédaction : Bernard Hagene (docteur ès sciences)

Rédacteurs :
Bernard Hagene
Claude Bienvenu, ingénieur de l'École supérieure de l'aéronautique
(aérodynamique et énergétique)
Laure Cassus-Soulanis, médiatrice scientifique (biologie)
Emmanuelle Gallo, architecte et historienne des réseaux (urbanisme)
Alain Junqua, professeur d'Université et chercheur au CNRS (laboratoire
UMR 6630 - Poitiers) (mécanique humaine)
Thierry Koscielniak, professeur agrégé en physique/chimie (chimie)
Claire Lemoine, rédactrice scientifique (média et communication)
Bernard Nomblot, médiateur scientifique (astronomie)
Pierre Ricono, ingénieur CNAM (matériaux)
Didier Souveton, médecin du sport et ancien membre de la commission
médicale UNSS (médecine sportive)

Recherche iconographique : Denis Pasquier

Directrice de collection : Hélène Dutilleul

Direction éditoriale : Christophe Savouré

Édition : Françoise Ancey, Servane Bayle, Élodie Lépine, Danielle Védrinelle

Direction artistique : Danielle Capellazzi assistée de Carole Dumas

Conception et réalisation graphique : Killiwatch

Fabrication : Marie-Dominique Boyer et Stéphanie Libérati

Contribution rédactionnelle : Sylvie Allouche et Adelaïde Martin

Index : Ghislain Ripault

© 1999 Groupe Fleurus-Mame
Dépôt légal : septembre 1999
ISBN : 2 215 05121 3

Photogravure : Goustard, Clamart
Achevé d'imprimer sur les presses de Partenaires (U.E.)
Loi n° 49-956 du 16 juillet 1949 sur les publications destinées à la jeunesse.

Remerciements

Bon appétit !
Janick Gloaguen
Anne Raynal

Le corps en action
Claudine Leray (revue *EPS* - comité d'Études et d'information
pédagogiques de l'Éducation physique et sportive)
Yves Touchard (ministère de l'Éducation nationale, de la Recherche
et de la Technologie)
Laboratoire de Métallurgie physique (UMR 6630 - CNRS Poitiers) :
Cl. Daireaux, J. Duboy, P. Holvoet, R. Jeddi, P. Lacouture, F. Leplanquais.
Marc Vantouillac (*L'Équipe*)

Temps et rythmes
Fabienne Hirschfeld-Khayat (IFREMER)
Christiane Sabouraud
Roland Topalian (CSI)

Inventions de la matière
Virginie Hume

Confort moderne
Cécile Depot (*Science et Vie Junior*)
Lisbeth Pernot, Corinne Coquerel (Différences communication)

Entre nous
Françoise Bellanger, Laurence Vaugeois (La Géode)
Sébastien Blain
Anne Chaussebourg, directrice déléguée (*Le Monde*)
Alain Crozon
Thierry Devynck (bibliothèque Forney, Paris)
Papken Hagiakian et M. et Mme Hagiakian
Marie-Laure Las Vergnas (CSI)
Maryvonne Le Maguer (service Hydrographique et Océanographique
de la Marine)
Michelin - Manufacture française des pneumatiques
François Thomassin (*International Visuel Theatre* - centre socioculturel
des Sourds)

Le souffle et le flot
Michel Bernard (ECAV Communication)
Hélène Bocquet (Renault photothèque)
Guy Harmant
Marie-Christine Marques (La Médiathèque EDF)
Jean-Pierre Morlet (Mercédès Benz-France)
Georges Roche

Lieux et milieux
Jean-Bernard Beaufils, Jean-Pierre Cantournet (direction des Parcs, jardins
et espaces verts - Mairie de Paris)

Rêves d'Univers
Noël Blotti
Hugues Cornières
NASA

Et aussi
Marie-Claude Desnier (CSI), Denis Fortier, Hervé Levert (CSI),
Joanna Pomian, Élodie Pomet (agence HOA-QUI),
Nathalie Ribemont (CSI), Paloma Bertrand (CSI)

Sommaire

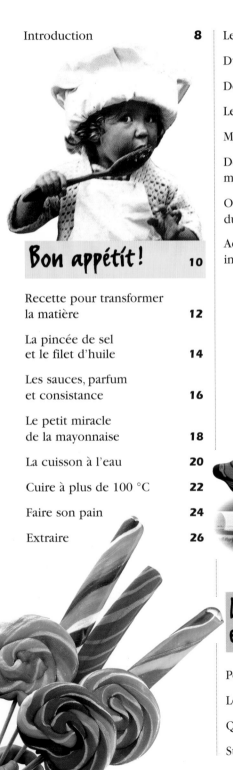

Inventions de la matière 108

Confort moderne 150

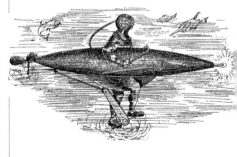

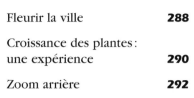

Rêves d'univers 294

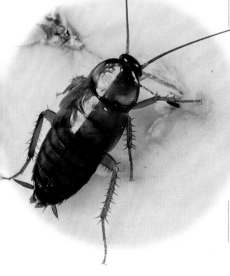

Avant-propos

Le monde qui t'entoure est compliqué ? Bien sûr, mais en général, tu t'en accommodes. Tu n'as pas besoin de savoir de quoi est fait un ballon pour jouer convenablement au basket, ni de saisir pourquoi ce pull tient chaud pour le porter quand il fait froid. Tu peux très bien ignorer les propriétés de certains matériaux et te passer de comprendre la plupart des phénomènes que tu rencontres dans la vie courante.

Mais tu es curieux : tu t'étonnes du changement de consistance de l'œuf qui cuit dans la poêle, de l'efficacité du produit à vaisselle, de la stabilité de la montre que tu portes au poignet… Ces "arrêts sur objet" sont déjà un pas vers la connaissance. Que de questions peuvent alors surgir ! Ce livre te propose une approche directe de cent cinquante sujets d'observation ou d'étonnement. Ils ont été choisis non pour leur simplicité, mais parce qu'ils te sont proches ou familiers. Tu les rencontres directement ou à travers ces intermédiaires que l'on appelle médias : télévision, radio, journaux, etc.

Tu ne trouveras pas ici de distinction entre sciences et applications. Les unes et les autres forment un tout, et c'est généralement à travers des applications que tu es confronté à des questions scientifiques. Les sciences abordées tournent autour de la physique et de la chimie, mais elles touchent aussi à des domaines qui sont plus traditionnellement rattachés à la biologie et même aux sciences humaines.

L'enseignement que tu reçois au collège dégage, pas à pas et en commençant par leurs manifestations les plus simples, les lois fondamentales de la nature pour les formuler de manière aussi générale que possible. Cet ouvrage te fait pénétrer de plain-pied dans la complexité du réel et te montre qu'il y a toujours un niveau d'approche à ta portée. Bien évidemment, il s'agit, dans les deux démarches, du même savoir : il n'y a pas les sciences que l'on apprend au collège et celles avec lesquelles on vit.

Ouvre ce livre où bon te semble. Chaque double page peut être abordée de manière autonome. Aucune ne donne la clé des autres. Elles se renforcent mutuellement par petits groupes, comme les pierres d'un même mur. Aucune technique, aucun phénomène n'est ici plus important : l'essentiel, c'est ce qui t'intéresse. Et, pour que ta curiosité

se développe et porte ses fruits, cet ouvrage t'invite
en permanence à observer, à t'étonner et à manipuler.

Observe ! Arrête ton attention sur ce qui, d'habitude, te laisse
indifférent. Conduis ton regard, affine ton écoute, prends
conscience de ce que tu touches. Observer devient vite
un plaisir sans fin. L'accumulation des observations mène à
des comparaisons, à des rapprochements ou à des distinctions,
premiers pas vers la compréhension.

Étonne-toi ! Rien n'est banal. Derrière l'évidence première
se cache une question. Une première réponse surgit, mais
il est rare qu'elle ferme définitivement le sujet. Bien au
contraire, elle te fait pénétrer dans un monde insoupçonné.
Les esprits curieux s'enrichissent sur ce terrain d'aventures.

Manipule ! Le chercheur expérimente pour comprendre :
il vérifie les hypothèses qu'il a formulées. S'il ne t'est pas
encore possible d'adopter cette démarche, nous te proposons
des "manipulations" au cours desquelles tu auras l'occasion
de te livrer à des observations. C'est toi qui réunis
les conditions expérimentales : les manipulations ont ainsi
valeur de démonstration tout autant que de vérification.
Celles que décrit ton encyclopédie sont de réalisation simple
(elles demandent un matériel réduit et qu'il est facile
de se procurer : tu le dénicheras dans le tiroir de ton bureau,
dans les rangements de la cuisine, dans l'armoire
de ta chambre, etc.). Tu auras sans doute envie d'essayer
quelques variantes…

Dans chaque thème, tu trouveras quelques pages consacrées
à des "activités" dépassant le cadre d'une simple manipulation.
Elles sont une invitation à faire plus. Elles nécessitent plus de
temps, de matériel et quelquefois l'aide d'une autre personne.
Certaines te séduiront tellement que tu les développeras
toi-même sous d'autres formes. Elles seront le point de départ
d'une activité créative à laquelle tu te consacreras davantage
parce qu'elle sera source d'une grande satisfaction.

Bernard Hagene

Les mots suivis d'un astérisque (*) dans l'ouvrage sont expliqués dans le lexique.

Bon appétit !

Des effluves parfumés s'échappent de la cuisine. Il s'y passe quelque chose d'important : on y transforme la matière ! Une chimie complexe est à l'œuvre. Si son résultat t'importe, tu ferais bien d'y prêter attention. Soulève le couvercle de la marmite, regarde par le hublot du four et, pourquoi pas, mets la main à la pâte : il y a tant d'enseignements à tirer de la préparation d'un plat !

Recette pour transformer la matière

Te voilà devant tes fourneaux, prêt à réaliser ton dessert préféré. En véritable cuisinier, la réussite de la préparation que tes convives applaudiront est ce qui t'importe en premier lieu. Mais tu es curieux et tu te demandes, recette en main, ce qui va se passer dans tes casseroles.

Œufs à la neige

Préparation : 1/2 heure
Pour 6 personnes

1 litre de lait
5 œufs
100 g de sucre en poudre
1 gousse de vanille

Séparez soigneusement les blancs des jaunes. Battez les blancs en neige très ferme, ajoutez-y 50 g de sucre, mélangez bien.

Ayez d'autre part une casserole de lait bouillant à très petits bouillons et sucré avec le reste du sucre.

Prenez une cuillerée à soupe de blancs battus, tassez et lissez avec une spatule de bois, mettez dans la casserole, laissez cuire 1/2 minute, retournez. Sortez de la casserole et mettez à égoutter sur un torchon propre.

Battez les jaunes d'œufs dans un bol, versez par-dessus le lait très chaud, petit à petit et en remuant. Remettez le mélange sur très petit feu et remuez sans arrêt jusqu'à épaississement. Attention : ne pas laisser bouillir.

Laissez refroidir. Versez ensuite cette crème dans un plat creux et disposez dessus les blancs d'œufs pochés.

Repère-toi à l'aide de la codification couleur des numéros.
(Extrait de l'ouvrage *Les bonnes recettes* de Mapie de Toulouse-Lautrec, éditions O. D. E. J., Paris)

Te poser cette question, c'est pousser la porte du laboratoire de ton oncle Joseph S., physico-chimiste de son métier. Tous deux, vous voulez transformer la matière, physiquement et chimiquement. Vous vous comprenez lorsque vous parlez de finalités, de méthodes, de matériel. Quelque chose d'important vous sépare cependant : Joseph reste soucieux de comprendre, à chaque étape, la nature moléculaire de ce qu'il manipule ou obtient.

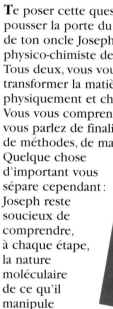

1 Matières premières

Tes ingrédients sont pour la plupart très complexes. Ce sont des assemblages de composés divers, tel le lait (*voir p. 36-37*) ou les œufs (*voir p. 34-35*), rarement des espèces chimiques "pures" tel le sucre… que tu désignes d'ailleurs par un nom vague. Joseph parlerait plus précisément de saccharose (mais il connaît ou utilise bien d'autres sucres).

Il part de produits dont il connaît la composition : les différentes espèces chimiques et leurs proportions. Tu te contentes de choisir du lait entier, demi-écrémé ou écrémé.

2 Transformations physiques

Ton action sur les ingrédients peut simplement conduire à modifier leur structure : arrangement, répartition, concentration des molécules, mais celles-ci restent non modifiées en elles-mêmes. C'est ce qui se passe lorsque tu bats les œufs en neige, que tu prépares une mayonnaise (*voir p. 18-19*), ou que tu mets des concombres à dégorger (*voir p. 28-29*).
Joseph dispose de tout un arsenal d'opérations physiques rarement utilisées en cuisine. Par exemple, il sépare les constituants d'une solution par cristallisation, distillation, etc., ou d'un mélange par décantation, centrifugation…

3 Transformations chimiques

Chauffer une préparation ("cuire"), c'est lui apporter l'énergie nécessaire aux réactions chimiques qui transforment les molécules en d'autres molécules : en les brisant, en les assemblant, en réarrangeant leurs morceaux. Les expressions "sous couvercle", "à feu doux", "en tournant"… des recettes déterminent des situations physiques (en milieu humide ou non, avec un apport plus ou moins rapide d'énergie, en maintenant le contact entre les éléments qui doivent réagir…)

pour que telle transformation se fasse correctement. Le travail de Joseph s'accompagne en permanence de précautions de ce genre. Elles sont indispensables s'il veut contrôler la vitesse de réaction qui conduira aux espèces chimiques qu'il désire obtenir, arrêter une transformation ou favoriser telle réaction plutôt que telle autre.

4 Outils

Si tu réalises bien des opérations à la main, d'autres réclament des outils : instruments simples qui facilitent la manipulation de la matière ou te protègent les doigts, et instruments spécifiques comme le couteau, le hachoir, l'épluche-légumes… Joseph, lui, dispose de pipettes, de broyeurs, d'agitateurs…

5 Récipients

Les instruments que tu choisis, par leur simple forme, déterminent les conditions de cuisson, donc les réactions chimiques. Très larges et très bas, ils autorisent des cuissons rapides à température élevée dans un corps gras (poêle), ou en évaporant rapidement l'eau (sauteuse). Profonds, ils sont adaptés à la cuisson à l'eau de durée moyenne (casserole) ou, accompagnés de leur couvercle, à une cuisson de très longue durée (fait-tout). Le laboratoire de chimie offre à Joseph une verrerie très diversifiée dans laquelle il peut

choisir ce que nécessite son projet. Il réalise parfois des montages complexes, car il contrôle les gaz qui se forment : ils font partie des espèces chimiques qu'il entend transformer.

6 Gestes

Il y a des opérations de base que tu partages avec Joseph (filtrer, évaporer, prélever). D'autres sont tout à fait spécifiques de la cuisine ou du laboratoire. Un vocabulaire précis les décrit, recouvrant un savoir-faire et dont il faut connaître le sens. Tu "fais revenir", tu "blanchis",… : chaque mot cache un enchaînement de gestes élémentaires, de conditions à réunir. De son côté, Joseph "calcine", "précipite", etc.

7 Mesures

Tu emploies des mesures "pratiques", adaptées aux ingrédients et aux quantités : liquides et poudres sont quantifiés en masse ou en volume, les "objets" en nombres entiers (on compte les œufs) ou en fractions.
Joseph utilise le système d'unités international parce qu'il doit pouvoir communiquer clairement ce qu'il a réalisé. Si tu fais appel à l'horloge pour surveiller la cuisson, c'est plus souvent l'aspect que prend la préparation et l'odeur qui te guident (*voir p. 14-15*). Joseph, au contraire, note précisément les conditions dans lesquelles il opère : une expérience doit être parfaitement reproductible !

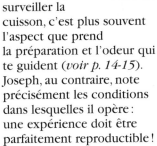

La pincée de sel et le filet d'huile

Une noix de beurre, 5 g ou une cuillère à café ?
Pour désigner les quantités, les recettes
de cuisine font une drôle de salade avec
les unités ! En fait, le cuisinier mesure
avec les moyens qui correspondent
le mieux à son tempérament :
au coup d'œil, à la balance, à l'outil
simple toujours à portée de main.

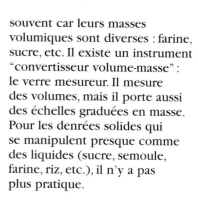

La cuillère et le verre mesureur

Dans les recettes, les quantités sont souvent données en volume, en utilisant comme "mesures" des contenants usuels : la petite cuillère, la cuillère à soupe, le verre ou la tasse. Mais il y a tasse et tasse : sers-toi donc toujours des mêmes instruments. Tu peux les étalonner : quel est le volume "v" d'une tasse ?

Mesure le nombre "N" de tasses d'eau nécessaires pour remplir une bouteille de volume "V" connu : alors $v = V/N$. Quel est le volume d'une cuillère à soupe de riz ? Remplis une tasse avec la cuillère, etc. Tu peux étalonner tes mesures de manière semblable non plus en volume, mais en masse. Il te faudra alors le faire pour les denrées employées le plus

souvent car leurs masses volumiques sont diverses : farine, sucre, etc. Il existe un instrument "convertisseur volume-masse" : le verre mesureur. Il mesure des volumes, mais il porte aussi des échelles graduées en masse. Pour les denrées solides qui se manipulent presque comme des liquides (sucre, semoule, farine, riz, etc.), il n'y a pas plus pratique.

Les cinq sens en alerte

Lorsque tu prépares un plat, tu ne cesses de faire des mesures en oubliant tout instrument physique. Tous tes sens sont mis à contribution. Ce n'est plus simplement la grandeur d'un ingrédient isolé que tu mesures, mais l'état d'avancement de la transformation en cours, synthèse de plusieurs grandeurs qu'aucun appareil ne peut évaluer.

Le toucher : tu apprécies
la consistance de la pâte à tarte,
tu piques du bout de la fourchette
les pommes de terre dans leur
eau bouillante…
L'ouïe : tu écoutes le léger
clapotis du plat qui mijote,
les crépitements de la viande au
contact de la poêle… autant de
signaux de surveillance à distance.
La vue : aucun changement
d'état ne t'échappe, de
la transformation du sucre
en caramel au brunissement
des oignons…
L'odorat : toujours en alerte,
ton nez t'indique la fraîcheur
des aliments, et surveille
en permanence ce qui se passe
dans tes casseroles et ton four.
Les odeurs te préviennent quand
il est temps d'intervenir.

Le goût : évidemment le plus
sollicité des sens. C'est ta bouche
qui te signale si la consistance et
la saveur des plats correspondent
à ce que tu cherches. Goûte car
un bon cuisinier goûte toujours
tout ce qu'il réalise pendant
la cuisson, et déguste ensuite
parmi tes convives.

LE TEMPS EST LE MAÎTRE

Il te faut :
- une petite casserole,
- une cuillère en bois,
- une cuillère à soupe de farine,
- une cuillère à soupe de beurre,
- un verre d'eau.

● Fais fondre le beurre dans
la casserole et, hors du feu,
ajoute la farine et remue. Verse
le verre d'eau, mélange bien,
puis remets à cuire en continuant
de touiller jusqu'à épaississement.
Tu as réalisé un roux blanc, base
de toute une série de sauces,
à commencer par la béchamel
(ajoute de la crème fraîche,
du sel, du poivre et de la noix
de muscade râpée).
● Recommence l'expérience
avec une petite différence…
lourde de conséquences.
Aussitôt la farine incorporée,
remets à cuire à feu moyen
cette pâte sèche en la remuant
en permanence. Quand elle
a bruni, intègre l'eau hors du
feu, etc. Tu obtiens un roux
brun, base d'une autre série de
sauces comme la sauce madère
(ajoute du madère, du concentré
de tomates et assaisonne).
Tu as simplement joué sur
le temps de cuisson du mélange
farine-beurre que tu as mesuré
"à vue", d'après l'indication
colorée des transformations
chimiques de ta préparation.
Une horloge n'aurait pas pu
te guider plus précisément !

Est-ce de la mesure ?

Toutes ces façons de faire
répondent à la définition de
la mesure : évaluer des grandeurs,
par comparaison à des étalons,
avec une précision adaptée
à leur usage. Les grandeurs
correspondent ici à des volumes,
des masses, des temps, mais aussi
à des couleurs, des consistances,
etc. Et ces mesures sont
communicables, ce qui est bien
leur but essentiel.

Les sauces, parfum et consistance

Le secret d'une sauce réussie ne consiste pas seulement dans l'assemblage des parfums que l'on y découvre, mais aussi dans son onctuosité plus ou moins affirmée. Trop liquide, au lieu de bien napper le mets qu'elle accompagne, la sauce restera piteusement au fond du plat ou de l'assiette ! L'art du saucier est donc de s'appuyer sur des ingrédients épaississants tout en respectant les saveurs.

Une sauce qui ne coule pas

Les cuisiniers d'antan laissaient mijoter de longues heures le pied de veau pour qu'il libère ses principes gélifiants, ne faisant rien de plus que d'extraire du collagène, principale protéine des os, des cartilages et des tendons. En se refroidissant, le liquide visqueux se transformait en gélatine. Celle-ci est constituée de très longues chaînes de molécules, reliées entre elles pour former un réseau continu souple emprisonnant une grande quantité d'eau : un gel. Aujourd'hui, la gélatine est disponible en feuilles minces pesant 2 g, chacune pouvant gélifier un bon quart de litre d'eau. Tu as cuit une poule dans de l'eau salée avec quelques légumes (carottes, oignons…). Recueille le bouillon et fais-y dissoudre une feuille de gélatine. Avant qu'il ne soit complètement froid, verse-le sur les morceaux de poule. Après refroidissement complet, un gel du plus bel effet enveloppe la viande. En fondant en bouche, le gel parfumé libérera les arômes piégés.

De l'amidon pour lier la sauce

Deux grandes familles de sauces naissent avec deux préparations très simples : le "roux blanc" et le "roux brun" (*voir p. 15*). Les ingrédients sont les mêmes : de la farine, composée essentiellement d'un ensemble de protéines (appelé gluten), et d'amidon (longs assemblages de molécules de divers sucres) ; une matière grasse, huile ou beurre. On fait cuire le mélange

farine + matière grasse :
très peu dans le cas du roux
blanc, plus longtemps
dans celui du roux brun
de manière à atteindre
la caramélisation des sucres et,
donc, le brunissement
de la préparation. Si l'on ajoute
un liquide aqueux* à ces
préparations et que l'on chauffe,
l'eau pénètre dans les grains
d'amidon, les fait gonfler
et se fixe sur leurs constituants :
de gros assemblages moléculaires
se construisent qui s'écoulent
difficilement. La préparation
devient onctueuse ; en termes
culinaires, on dit qu'elle est "liée".

aromatique pour obtenir
une sauce brune. Si l'on ajoute
encore du vinaigre et
des cornichons, voici la sauce
piquante ; ou du madère
et du concentré de tomates
et c'est la sauce portugaise !

LIAISON À L'ŒUF

On peut trouver la consistance
d'un potage un peu trop proche
de celle de l'eau. C'est le moment
d'ajouter un ingrédient pour
en augmenter le "velouté",
sans remettre en cause
la saveur. Farine de blé ou
de maïs, quelques minutes
d'ébullition et le liquide
s'épaissit sur le principe de
la liaison à l'amidon, puis
s'opacifie légèrement.
Un jaune d'œuf lui apportera,
en plus du velouté, une teinte
chaude : les protéines de l'œuf
se sont coagulées en gros
assemblages comme chaque
fois que l'on élève leur
température.

Familles de sauces

Au roux blanc, on peut incorporer
de l'eau et c'est la sauce blanche
dont on nappe les endives
au jambon ; un bouillon,
une réduction d'échalotes et de
fines herbes dans du vinaigre :
voilà la sauce poulette ;

LE SAVAIS-TU ?

Aussi ancien que populaire
Le ketchup (mot d'origine malaise)
a été fabriqué à partir de 1876
par un Américain d'origine
allemande, Henry Heinz.
Auparavant, cette sauce,
à base de condiments divers,
très prisée des Britanniques,
était réalisée par les ménagères.
On n'y incorpora des tomates
qu'autour de 1790. Il existait
mille recettes
(les Romains
avaient déjà
les leurs 300 ans
avant notre ère !),
mais leur but était
toujours
d'assaisonner
les viandes.

de l'eau et
du concentré
de tomates et la sauce
aurore apparaît ! Si l'on
ajoute du lait, voici la
béchamel, opaque et plus
onctueuse que la sauce
blanche, avec toutes
ses variantes. Au roux brun,
de saveur plus affirmée,
on incorpore des ingrédients
aux goûts plus "rudes" :
un bouillon de viande,
des oignons et un bouquet

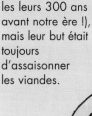

Le petit miracle de la mayonnaise

Qu'y a-t-il de commun entre un litre de lait, un bol de mayonnaise et une cuillerée de sauce béarnaise ? Tous ces produits naturels, ou préparés en cuisine, sont des "émulsions" basées sur une dispersion de gouttelettes de matières grasses dans de l'eau. Les physico-chimistes ont levé le voile sur ce qui était la "terreur" des cuisinières.

Une émulsion* naturelle, le lait

Le lait frais est une émulsion stable, si tu n'y ajoutes pas de produit acide*. La stabilité dépend des proportions respectives d'eau et de matières grasses, mais elle résulte surtout de l'existence de molécules dites **tensioactives** qui enveloppent les gouttelettes de corps gras. Certaines protéines du lait jouent ce rôle : elles ont une tête **hydrophile** soluble dans l'eau et une queue **hydrophobe** possédant une grande affinité pour les corps gras. Ainsi, ces molécules enrobent les gouttelettes grasses et permettent leur dispersion dans l'eau (*voir le même phénomène p. 166-167*). L'émulsion reste stable parce que les têtes hydrophiles, chargées électriquement, se repoussent mutuellement jusqu'à l'équilibre.

Les secrets de la mayonnaise

La mayonnaise n'est rien de plus qu'un mélange d'eau et d'huile. Si tu bats dans un bol de l'eau et de l'huile, tu verras que des gouttes d'huile se dispersent dans l'eau ou, inversement, que quelques gouttes d'eau se dispersent dans l'huile. Si tu arrêtes l'agitation, tu retrouveras rapidement dans le bol deux couches (on dit "deux phases"). L'eau est au fond du bol, tandis que l'huile, plus légère, est au-dessus. Comment expliquer alors que la mayonnaise, combinaison d'eau du jaune d'œuf (environ une demi-cuillerée à café par jaune) et d'huile, reste stable ? Le phénomène découle également de la présence de molécules tensioactives.

Le jaune d'œuf contient des lécithines qui entourent les gouttelettes d'huile. La moutarde aussi est riche en molécules de ce type. Le jus de citron ou le vinaigre, ajoutés en fin de préparation, renforcent la stabilité de la mayonnaise en augmentant la charge électrique des tensioactifs : les gouttelettes enrobées se repoussent davantage. De plus, le jus de citron la rend plus fluide en apportant de l'eau.

Réussir la mayonnaise

Dans la mayonnaise, le rôle de la fourchette ou du fouet est de diviser l'huile en fines gouttelettes et de permettre aux tensioactifs de se faufiler entre elles. Mais dans quel sens tourner, et peut-on changer de sens en cours de préparation ? Cela n'a évidemment pas d'importance. Maintenant que tu sais ce qui se passe à l'échelle des gouttelettes d'huile, tu comprends que leur formation reste indifférente au sens dans lequel l'outil passe à travers l'huile. Pourtant, les mayonnaises ratées, ça existe ! Les gouttelettes d'huile refusent de rester séparées, elles se regroupent, "floculent" : tu as mis trop d'huile par rapport à la quantité d'eau, ou les ingrédients sont trop froids. "Rattraper" la mayonnaise est généralement possible, surtout au batteur électrique qui épargne la peine : verse une cuillerée à café d'eau dans un bol, et ajoute lentement la préparation ratée.

ÉMULSION AU CHOCOLAT

Il te faut :
- une casserole de dimension moyenne,
- une cuillère en bois,
- 200 ml d'eau,
- 225 g de chocolat à dessert, brisé en carrés,
- une feuille de gélatine.

● Dépose la gélatine dans l'eau contenue dans la casserole.
● Quand elle est ramollie, chauffe doucement et ajoute le chocolat en remuant régulièrement.
Tu obtiens ainsi une émulsion, bien homogène et stable.

Le chocolat, contenant une forte proportion de beurre de cacao (un corps gras comme l'huile), s'est mélangé à l'eau. Ici, ce sont les molécules de gélatine qui viennent enrober les gouttelettes de beurre de cacao.

La cuisson à l'eau

L'invention du feu a changé la vie de nos lointains ancêtres pour toutes sortes de raisons. En particulier, cela leur a permis de passer du cru au cuit et de tâter de la viande grillée. Plus tard, sans doute, en inventant la poterie, ils ont découvert une platée qui devait ressembler au pot-au-feu.

Cuire, c'est apporter de la chaleur à des ingrédients ou à une préparation pour permettre ou accélérer des transformations chimiques et physiques. Celles-ci les rendent parfois tout simplement comestibles (le riz, les pommes de terre…) ou plus digestes (le chou…). Mais, dans bien des cas, elles leur donnent du goût : saveurs nouvelles, flattant le palais ou le nez, modifiant les textures pour le plaisir de la dégustation.

La cuisson utilise différents modes de transfert de la chaleur :
- la **conduction**, par contact entre la source chaude et la préparation à cuire (sur une plaque de cuisson…) ;
- la **convection** (*voir p. 242*), par transport de vapeurs ou de liquides chauds (à l'intérieur d'un bouillon sur le feu…) ;
- le **rayonnement**, par absorption d'ondes électromagnétiques (dans un four, au micro-ondes…).

De l'eau dans une marmite

Cuire dans l'eau, rien de plus simple… et pourtant cela mérite un peu de réflexion car, suivant la manière dont on joue de la température, le résultat varie considérablement. En effet, au contact du liquide chaud, les cellules des viandes et des légumes éclatent et les éléments qu'elles contiennent (en particulier les arômes) tendent à s'échapper dans l'eau. Si c'est le but recherché, on placera l'aliment dans une eau froide que l'on laissera bouillir longuement. Ainsi prépare-t-on le pot-au-feu. Si l'on souhaite, au contraire, limiter cet échange, il faudra alors attendre que l'eau soit bouillante avant

POMMES DE TERRE EN PAPILLOTES

Il te faut :

- des pommes de terre de bonne taille (au moins 100 g par tubercule),
- du papier d'aluminium,
- un plat allant au four.

● Lave les pommes de terre et pique leur peau à la fourchette.

● Enveloppe chacune d'elles dans une feuille d'aluminium. Dispose ces papillotes dans un plat que tu mettras dans le four à 200 °C, pendant 1 h 15 mn environ.

● Déplie tes papillotes sans te brûler les doigts, et déguste à la petite cuillère en ajoutant du sel et du beurre, ou de la crème.

Tu n'as pas apporté d'eau et pourtant il s'agit encore d'une cuisson à l'eau et à la vapeur d'eau : elles proviennent du légume lui-même. Le rôle de la papillote est, d'une part, de les emprisonner et, d'autre part, de leur communiquer la chaleur du four.

d'y plonger les aliments (notamment les légumes verts et les poissons) aussi brièvement que possible. Pour éviter que les aliments ne deviennent fades en cédant leurs sels à l'eau, on ajoute à leur eau de cuisson une quantité de sel d'autant plus élevée que le volume est important.

Le four à micro-ondes

Tous les aliments qui contiennent de l'eau peuvent cuire au micro-ondes. En effet, les micro-ondes (analogues aux ondes lumineuses, mais de plus basse fréquence) agissent essentiellement sur les molécules d'eau en les agitant violemment, ce qui augmente leur température. Ces molécules se heurtent à celles du milieu ambiant, leur communiquant une part de leur agitation, et les échauffent à leur tour. La température atteinte ne dépasse pas 100 °C, celle de l'eau bouillante.

Par ailleurs, les micro-ondes pénètrent profondément dans la plupart des denrées : un morceau de viande y subit donc une cuisson en profondeur, très différente de celle d'un four ordinaire. Un mécanisme fait tourner le plat dans le four parce que les ondes sont plus concentrées en certaines zones.

PAIN FRAIS, PAIN SEC

Il te faut :

- un petit morceau de pain frais et un morceau semblable de pain très rassis,
- une assiette supportant les micro-ondes.

Place les deux morceaux de pain sur l'assiette, plutôt vers le bord. Passe-les au four à micro-ondes pendant 1 mn. Compare ensuite leurs températures (attention de ne pas te brûler avec le morceau de pain frais !). Fais-leur subir une deuxième cuisson d'1 mn et étudie leurs comportements : l'action des micro-ondes est très importante sur le pain qui contient encore de nombreuses molécules d'eau.

Cuire à plus de 100 °C

Ça sent la frite! La cuisson dans les matières grasses (mais aussi dans l'atmosphère sèche du four ou sur le gril) est en effet peu discrète. Les températures atteintes autorisent des transformations qu'ignore la cuisson à l'eau : aspects, parfums, goûts… tout est différent.

LES POMMES RISSOLÉES

Il te faut (pour 2 personnes) :
- 300 g de pommes de terre,
- une gousse d'ail hachée,
- une poêle (si possible avec revêtement anti-adhérent),
- de l'huile pour cuisson (olive, par exemple).

● Épluche les pommes de terre, coupe-les en petits cubes, lave-les et essuie-les.
● Fais chauffer 2 ou 3 cuillères à soupe d'huile dans la poêle. Ajoute les pommes de terre et l'ail.
● Chauffe à feu moyen. Retourne les cubes avec une spatule en bois pendant la cuisson.
À déguster sans oublier de saler.

La cuisson s'effectue ici au contact d'un corps gras, par **conduction**, ce qui permet d'obtenir une température nettement supérieure à 100 °C. Les arômes qui se dégagent le prouvent. Au parfum assez vague de la pomme de terre elle-même, se sont superposées une odeur qui peut aller jusqu'au brûlé et l'odeur de l'ail.

En même temps, les couleurs dorées, puis brunes (et noires peut-être !) montrent que des transformations chimiques importantes ont lieu.
Les sucres de la pomme de terre (son amidon, la matière blanche qui s'en échappe lorsqu'on la râpe) caramélisent à ces températures élevées.

L'art des frites

Le cuisinier (ou la cuisinière !) prépare les pommes de terre : il les épluche, les coupe en bâtonnets, les sèche sur

un torchon. Quand l'huile de la friteuse est sur le point de fumer, il teste sa température (150 à 160 °C) : il jette un morceau de pomme de terre qui grésille immédiatement. Il dépose les frites dans le panier et le descend dans l'huile. Il évalue le temps de cuisson à l'œil. Le procédé de cuisson est, dans son principe, le même que celui des pommes rissolées. La pomme de terre ne s'imbibe pas d'huile (ce qui la rendrait peu digeste) parce que l'amidon forme une croûte caramélisée imperméable. En cas d'absence d'amidon dans l'aliment à frire, on l'enrobe de farine et de chapelure (c'est le cas des croquettes de poisson), ou d'une pâte à beignet qui fait office de croûte. Si l'huile n'est pas assez chaude, la caramélisation ne se produit pas, les frites restent molles et ne se colorent pas. C'est pour cela qu'il ne faut pas la refroidir en y plongeant une trop grande quantité de pommes de terre à la fois.

Il faut les sécher avant de les plonger dans l'huile pour des raisons de sécurité. En effet, au contact de l'huile chaude, les gouttelettes d'eau se vaporisent brutalement : ces petites explosions risquent d'entraîner la projection d'huile sur les mains ou le visage du cuisinier.

Le rôti dans le four

Comment le rôti de bœuf ou le poulet cuisent-ils dans le four ?

La viande est en contact avec l'air (à plus de 200 ou 250 °C) qui passe en permanence des parois chaudes au plat par convection. Mais ce n'est pas tout : les parois émettent un rayonnement infrarouge* puissant. Ce chauffage brutal, en atmosphère dépourvue d'humidité, fait éclater les cellules de la surface de la viande : graisses, protéines, sucres s'échappent et réagissent entre eux. Au bout d'un moment, des parfums caractéristiques se dégagent : des molécules aromatiques complexes se forment, la viande brunit, une fine croûte se constitue, ralentissant le départ du jus.

Bleu, saignant, à point ?

Comme le rôti, le steak posé sur le gril (au-dessus d'une flamme ou d'une plaque chauffante) cuit sans apport d'eau ou de graisse. La chaleur n'est transmise que par conduction. Si la plaque est très chaude, des phénomènes semblables à ceux observés pour le rôti se produisent : couleur, odeur, cuisson en surface alors que l'intérieur reste saignant.

LE SAVAIS-TU ?

Le ragoût géorgien
Voici une recette des montagnards du Caucase : couper en morceaux un mouton entier, saler et coudre dans la peau, poils dehors. Placer dans une fosse de braises et recouvrir de cendres. Retirer au bout d'une heure, découdre, disposer dans un plat et ajouter le jus de cuisson.

Si l'on insiste, la chaleur se propage dans la viande et l'on passe du steak bleu à la "semelle" avec tous les intermédiaires : l'eau est chassée, les protéines se lient entre elles et la viande durcit.

FAIRE SON PAIN

Un jour, il y a très longtemps, des hommes ont fait cuire un peu de pâte sur des pierres chaudes : ils avaient inventé la galette. Puis, de la même manière, avec de la pâte préparée depuis deux ou trois jours, ils ont fabriqué du pain à la mie gonflée d'alvéoles. Sans le savoir, ils s'étaient fait aider par des organismes microscopiques vivants pour obtenir une pâte levée.

Pour comprendre ce qui se passe à chaque étape, prépare toi-même ton pain en suivant la méthode utilisée par nombre de boulangers de par le monde.

Il te faut :
- 500 g de farine de blé,
- 250 ml d'eau,
- une cuillère à café de sel de table,
- 5 g de levure de boulanger (pas de la levure chimique),
- un grand récipient (saladier ou plat creux),
- une tasse.

Le tablier est recommandé !

● Installe-toi dans la cuisine (la température idéale se situe entre 22 et 24 °C) sur une surface où tu pourras pétrir la pâte.

Fabriquer la pâte

● Dans la tasse, délaie le sel et la levure dans un peu d'eau tiède.

● Verse la farine dans le saladier. Creuse une fontaine et ajoutes-y l'eau et le contenu de la tasse. Malaxe le tout soigneusement avec les mains.

Pétrir la pâte

● Sors la pâte du saladier et pose-la sur le plan de travail. Pétris-la pendant 5 mn environ, tout en retirant la pâte collée à tes mains. Réalise une sorte de boule.

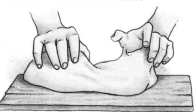

La farine contient deux composants principaux : des grains d'amidon et des protéines. Pendant le pétrissage, les protéines (molécules en forme de pelotes) se déroulent, s'alignent et s'attachent les unes aux autres : elles constituent une trame que l'on appelle **gluten.**

La pâte devient élastique tout en restant déformable. Le gluten va former les cloisons de la mie et consolider le pain.

Laisser fermenter la pâte

● Laisse reposer la pâte pendant 2 ou 3 h (si possible dans un endroit chaud) en la couvrant d'un torchon.

Pendant le pétrissage avec l'eau, l'amidon de la farine a libéré du maltose. C'est ce qu'attendaient les cellules vivantes de la levure (ce sont des champignons microscopiques) pour se mettre au travail.

À partir du maltose, elles fabriquent divers composés, se multiplient, transforment encore le maltose : c'est la **fermentation.**

Parmi les composés, on trouve du **gaz carbonique** qui, prisonnier de la pâte, forme les alvéoles de la mie. La pâte gonfle : elle lève.

Façonner le pain

● Reprends le pétrissage pendant quelques minutes et donne une forme à ton pain : allongé, aplati ou en couronne… Attention : il faut qu'il soit nettement plus

petit que le four. Laisse encore la pâte reposer pendant 1 h pour une nouvelle fermentation.

Le second pétrissage a amélioré la répartition des levures dans la pâte : le dégagement de gaz carbonique sera plus abondant, la mie plus légère.

Mettre au four et cuire

● Préchauffe le four pendant 15 mn, le thermostat réglé sur 210/230 °C. Donne quelques coups de couteau peu profonds sur le dessus du pain avant de l'enfourner à mi-hauteur. La cuisson dure environ 30 mn (à surveiller !).
● Après l'avoir sorti du four, laisse ton pain refroidir si possible sur une grille.

Pain blanc, pain bis ou gris, pain complet, chacun a sa saveur et ses amateurs.

Autour du pain, l'imagination des boulangers n'a pas cessé de broder, chacun apportant des ingrédients, des méthodes de préparation et des modes de cuisson qui en changent la consistance, le parfum ou le goût.

Pendant la cuisson, le gaz carbonique se dilate : les petites incisions permettent à la pâte de gonfler sans se déchirer. Une partie de l'eau s'évapore et s'échappe par la surface. Celle-ci durcit, se dessèche et forme une croûte.

LE SAVAIS-TU ?

Un pain millénaire
Au cours de fouilles dans la région de Berne (Suisse), des archéologues ont retrouvé un pain qui semble le plus vieux du monde. Il a été cuit il y a environ 5 500 ans. Il devait à l'origine peser autour de 250 g et mesurer 17 cm de diamètre.

Le croissant
Dès l'Antiquité, les Romains connaissaient le bretzel, si répandu aujourd'hui dans tout l'Occident. Le croissant a été inventé à Vienne, en Autriche, avant que la reine Marie-Antoinette ne le rende populaire en France au XVIIIe siècle.

Extraire

Bien malheureux celui qui, devant son plat préféré, est enrhumé ! Les cellules réceptrices des odeurs qui tapissent l'intérieur de son nez sont en panne. Il a quelque peu perdu l'odorat et, par conséquent, le goût. Le voilà privé des arômes et des saveurs qu'il espérait retrouver.

Les méthodes d'analyse mettent chaque jour en évidence de nouveaux composés volatils odorants naturels dans les aliments. Nous percevons ainsi des milliers d'arômes, plus ou moins agréables ou détestables. Les uns s'échappent naturellement des produits frais (ah, le parfum des fraises mûres !), d'autres demandent qu'on les aide un peu par la chaleur (ah, les effluves du café qui "passe" de bon matin !), d'autres encore n'apparaissent qu'au cours de préparations. Il peut s'agir de composés nés de réactions microbiologiques (par exemple, la fermentation du raisin conduisant au vin et à tous les composés qu'il abrite), ou bien, comme au cours de la préparation d'un plat, de produits de réactions entre des sucres et des protéines : les bonnes odeurs de la viande grillée, de la tarte brunissant doucement dans le four, du pain chaud…

Naturels ou artificiels ?

La cuisine familiale utilise généralement des aromates (végétaux porteurs d'arômes) : le thym, la cannelle, la muscade, etc. Ceux-ci développent des "arômes naturels".

L'industrie alimentaire emploie de nombreux arômes "identiques au naturel", réalisés par synthèse, qui ont une formule chimique semblable à celle des substances naturelles (exemple : l'arôme de noix de coco). Elle introduit aussi des inédits, des "arômes artificiels" synthétisés et non encore identifiés dans la nature.

L'extraction des arômes naturels et la synthèse des molécules aromatiques sont des activités industrielles très voisines, dans leurs méthodes, de la parfumerie.

Extraction à l'alambic

Les matières végétales mélangées à de l'eau sont mises à bouillir dans un alambic, ou soumises à l'action directe de la vapeur d'eau chaude fournie par un générateur.
La vapeur d'eau en s'échappant entraîne les constituants les plus volatils. Après refroidissement et condensation, le mélange eau + molécules aromatiques est laissé au repos. Insolubles dans l'eau, les molécules aromatiques se séparent et surnagent (*voir expérience d'extraction à la vapeur p. 168-169*).

D'autres techniques d'extraction

Pour extraire des essences d'écorces ou des zestes d'agrumes, on réalise une expression à froid : une machine provoque la rupture des sacs "oléifères" de la couche externe de la peau, libérant l'essence. Vérifie-le en pelant une orange et en pliant brutalement les pelures à 2 ou 3 cm d'une flamme de bougie : les gouttelettes d'essence projetées s'enflamment.
Les décoctions s'obtiennent par l'action plus ou moins prolongée d'un liquide bouillant permettant de recueillir les principes actifs des substances végétales. Si tu veux une bonne décoction de bois de réglisse (elle a la réputation de faciliter la digestion), tu devras laisser bouillir l'eau longtemps à feu doux dans la casserole. Les infusions, tisanes

du soir (verveine, tilleul…) ou thés, sont aussi des extractions à chaud. Dans ce cas, on laisse agir l'eau préalablement chauffée sur les végétaux. Ce sont d'abord les molécules les plus volatiles qui sont recueillies, puis les molécules les plus solidement fixées. Tu peux constater, par exemple, en préparant du thé, que les tannins (ces substances brunes et âcres qui se déposent sur les parois de la tasse) ne sont extraits qu'au bout de plusieurs minutes d'infusion.

THÉ EN FEUILLES OU EN POUDRE ?

Il te faut :
- une feuille de papier,
- une bonne cuillère à café de thé en feuilles (vendu en boîte et non en sachet),
- deux verres supportant l'eau bouillante.

● Étale le thé sur la feuille de papier propre en un carré de 10 cm de côté environ. Sépare une moitié et dépose-la dans un verre. Replie le papier sur l'autre moitié et écrase-la aussi finement que possible, à l'aide d'une bouteille de verre par exemple. Mets les feuilles de thé broyées dans l'autre verre.
● Verse la même quantité d'eau chaude dans les deux récipients. Observe et compare les couleurs des infusions en agitant toutes les minutes.
Le thé en poudre présente une surface beaucoup plus grande que le thé en feuilles, le contact avec l'eau est meilleur et il infuse plus vite.

Le sel, du marais à la table

Existe-t-il produit plus banal ? Nous avons oublié qu'il y a seulement deux siècles, la gabelle, impôt sur le sel – denrée indispensable – soulevait la colère du peuple. Les faux sauniers, qui se livraient à la contrebande du sel, menaient la vie dure aux gabelous. Parmi eux, le célèbre Mandrin, devenu en France héros national vers 1750 et roué vif en 1755.

Pas de vie humaine sans sel, mais pas d'élevage de bétail non plus : on sale le fourrage. Certains peuples n'avaient qu'à se baisser pour ramasser des blocs de sel sur des lacs salés. D'autres devaient brûler des algues avec un rendement très faible en sel. En Europe, au XIXe siècle, la production de sel a rapidement pris des formes industrielles.

La production du sel

On extrait le sel de deux sources : de la mer (sel **marin**) et de la terre (sel **gemme**).

• Le sel marin est récolté dans les marais salants. Au fil des siècles, les paludiers ont bâti tout un système de bassins peu profonds irrigués par la mer. Sous l'action du soleil et du vent, l'eau de mer (contenant en moyenne 35 g de sel par litre) s'évapore. De bassin en bassin, la solution de sel se concentre, se sature,

puis le sel cristallise au fond des derniers bassins. Toute la difficulté consiste à séparer le chlorure de sodium (NaCl), notre sel de table, du chlorure de magnésium (MgCl) au goût particulièrement amer. Comme le premier cristallise avant le second, il faut récolter le sel dans l'eau, en le tirant au sec avec précaution. Cette récolte nécessite un temps au beau fixe, ce qui ajoute à la difficulté de planifier l'extraction.

LE SAVAIS-TU ?

Le sel du salaire
Le légionnaire romain était payé avec du sel qu'il pouvait troquer contre des marchandises ! C'était le *salarium* devenu, en français, le mot salaire. À l'époque, le sel avait un véritable rôle de monnaie au même titre que les pièces d'or et d'argent.

• Le sel gemme provient d'anciennes mers qui se sont asséchées au cours de l'histoire géologique. L'eau circulant sous terre le dissout et forme parfois des sources salées qui sont exploitées. Cependant, pour extraire le sel, il faut faire évaporer l'eau en la chauffant et donc entretenir un feu pendant un temps très long. Ceci a conduit les premiers exploitants à largement déboiser. Le sel ainsi produit est très coûteux, mais plus pur que le sel marin. Des techniques modernes d'infiltrations forcées d'eau permettent d'obtenir des saumures plus concentrées : il y a moins d'eau à évaporer.

• Les blocs de sel récoltés sont écrasés ; le sel est ensuite lavé et tamisé pour ôter les impuretés, puis mis en sacs.

Le sel et la vie

Le sel est absolument indispensable à notre organisme. Un apport d'environ 5 g par jour permet de compenser son élimination dans l'urine et par la transpiration. En revanche, sa surconsommation est cause d'hypertension artérielle. Les cellules de notre organisme baignent dans un liquide fortement concentré en sel. Les ions chlorures permettent la fabrication d'acide chlorhydrique dans l'estomac sans lequel il n'y a pas de digestion possible. Les ions sodium maintiennent la pression osmotique (voir ci-dessous) des cellules et sont impliqués dans la transmission de l'influx nerveux.

La sorbetière

Bien avant l'invention du congélateur, on préparait des sorbets et des crèmes glacées. Pour cela, il fallait néanmoins disposer d'une sorbetière : un seau rempli d'un mélange de glace concassée et de sel dans lequel baignait un récipient contenant la préparation à congeler. Fais toi-même l'expérience (utilise du gros sel), mais il faut avoir la patience de remuer souvent la crème pendant qu'elle refroidit si tu ne veux pas croquer de gros cristaux glacés. La présence de sel dans la glace abaisse sa température de fusion. On obtient facilement un liquide dont la température se situe à 10 °C au-dessous de zéro. En théorie, on pourrait obtenir de l'eau salée à l'état liquide à − 21 °C. C'est pour cette raison que l'on répand du sel sur les routes pour lutter contre la formation de glace.

FAIRE DÉGORGER UN CONCOMBRE

Il te faut :
- un concombre,
- du sel fin,
- un saladier ou un plat creux.

• Épluche le concombre et coupe-le en fines rondelles. Mets-le dans le récipient, saupoudre-le de sel et mélange.
• Au bout d'une heure, tu constates qu'il y a maintenant beaucoup de liquide avec le concombre. Celui-ci a "dégorgé".

Les cellules végétales contiennent de l'eau. Si le milieu extérieur est très concentré en sel, l'eau de la cellule passe à travers la membrane. C'est le phénomène d'**osmose** et l'on parle de pression osmotique dans les cellules. Ceci explique pourquoi l'on a très soif si l'on mange trop de sel : les cellules ont besoin de diluer tout ce sel pour ne pas perdre leur eau.

Du caramel au charbon

Médicament chez les Grecs de l'Antiquité, épice rare au temps des colonisateurs, le sucre est aujourd'hui un produit de grande consommation, symbole par excellence de nos sociétés industrialisées.

Les plantes : des usines à sucres

Le sucre est un produit de la photosynthèse : grâce à l'énergie lumineuse, le gaz carbonique présent dans l'air et l'eau contenue dans la sève des plantes exposées au soleil se transforment en oxygène et en sucres, réserves de nourriture pour les végétaux. Jusqu'à la fin du XIXe siècle, le sucre provenait de la canne à sucre, cultivée dans les régions tropicales. Le sucre de betterave, produit des pays à climat tempéré, s'est rapidement diffusé au point de représenter aujourd'hui plus du tiers de la production mondiale.

On fabrique aussi du sucre d'érable, de coco, de palme, de datte, de maïs…
Ce que l'on appelle sucre dans le langage courant, qu'il soit blanc ou roux (c'est une question d'épuration plus ou moins poussée en fin de fabrication), est du saccharose.

Nous aimons le sucre, mais...

Aujourd'hui, les habitants des pays industrialisés consomment près de 50 kg de sucre par personne et par an, soit presque dix fois plus qu'il y a deux cents ans ! Il est présent dans le bol du petit déjeuner, mais aussi dans bien d'autres aliments : bonbons et gâteaux, boissons gazeuses et jus de fruits, préparations de légumes ou charcuteries et, selon les cultures, sauces ou assaisonnements ! Attention à la surconsommation, car elle favorise la prise de poids et les maladies cardio-vasculaires. Les chimistes ont donc fabriqué

LA CARAMÉLISATION

• Rien de plus simple que de faire chauffer du sucre (même au four à micro-ondes, en le mélangeant avec un peu d'eau) pour obtenir du caramel.

Les molécules de saccharose se décomposent en diverses nouvelles molécules qui, soit demeurent en solution et donnent cette belle couleur brun clair, soit s'évaporent et produisent ce parfum très particulier.

• Tu peux aussi chauffer du lait très sucré à feu doux pour obtenir de la confiture de lait au goût de caramel lacté.

LE SUCRE S'ENFLAMME !

(Présence d'un adulte obligatoire)

• Tiens, avec une pince à linge en bois, un morceau de sucre au-dessus d'une soucoupe, et fais-le brûler avec une allumette : le sucre fond mais ne s'enflamme pas.

• Frotte l'extrémité du morceau avec de fines cendres végétales (papier ou autres), puis présente-la de nouveau à la flamme : le sucre prend feu.

Tu observes ici le phénomène de **catalyse**, processus fondamental en chimie et en biochimie : la présence de carbone dans les cendres accélère la combustion du sucre, à tel point que celui-ci s'enflamme pour se transformer lui-même en carbone (du charbon de sucre).

des molécules au goût très sucré : les édulcorants de synthèse, dont le plus connu, l'aspartam, est vendu sous forme de sucrettes. Une petite quantité d'aspartam remplace plusieurs morceaux de sucre sans en apporter les calories.

Les sucres, quelle famille !

Le nom de certains sucres évoque leur origine : le fructose provient des fruits, le lactose du lait, le maltose du malt. Dans cette grande famille, il existe plusieurs catégories de sucres qui diffèrent suivant leur structure.
Les molécules des sucres simples (glucose, fructose, galactose) peuvent s'associer pour donner des sucres composés.

Ainsi, le maltose est formé de la réunion de deux glucoses, le lactose d'un glucose et d'un galactose, le saccharose d'un glucose et d'un fructose. Plus complexes sont l'amidon et la cellulose, formés de nombreuses molécules de glucose associées en "colliers". Dans l'estomac, l'acidité des sucs gastriques coupe les chaînes de l'amidon et de la cellulose pour redonner petit à petit du glucose. L'amidon dans le pain, les pâtes et le riz, et la cellulose sont appelés "sucres lents", par opposition au saccharose qui est très vite assimilé par l'organisme. Ces sucres lents sont conseillés aux sportifs qui ont besoin d'un apport continu d'énergie (*voir p. 64-65*).

De la grappe à la bouteille

Sous le soleil de ce magnifique début d'automne, le vignoble connaît la plus intense activité. La vendange bat son plein. Ici, hommes et femmes progressent le long des ceps, le sécateur à la main. Là-bas, le tracteur-vendangeur escalade le coteau puis redescend vider sa récolte dans une benne qui partira pour la coopérative.

Rouges...

Sitôt arrivé, le contenu de la benne – des grappes de raisin rouge – est confié au fouloir-égrappoir qui fait éclater les grains et sépare la **rafle** (les tiges sans les grappes). Il y a bien longtemps que l'on ne foule plus le raisin aux pieds ! On laisse le liquide épais qui s'écoule, le **moût** – mélange de jus et de peaux –, fermenter dans des cuves pendant une à cinq semaines. Les micro-organismes* déjà présents ou ajoutés (des levures) transforment le sucre en alcool et en gaz carbonique. À la fin de la fermentation, le liquide, auquel les peaux ont donné sa couleur rouge, est soutiré : c'est le **vin de goutte**.

Puis le résidu solide (peau, pulpe) est pressé pour en extraire le jus restant : c'est le **vin de presse**. L'ensemble est placé en tonneaux ou en cuves d'acier inoxydable pour la maturation.

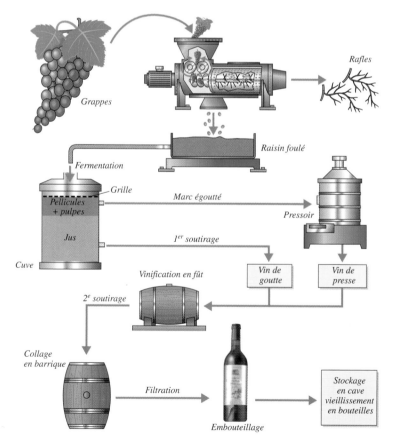

Grappes

Rafles

Raisin foulé

Fermentation

Grille

Marc égoutté

Pellicules + pulpes

Pressoir

Jus

1er soutirage

Cuve

Vinification en fût

Vin de goutte

Vin de presse

2e soutirage

Collage en barrique

Filtration

Stockage en cave vieillissement en bouteilles

Embouteillage

LA COULEUR DU VIN

Écrase des grains de raisin rouge dans un récipient.
Laisse macérer une journée.
Presse et filtre le résultat.
Le jus est coloré ; en revanche, il n'est pas buvable.
Épluche des grains de raisin rouge, tu constateras que la pulpe a la même couleur que celle des grains de raisin blanc.

C'est donc la peau du raisin rouge qui donne sa couleur au vin rouge.

La première année, on laisse le vin absorber de l'oxygène : il connaît une forte évaporation et une seconde fermentation, qui transforme l'acide malique en acide lactique. Par soutirage, il est débarrassé d'un résidu, la **lie**. Puis il vieillit encore, mais à l'abri de l'air. À la fin de la maturation en cuves, il est clarifié à l'aide de gélatine ou de blancs d'œufs qui coagulent en retenant les grosses impuretés : c'est le **collage**. Il est ensuite filtré, puis mis en bouteilles.

... blancs...

Les grappes proviennent de raisins rouges ou blancs. Mais, contrairement aux vins rouges (et c'est la différence essentielle), pour le vin blanc, les peaux sont séparées par pressurage immédiatement après la vendange. De plus, la fermentation se fait dans des cuves fermées, à température plus basse, et la période de maturation est moins longue.

La mise en bouteilles est également précédée de collages et de filtrages, car les consommateurs préfèrent les vins blancs parfaitement limpides.

... et rosés

Le vin rosé n'est pas un mélange de vin rouge et de vin blanc (à l'exception pourtant du champagne rosé). En réalité, on l'obtient avec du raisin rouge dont les peaux sont laissées en contact avec le jus pendant le temps nécessaire à la coloration voulue. La vinification, après la séparation des peaux, est la même que pour les vins blancs.

Champagne !

Après les vendanges et une première fermentation, le vin blanc est assemblé, filtré, mis en bouteilles, additionné de sucre et de levures, puis capsulé hermétiquement. Une seconde fermentation produit alors beaucoup de gaz. On laisse le vin vieillir en agitant régulièrement les bouteilles, placées la tête en bas, pour faire descendre les dépôts près du goulot. Les bouteilles sont ensuite ouvertes, après avoir gelé leur col en le plongeant dans un mélange de glace et de sel, pour retirer le dépôt, puis refermées à l'aide des bouchons spécifiques de ce vin.

La chaptalisation

Certains moûts ne sont pas assez sucrés pour que la fermentation produise suffisamment d'alcool. Dans des cas précis, les vinificateurs sont autorisés à ajouter du sucre : c'est la **chaptalisation** (du nom du chimiste français Chaptal, 1756-1832). Les fraudes sont maintenant facilement repérées par l'usage de techniques d'analyses chimiques très sophistiquées (spectrométrie de masse et résonance magnétique nucléaire). On peut même connaître l'origine du sucre : canne ou betterave !

LE SAVAIS-TU ?

Goûts d'autrefois

Le vin de l'Antiquité était très différent de celui d'aujourd'hui. De la résine lui était ajoutée pour éviter qu'il ne se transforme en vinaigre. De plus, il était consommé dilué dans de l'eau et mélangé à des épices, du miel et des essences de fleurs.

Vin d'abbaye

Le vin de Champagne fut mis au point à la fin du XVIIe siècle ; la légende attribue son invention à un moine nommé dom Pérignon qui ne fit, en fait, que perfectionner la méthode.

Le blanc et le jaune

Dans sa simplicité, l'œuf est le plus précieux des auxiliaires pour le cuisinier. Ce soir, va-t-il tenir le premier rôle, ou sera-t-il une aide discrète, mais indispensable, pour réussir un plat sophistiqué ?

L'œuf est un des aliments les plus consommés dans le monde grâce à sa valeur nutritive. Il s'agit essentiellement d'œufs de poules : cela fait près de 5 000 ans que les hommes ont domestiqué ces oiseaux de basse-cour, et on compte plus de trois poules pour deux habitants sur notre planète ! Le destin naturel d'un œuf est de se transformer en un poussin qui brisera sa coquille au bout de 21 jours passés sous la poule, à une température de 37 à 38 °C. Encore faut-il que l'œuf ait été fécondé !

Qu'est-ce qu'un œuf ?

Le blanc (qui n'est pas blanc, mais incolore) est constitué de 90 % d'eau et de 10 % d'albumine, protéine (longue molécule pelotonnée sur elle-même) qui apporte beaucoup d'énergie à l'organisme. Quant au jaune, c'est un mélange de matières grasses et de protéines riches en sels minéraux, vitamine A, fer et cholestérol. La coquille est en calcaire (carbonate de calcium). Vérifie-le en versant du vinaigre sur des morceaux de coquille : les bulles produites témoignent d'un dégagement de gaz carbonique.

Poche d'air — Germe — Coquille — Jaune — Blanc

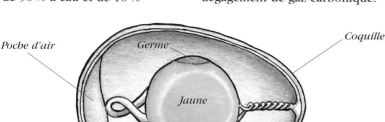

LES BLANCS BATTUS EN NEIGE

● Casse deux œufs et sépare le blanc du jaune. Puis, en quelques minutes, avec un batteur (mécanique ou électrique), fais "monter les blancs".

Les fouets introduisent des bulles d'air dans le liquide. La mousse produite reste stable parce que les protéines viennent se placer autour des bulles et les emprisonnent, les isolant de l'eau qui les entoure. Elles agissent comme le savon lorsque tu fais des bulles.

● Mélange avec précaution tes blancs en neige à une préparation pour l'alléger, par exemple avec les jaunes mis de côté et préalablement battus. Voilà une excellente omelette mousseuse !

LA COQUILLE EST POREUSE

● Trempe un œuf dur quelques heures dans de l'eau mélangée à du safran, ou dans du jus de betterave rouge, ou encore dans du jus d'épinard. Enlève la coquille et tu constateras qu'elle est poreuse.

● Dépose un œuf cru dans un bol d'eau. Flotte-t-il ou coule-t-il ? S'il coule, c'est qu'il est frais. Sinon… Sous la coquille, côté bout renflé, il y a une poche d'air.

Elle est toute petite au début et l'œuf coule (la poussée d'Archimède est inférieure à son poids, voir p. 252-253). Puis, l'eau du blanc s'évapore peu à peu à travers la coquille poreuse, alors la poche d'air grandit.
Une poche d'air importante signifie que l'œuf n'est plus frais. Il a une bouée, il flotte, mais il n'est plus consommable !

Les cuissons des œufs

Lorsque tu plonges un œuf dans l'eau bouillante, les protéines présentes dans le blanc et le jaune réagissent : elles s'accrochent les unes aux autres et forment ainsi une grande chaîne qui s'entortille. Leur structure devient plus compacte et la lumière ne peut plus traverser le liquide. Dans les deux cas, celle-ci est renvoyée dans toutes les directions par les paquets de protéines pour donner la couleur que tu observes.

Lors de la cuisson des œufs à la coque, le blanc commence à cuire alors que le jaune est toujours liquide ; leur coagulation s'effectue respectivement à 60 °C et 70 °C.

La durée de cuisson est calculée à partir du moment où tu plonges l'œuf dans l'eau frémissante. Elle varie un peu avec la masse de l'œuf (entre 40 et 80 g).

	TEMPS DE CUISSON	CONSISTANCE
œuf coque	3 minutes	blanc cuit, jaune cru
œuf mollet	6 minutes	blanc cuit, jaune mi-cuit
œuf dur à point	9 minutes	blanc cuit, jaune moelleux
œuf dur	12 minutes	blanc et jaune fermes
œuf trop cuit	> 12 minutes	blanc caoutchouteux

Mille fromages

*Depuis la plus haute Antiquité,
on en consomme sur toute la Terre.
Les sociétés humaines, nomades ou
sédentaires, ont toujours eu un troupeau,
et il est plus facile de conserver et de
transporter un fromage qu'un verre de lait !
Alors, à chacune ses façons de mettre des
micro-organismes au travail pour transformer
le lait de vache, ânesse, jument, chèvre, brebis,
yack, renne, bufflonne... en fromage.*

L'art du fromager

La variété des fromages est immense. Elle ne résulte cependant que de la manière de procéder au cours de trois opérations successives : **caillage**, **égouttage**, **affinage**. On commence toujours par faire coaguler le lait : c'est le caillage. Il se réalise spontanément par acidification lactique, ou par ensemencement avec des ferments sélectionnés. Dans beaucoup d'autres cas, le fromager ajoute dans sa cuve à lait une quantité plus ou moins importante de "présure" extraite de la caillette d'un jeune veau non sevré.

La caillette, ou dernière poche de l'estomac des ruminants, sécrète le suc gastrique qui permet au veau de digérer le lait de sa mère. Le caillé est égoutté : on sépare une matière solide contenant les protéines et les graisses d'une partie liquide, le lactosérum ou "petit lait". Un égouttage léger du caillé conduira aux "fromages frais" (fromage blanc, petit-suisse...).

Les autres fromages résulteront de l'affinage du caillé soigneusement égoutté. Une seconde fermentation microbienne va modifier la pâte, et l'art du fromager consiste à diriger et à contrôler l'activité des ferments pendant un temps qui peut se compter en semaines, en mois, voire même en années !

À pâte molle

L'égouttage s'effectue naturellement. Dans le cas du camembert, par exemple, le caillé, après démoulage, est salé puis ensemencé en surface par un champignon microscopique, le *Penicillium candidum*. Un tapis de moisissures blanches se développe : la croûte du fromage "fleurit". Pour les fromages à "croûte lavée" (le livarot, le munster…), on confie la transformation du caillé à des bactéries en l'arrosant d'eau salée. Les spectaculaires inclusions de couleur bleu-vert des fromages à "pâte persillée" sont des moisissures internes, introduites dans le caillé de lait de vache : bleu d'Auvergne en France, gorgonzola en Italie, stilton en Angleterre. En revanche, le roquefort, à base de lait de brebis, est ensemencé au cours de son moulage avec du *Penicillium glaucum roqueforti* (préparé autrefois en faisant moisir du pain de seigle). Il est mis ensuite en cave à 7 °C, salé, brossé et transpercé d'un faisceau de longues aiguilles pour activer le développement des marbrures de moisi. Il passera trois mois à l'ombre avant d'apparaître chez le crémier.

À pâte pressée

L'égouttage naturel est complété par un passage sous presse.
– Beaucoup de fromages sont crus tel celui de Hollande. Le caillé, égoutté et lavé, est rassemblé (sous forme de boules pour l'édam), puis pressé et affiné

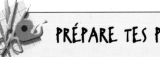

PRÉPARE TES PROPRES YAOURTS

● Fais tiédir du lait entier (à environ 40 °C) ; ajoute un yaourt nature pour ensemencer le lait de ferments.

▌ En se nourrissant du lactose, les ferments produiront de l'acide lactique qui entraînera la coagulation du lait.

● Pour éviter d'avoir un yaourt trop liquide, ajoute une cuillère de lait en poudre.

● Place le mélange encore chaud dans un thermos pendant 6 ou 7 h, ou répartis-le dans des pots que tu poseras sur un radiateur pendant 4 h. Puis, mets tes yaourts dans le réfrigérateur.

en cave. Il est enduit de paraffine colorée en rouge avant d'être mis en vente. Bien d'autres fromages sont réalisés sur le même principe, comme le cantal ou le port-salut.
– D'autres sont cuits, tel le gruyère. Le caillé est chauffé à 32 °C dans une grande cuve. Il durcit. On le tranche avec un outil spécial jusqu'à obtenir le "grain" qui est brassé et cuit à 55 °C. Le grain, rassemblé dans une toile, est passé sous presse.

On le sale, la croûte se forme et, dans une cave froide, les "yeux" apparaissent. Toutes ces opérations demandent des bras solides : pour obtenir une meule de comté de 40 kg, il ne faut pas moins de 500 l de lait. Le parmesan italien est un fromage de même variété, mais plus sec. Sa maturation peut demander plus de deux ans. Ses meules de 25 kg sont très dures : on les casse plutôt qu'on ne les coupe, et on les consomme en fromage râpé.

LE SAVAIS-TU ?

Fromages de moines
La France est souvent présentée comme le pays au plateau de fromages le plus varié. On compte jusqu'à plusieurs centaines de spécialités. Il faut dire que, dès le Moyen Âge, les monastères et les abbayes se créaient une notoriété et une richesse en confectionnant leurs propres fromages. C'est ainsi que sont nés le munster, le pont-l'évêque, le port-salut, et bien d'autres encore !

Déshydratés, congelés... mais en pleine forme!

Le 10 février 1809, le journal Le Courrier de l'Europe *annonce: «M. Appert a trouvé l'art de fixer les saisons. Chez lui le printemps, l'été, l'automne vivent en bouteilles, semblables à ces plantes délicates que le jardinier protège sous un dôme de verre contre l'intempérie des saisons.» Nicolas Appert (1749-1841) avait inventé la conserve, tout d'abord pour le ravitaillement des troupes et les voyages au long cours...*

Cet industriel français a stérilisé les aliments en chauffant en vase clos, à la température de l'eau bouillante, fruits et légumes fraîchement cueillis. Généreusement, il livre ses secrets dans un ouvrage qu'il met à la disposition des familles.

Coupables: des micro-organismes

Les savants de l'époque d'Appert ignoraient les raisons scientifiques de la détérioration des aliments, et invoquaient toujours la génération spontanée pour expliquer l'apparition d'**animalcules** (animaux microscopiques) dans la "matière mourante". Il fallut attendre la démonstration de Louis Pasteur (1822-1895) sur le développement des micro-organismes* et leur destruction par la chaleur pour établir les bases scientifiques des techniques de conservation. La dégradation des aliments est due à trois sortes de micro-organismes: des bactéries, des levures et des moisissures. En se développant, ceux-ci altèrent la structure des aliments (provoquant la putréfaction ou le rancissement) ou bien y incorporent des substances toxiques.

Le choix des armes

Pour combattre les micro-organismes, on peut choisir de les détruire par la chaleur. Ceux qui sont présents dans le lait meurent vers 60 °C: on **pasteurise** le lait. La technique UHT (ultra-haute température) consiste à porter le lait à 140 °C pendant 5 secondes; elle permet de conserver le lait plus longtemps. On peut aussi se contenter d'empêcher la prolifération des micro-organismes sans les tuer, en agissant par le froid, aux alentours de – 20 °C. C'est pour cette raison qu'il ne faut pas congeler (– 18 °C) une seconde fois un aliment décongelé, car entre les deux congélations, les micro-organismes ont eu le temps d'intervenir.

Conserverie de poissons

On peut encore les priver de l'eau indispensable à leur existence. De nombreux aliments sont **déshydratés** par exposition au soleil, par chauffage ou par ventilation. L'évaporation totale de l'eau permet d'obtenir, par exemple, du lait en poudre. Les sirops correspondent à une évaporation partielle. L'ajout de sucre pour les confitures, de sel pour les olives, de saumure (eau très salée) pour le poisson ou la viande provoquent aussi une déshydratation.

La **lyophilisation**, ou extraction de l'eau par le vide sur un aliment congelé, tout en conservant les qualités organoleptiques* de l'aliment, élimine toutes les bactéries.

Légumes sous vide

Autres pratiques courantes : l'emploi d'agents chimiques, des **conservateurs** comme l'acide acétique pour les cornichons, la fumée pour le saumon, l'anhydride sulfureux pour le vin.

La conservation, un risque pour les vitamines

Les vitamines, que seule l'alimentation apporte, interviennent en très petites quantités dans toutes les réactions chimiques cellulaires, qui sont à la base du fonctionnement de l'organisme et de la croissance.

LE SAVAIS-TU ?

L'art universel de conserver la viande

Sécher, saler ou fumer la viande a été, et reste encore, une pratique de conservation partagée par des peuples du monde entier. Après séchage, la viande était parfois réduite en poudre. On tenta en France, vers 1750, de nourrir ainsi l'armée, mais les soldats grognèrent et on arrêta l'expérience. Les Romains, quant à eux, importaient du gibier en le faisant enduire de miel. Mais faut-il avoir confiance en la méthode d'Attila, chef des Huns, dont on prétend qu'il galopait avec son beefsteak écrasé sous sa selle !

Or, certaines, dites hydrosolubles (vitamines B1, B2, B5, B6, B9, C…), sont contenues dans l'eau des aliments, et s'altèrent aux températures élevées. Il faut donc savoir que quelques procédés de conservation entraînent la perte de ces molécules indispensables.

PRÉPARE UNE GELÉE DE GROSEILLES

Pour la réussir, tu dois respecter toutes les conditions antiseptiques* nécessaires à la bonne conservation des fruits. Rince les groseilles. Pour extraire le jus, place les baies dans un torchon. Noue-le et presse-le au-dessus d'un récipient. Pèse le jus récupéré et ajoute la même quantité de sucre. Porte le mélange à ébullition : l'eau est éliminée par le sucre et l'évaporation. L'ébullition tue aussi tout germe qui pourrait nuire à la conservation. Écume la mousse qui s'accumule à la surface pour éliminer les derniers déchets. Quand le mélange est assez visqueux, qu'il s'étire en un filet continu en tombant d'une cuillère, verse-le dans des bocaux stérilisés à l'eau bouillante. Pour que ta gelée se conserve longtemps, remplis chaque bocal à ras bord avec le mélange encore chaud : ceci évitera une oxydation de la gelée par l'air demeurant sous le couvercle.

On ne rompt pas la chaîne du froid

On sait depuis longtemps que le froid conserve. Les Romains enveloppaient déjà de neige et de glace les poissons du Rhin pour les acheminer jusqu'à Rome. Aujourd'hui, à travers mers et continents, une multitude de produits nous parviennent de l'autre bout du monde, protégés par le froid. Nos habitudes alimentaires en sont certainement modifiées.

Si une température de 2 à 8 °C ralentit la dégradation des aliments, il faut des températures beaucoup plus basses, inférieures à - 18 °C pour que le développement des bactéries soit complètement stoppé. Ainsi, la congélation permet la conservation des aliments sur de très longues durées, jusqu'à deux ans pour certains d'entre eux.

Les machines à réfrigérer

Les premières machines industrielles à réfrigérer ont été mises au point vers le milieu du XIXe siècle : à Londres, par l'Américain Jacob Perkins en 1834 et, en France, par Ferdinand Carré en 1859. Charles Tellier affrète en 1875 le premier navire frigorifique, chargé de viande congelée, pour assurer la liaison Buenos Aires-Le Havre. Le premier réfrigérateur domestique à électricité est fabriqué en 1913 à Chicago. Le congélateur domestique n'apparaît, quant à lui, que vers 1960.

Congélation ou surgélation

La surgélation est une congélation forte et très rapide. Le cœur de l'aliment voit sa température descendre à - 18 °C en très peu de temps. Les cristaux de glace, qui se forment dans les cellules des viandes et des végétaux, sont alors minuscules et la structure de l'aliment n'est pas altérée.

À bord d'un navire-usine, congélation de thons

À LA LOUPE

Étudie l'aspect de différents aliments après congélation et décongélation (pain, viande, salade, bananes, beurre, lait, fraises…).
Les cellules se comportent différemment selon leur teneur en eau. Elles éclatent si de trop gros cristaux de glace se forment. Si tu possèdes un microscope, observe l'état des cellules des différents aliments testés.

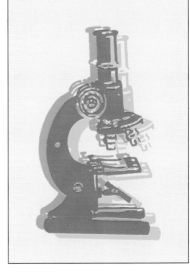

Pour surgeler des produits ou des préparations, on les fait passer sur un tapis transporteur à vitesse lente dans un tunnel où la température atteint – 50 °C.

Les aliments à surgeler devant être aussi frais que possible, les industries de transformation se sont souvent implantées près des zones de production. Ainsi s'est développée dans le monde une flotte de navires-usines qui assure la production de filets de poissons congelés dès leur pêche.

La chaîne du froid

Les aliments congelés ou surgelés ne s'altèrent pas. Pourtant, si les bactéries ne se multiplient plus, elles ne sont pas détruites pour autant.
Il ne faut donc pas rompre la chaîne du froid entre les lieux de production, les points de vente et le consommateur. Les emballages des produits sont étudiés à cette fin, et le transport s'effectue dans des camions ou des wagons frigorifiques. Le commerçant et le consommateur ne doivent pas recongeler un produit qui a été décongelé car, entre temps, les germes pourraient s'y multiplier. Certains emballages comportent maintenant des petites pastilles qui changent de couleur lorsque la chaîne du froid a été rompue.

LE SAVAIS-TU?

Le dégel du mammouth
Il y a environ 10 000 ans, les derniers mammouths, cousins des actuels éléphants d'Afrique, s'éteignaient. Pourtant, à partir de 1910, quelques-uns réapparurent… à l'état congelé, dans le sol glacé de la Sibérie. La découverte leur fut fatale : on dut les laisser dégeler sur place, faute de disposer d'un camion frigorifique assez grand pour les transporter !

PUCE FRAICHEUR®
CONSOMMEZ AVANT QUE LE CENTRE NE SOIT PLUS NOIR QUE L'ANNEAU

M1

Additifs alimentaires : indispensables !

"Stabilisants : sorbitol, glycérine. Émulsifiants : E 472 a et b, E 471, E 475, lécithine de soja…" Message chiffré à l'usage des membres d'une société secrète ? Non, seulement un extrait de la liste (obligatoire) des substances entrant dans la composition d'un dessert surgelé très ordinaire. Ce sont des "additifs" aux ingrédients de base : sucre, œufs, farine de froment, etc.

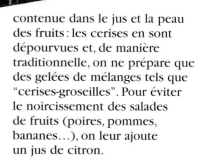

Dès lors que le cuisinier, familial, restaurateur ou industriel, intervient sur les produits frais qu'il manipule, il ajoute des substances naturelles ou synthétiques pour faciliter la préparation du mets, améliorer sa "flaveur" (goût, odeur…) et sa couleur, prolonger sa conservation, contrôler ses qualités nutritives. Mais on ne parle d'additifs que dans la production industrielle.

Additifs "ménagers"

Il est difficile d'isoler ce qui, dans une recette de cuisine, relève de l'essentiel et de l'additif, car plaisir de manger et nécessité de s'alimenter sainement ne sont pas facilement dissociables. Le sel intervient pour rendre une préparation sapide* sans que l'on puisse parler du goût du sel et, en même temps, pour répondre à une demande de notre organisme. Pas de velouté sans addition d'amidon, par exemple sous forme de farine : c'est une question de consistance, et non de saveur ou de valeur nutritive. Les confitures prennent uniquement grâce à la pectine contenue dans le jus et la peau des fruits : les cerises en sont dépourvues et, de manière traditionnelle, on ne prépare que des gelées de mélanges tels que "cerises-groseilles". Pour éviter le noircissement des salades de fruits (poires, pommes, bananes…), on leur ajoute un jus de citron.

Additifs industriels

– Les conservateurs : un certain nombre d'entre eux permettent de réduire la quantité d'eau, laquelle favorise le développement de micro-organismes nuisibles.

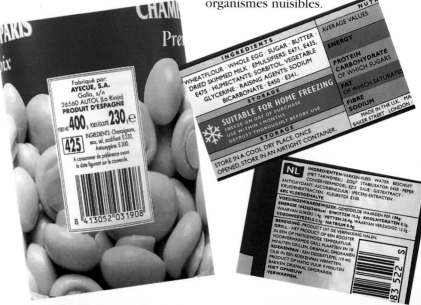

D'autres, des molécules anti-oxydantes (E 300 à E 321), s'opposent au rancissement ou au brunissement des fruits et légumes. Certaines viennent en renfort de molécules déjà naturellement présentes, tel l'acide ascorbique ou vitamine C (E 300 à E 304) des fruits, ou la vitamine E des huiles.

– **Les organoleptiques** : ils regroupent toutes ces substances capables d'ajuster l'impression produite sur les sens du consommateur (et son attente varie selon sa culture) : goût, odeur, couleur, texture…
Les additifs sont alors des émulsifiants, des épaississants comme le E 471, des exhausteurs de goût, des agents d'enrobage, des colorants…

– **Les additifs diététiques** : ils se substituent à des molécules indésirables. C'est le cas des édulcorants à haut pouvoir sucrant, comme l'aspartam.

L'origine des additifs

Un grand nombre d'additifs sont des dérivés (lointains !) de la houille ou du pétrole. D'autres sont extraits de tissus animal ou végétal, comme les algues dont on tire les alginates et les carraghénanes (E 407), ou comme la farine de graine de caroube (E 410). La plupart des épaississants proviennent de végétaux. Certains additifs sont synthétisés par des micro-organismes, comme ceux qui transforment les sucres du chou en acide lactique (E 270), lors de la préparation de la choucroute.

EXERCICE DE DÉCODAGE

- Conserve l'emballage d'un de ces desserts glacés, vendus en particulier dans les cinémas.
- Déchiffre la composition de la glace à partir des éléments fournis dans ces deux pages.
- Compare les ingrédients à ceux d'une recette "maison".
- Retrouve le rôle de chacun des additifs.

UN DOMAINE TRÈS RÉGLEMENTÉ

En Europe, il existe 827 additifs et quelques milliers d'arômes autorisés. Aux États-Unis, près de 3 000 additifs sont recensés. En 1972, une loi a été votée pour informer le consommateur sur les additifs présents dans les denrées. Ainsi est né un code groupant une lettre indiquant la provenance (E pour la Communauté européenne) et trois chiffres (de 100 à 927). Derrière le E 260 se cache tout simplement l'acide acétique, ou vinaigre, agent de conservation des oignons ou des cornichons. Au E 220 correspond l'anhydride sulfureux, qui tue sélectivement les bactéries et les moisissures tout en laissant indemnes les levures responsables de la fermentation du vin, utilisé depuis au moins 200 ans… La liste réglementaire des additifs utilisables a été établie après de nombreux tests effectués sur les animaux.

Le corps
en action

Observe bien ces athlètes : derrière leurs exploits, il y a des années d'entraînement pour tirer le meilleur parti de ce que la nature a construit. Les performances ne sont atteintes que dans la connaissance et le respect de la "machine humaine". Alors, bouge ton corps ! Mais rappelle-toi que, même piloté par le cerveau, il est soumis, comme un vulgaire caillou, aux lois de la mécanique.

Percevoir et agir

Les yeux ronds, les spectateurs regardent le jongleur faire son numéro. Pourtant, beaucoup d'entre eux savent rattraper une balle. Ils ont oublié que c'est déjà une belle performance, car les opérations à enchaîner sont remarquables.

À toi de jouer ! Suis la balle des yeux et anticipe mentalement sa trajectoire. Sa vitesse n'est pas constante. Place-toi à bonne distance en tenant compte de la longueur de ton bras. Ce n'est pas suffisant, car la réception sera différente suivant le poids de la balle (tu dois l'estimer à son seul aspect) : tes doigts se refermeront en conséquence et ton bras accompagnera la balle pour amortir l'impact… Pour chacun de ces gestes, le cerveau doit donner à plusieurs muscles des ordres précis, au bon moment, qui conduiront au bon résultat. Le cerveau ne pourrait rien décider s'il ne recevait des informations de différents capteurs. Les yeux, évidemment, qui transmettent une image du terrain et de la balle. Mais aussi le système vestibulaire*, situé dans l'oreille interne,

qui détermine l'orientation du corps et les mouvements de la tête dans l'espace. Et encore les capteurs situés dans les muscles et les articulations, qui renseignent sur la position des membres et la vitesse des gestes. Un flot d'informations parvient au cerveau. Il les traite d'autant mieux qu'il a déjà mémorisé des situations analogues. Fort de son expérience, il anticipe, gagnant du temps dans des situations où la réponse doit être rapide. Il n'attend plus, par exemple, pour provoquer la fermeture des doigts sur la balle, que celle-ci ait frappé la main.

LE SAVAIS-TU ?

Le monde à l'envers Notre capacité d'adaptation à des situations nouvelles est étonnante. Un chercheur s'était construit des lunettes qui lui faisaient voir le monde à l'envers. Il les portait constamment et ne pouvait rien voir par les côtés. Les débuts furent assez difficiles mais, au bout de quelques jours, il était capable de se déplacer à bicyclette sans problème. Quand il est revenu à la situation normale, il lui a fallu réapprendre à garder l'équilibre dans un monde vu… à l'endroit !

À CHACUN SA PERFORMANCE

Vitesse de réaction

Tu as juste besoin d'une petite règle de 30 cm environ.

● Demande à quelqu'un de la tenir par le haut et place ta main au bas de la règle sans la toucher. Dès que ton partenaire lâche la règle sans te prévenir, arrête sa chute en la pinçant entre le pouce et l'index sans déplacer la main. Plus courte est la distance de chute, meilleure est ta réaction.

● Recommence ce test à différents moments.
Tu constateras que le temps de réaction varie selon les personnes, leur âge, le moment de la journée…

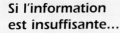

Si l'information est insuffisante…

Pour bien te repérer dans l'espace et voir en trois dimensions, deux yeux sont bien utiles. Tente cette expérience à l'aide de deux crayons pour t'en rendre compte.

● Pose debout en équilibre sur ta table un crayon (ou tout autre objet à peu près pointu). Cache un œil d'une main.

De l'autre main, le bras tendu au maximum, déplace horizontalement un deuxième crayon, en partant de côté, pour essayer de renverser le premier (pas de précipitation!).

● L'expérience est plus intéressante si tu la fais avec un ami qui tient le crayon horizontal. Place-toi alors plus loin (à 1,5 ou 2 m du crayon vertical) et guide-le.

● Compare avec le résultat que tu obtiens en utilisant tes deux yeux. Chaque œil fournit sa propre image au cerveau. Celui-ci compare les deux images apportées par les deux yeux pour déterminer la place précise du crayon dans l'espace.

Dans le miroir

Il te faut :
- un miroir,
- du papier,
- un crayon.

Quelquefois, le cerveau a des difficultés pour interpréter correctement l'information que lui adressent les sens (ici, le miroir lui transmet une information perturbée, inversée).

Il donne alors des ordres qui ne permettent pas de répondre correctement au problème posé.

● Installe-toi à une table avec le miroir devant toi comme sur le dessin ci-dessous. Ne regarde pas la feuille de papier directement, mais son image dans le miroir.

● Essaie de dessiner une figure géométrique simple, par exemple un triangle ou une étoile. Pas facile! Les changements de direction sont délicats : ce qui est le plus proche de toi sur le papier est le plus éloigné dans le miroir, et inversement. Plus difficile : tu peux partir d'une figure dessinée sur le papier et essayer de repasser sur les traits en ne regardant que l'image dans le miroir.

Le mouvement en images

*Marcher, courir, sauter…
tout le monde sait
le faire. Mais décrire
exactement ces
mouvements ou
les dessiner est une
autre histoire. L'observation
précise du geste le plus simple
se révèle si difficile qu'il a fallu attendre
la photographie pour en démêler
le déroulement sans erreur.*

Lorsque les émulsions* devinrent suffisamment sensibles, la photographie, inventée en 1827, permit d'enregistrer les différentes étapes du mouvement. À partir de 1882, le physiologiste E. J. Marey et son collaborateur G. Demeny inventèrent des appareils à prises de vue multiples, enregistrant 12 images par seconde sur une même plaque. Ce procédé les conduisit à la **chronophotographie**. Ils purent ainsi décrire et analyser le mode de locomotion de diverses espèces animales ainsi que de nombreux gestes effectués par l'homme.

Les caméras

Depuis le fusil photographique de Marey, d'autres solutions techniques ont été inventées pour enregistrer le mouvement : la caméra de cinéma emmagasine 24 images par seconde (ou beaucoup plus si nécessaire), et l'on trouve aujourd'hui des appareils photographiques motorisés permettant de réaliser des rafales de clichés. Le Caméscope a apporté d'autres possibilités : des vitesses de prise de vue très élevées (on peut saisir le millième de seconde) sur des appareils d'un maniement très facile ; des enregistrements sur bande magnétique immédiatement consultables (en vitesse réelle, accélérée ou ralentie) ; un transfert simple de l'image vers l'ordinateur.

De la photo au kinogramme

Avec un appareil photo motorisé,

Kinogramme du saut de Bob Beamon (8 photos par seconde)

un spectateur a enregistré, au rythme de 8 images par seconde, le record de saut en longueur établi aux Jeux olympiques de Mexico en 1968 par l'Américain Bob Beamon.

LE SAVAIS-TU ?

L'œil de Léonard

Saisir et exprimer le mouvement sans le figer a été le rêve de bien des artistes à travers les siècles. On raconte que Léonard de Vinci avait tant de talent qu'il pouvait dessiner la décomposition du vol des oiseaux. Pour cela, un assistant lançait devant lui des tourterelles ou des pigeons, et l'œil du maître essayait de déceler l'indécelable…

En descendant l'escalier

En 1912, le peintre surréaliste Marcel Duchamp exposa un tableau intitulé *Nu descendant un escalier,* qui fit sensation. Représentant les diverses phases du mouvement, il évoquait à la fois l'espace et le temps comme le ferait une série d'éclairs saisissant le modèle, et il donnait une profondeur inaccoutumée à un sujet très classique. À la même époque, des peintres italiens se réclamant du futurisme exprimèrent par des décompositions de mouvements le dynamisme universel : « Tout bouge, tout court, tout se transforme rapidement. »

La suite de clichés donne une représentation complète du mouvement que l'on peut ensuite analyser. On reporte sur ordinateur une image simplifiée où les éléments non déformables du corps (le bras, l'avant-bras, la cuisse, le mollet…) sont représentés par un simple trait. Le calcul permet de réaliser des images intermédiaires.

Le **kinogramme** ainsi obtenu (ci-dessus) est riche d'enseignements insaisissables par l'œil. On peut, par exemple, retracer le cheminement d'une partie du corps, tel le bout du pied au cours de la marche, ou effectuer des mesures comparatives : longueur des pas, vitesse de marche… On peut même déterminer la position, le trajet et la vitesse du centre de gravité du sujet (comme dans le kinogramme du saut de Beamon).

Au laboratoire

Les chercheurs qui étudient en détail les mouvements du corps humain travaillent, quand c'est possible, dans des laboratoires spécialement conçus à cet effet. Ils ne réalisent pas de photographies mais enregistrent directement des kinogrammes. Ils fixent aux articulations du corps des marqueurs, petites sphères réflectrices, et éclairent le sujet avec une lumière infrarouge*, invisible. Quatre caméras à infrarouges transmettent à un ordinateur le trajet des marqueurs dans l'espace au fur et à mesure du geste. Analyses et mesures sont ensuite effectuées par divers programmes informatiques (comme ci-dessous). Le mouvement est quantifié : on détermine les positions, vitesses, accélérations, quantités de mouvement et de rotation, etc.

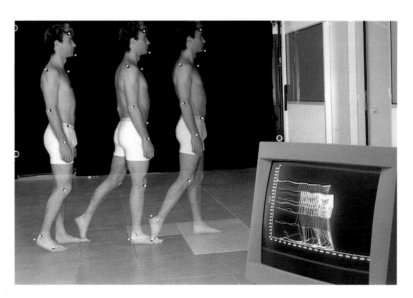

Quand on a des pieds

On ne peut pas dire que la mouche prenne de risques quand elle marche : elle peut toujours poser au sol au moins trois de ses six pattes, et un tripode est souvent stable. Comment se débrouillent un quadrupède et, mieux, ce bipède qu'est l'homme, pour courir ou simplement avancer sans tomber ?

Au pas, au trot, au galop…

Comme tous les quadrupèdes, le cheval alterne, suivant ses allures, des phases où un ou plusieurs pieds prennent appui au sol, et des phases d'envol où tous les sabots sont en l'air. Au pas, il conserve deux ou trois sabots au sol. Au trot, il connaît une phase d'envol et un perpétuel déséquilibre toujours rattrapé qu'on appelle **équilibre dynamique.**

Déséquilibre encore plus difficile à gérer au galop, comme tu peux l'observer lors du passage au ralenti des arrivées de courses à la télévision.

Pas

Trot

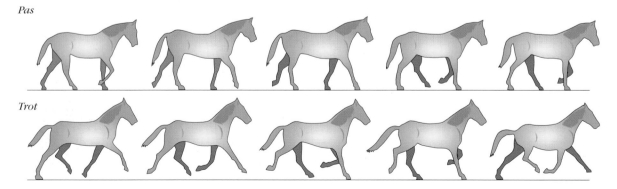

Un bipède que l'on appelle homme

Bébé, faux quadrupède, tu progressais à "quatre pattes", avançant prudemment un membre après l'autre pour conserver une situation de tripode stable. Vers 14 mois, en appui sur tes deux pieds, tu es devenu un vrai bipède.

Plus tard, tu as osé courir. Dans la marche, il n'y a pas de phase d'envol : tu as un pied au sol, puis deux, puis un, etc. Dans la course, en revanche, tu ne gardes qu'un pied au sol entre deux phases d'envol. L'équilibre dynamique est beaucoup plus difficile à gérer et tu prends des risques. Si tu butes en marchant,

EST-CE TOUJOURS DE LA MARCHE?

Si tu essaies de marcher le plus vite possible, tu te mettras à courir à partir d'environ 10 km/h, économie d'énergie oblige. Cette transition marche-course est un vrai casse-tête lors des épreuves de marche athlétique : le concurrent marche-t-il encore, ou court-il déjà?

Conserve-t-il le double appui de la marche? Il n'a droit qu'à une seule remontrance de la part du juge qui le suit en voiture. À la deuxième, il est éliminé. Or la transition est si subtile que même un ralenti à la télévision ne permet pas toujours de se faire une opinion!

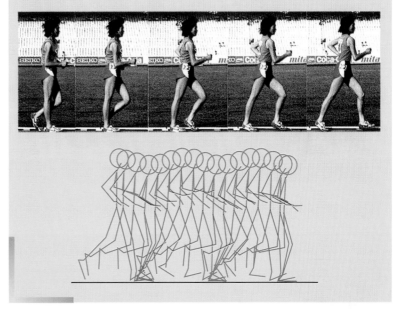

tu as généralement le temps de mettre un pied devant toi pour te rattraper (ce qui ne serait peut-être pas le cas si tu avais 80 ans). Mais si tu rencontres un obstacle en courant, c'est la chute assurée. Au rugby, si l'adversaire se trouve trop loin pour un plaquage aux jambes, une simple "cuillère" – lui remonter légèrement le pied arrière – peut suffire. Les automatismes de gestion de son équilibre dynamique perturbés, il va chuter, tête la première, deux ou trois foulées plus loin.

Sur les mains

*Se tenir debout immobile
sur ses pieds: rien de plus simple.
Pourquoi reposer sur les mains
(en ATR, "appui-tendu-renversé"),
nous semble-t-il si difficile,
au point de relever
de l'exploit ?*

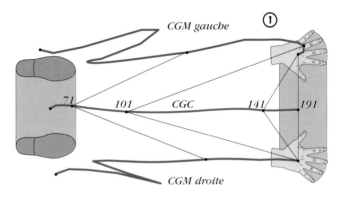

CGM gauche ①

71   101   CGC   141   191

CGM droite

Dans les deux cas,
les lois de la mécanique
nous disent la même chose:
le poids, appliqué au
centre de gravité* du corps
(CGC), est dirigé selon une
verticale descendante;
la réaction qu'oppose
le sol sous les surfaces
d'appui (ici, les pieds
ou les mains) suit une
verticale ascendante.
    Cette force s'exerce entre
les deux pieds en position
debout (à l'intérieur du
"polygone de sustentation",
c'est-à-dire la surface dessinée
au sol par les pieds), ou entre
les deux mains en ATR
(à l'intérieur d'un autre
polygone de sustentation).
En position debout, nous réglons
naturellement la position
de notre CGC pour l'amener sur
la verticale de la réaction du sol:
les deux forces s'équilibrent.
En ATR également… sans trop
de problème.

Mais la difficulté n'est pas là:
elle réside dans la manière de
faire passer la verticale du CGC
d'un polygone de sustentation
à l'autre.

Comment fait
le champion?

Observe ce qui se passe quand
ce passage est "enroulé" de
manière tout à fait harmonieuse
par un gymnaste international.
La figure ① permet de suivre
le déplacement de trois points,
le centre de gravité de chaque
main (CGM) et le centre de
gravité de l'ensemble du corps
(CGC), en projection sur le sol,
comme si tu regardais le
gymnaste du haut d'une tour.
Le dessin a été fait à partir
de prises de vue réalisées
tous les cinquantièmes de
seconde (0,02 s). La projection
du CGC reste très longtemps
en retard sur les projections
des CGM: regarde par exemple
les temps 101.

P

R

Le triangle que forment les trois points est très allongé. Le corps de l'athlète est longtemps en déséquilibre.
En fin de mouvement, les trois CG sont alignés à l'intérieur du polygone de sustentation des mains. Le gymnaste contrôle très longtemps cet alignement de manière discrète, en avançant et en reculant les jambes.

À toi de jouer !

Les figures ② et ③ te montrent ce qui se passe si tu es vraiment inexpérimenté.
Première expérience (la moins dangereuse) : prends appui des deux mains sur le sol, puis lance tes jambes. Le centre de gravité de ton corps se déplace vers l'avant, mais il ne parvient pas jusqu'au-dessus du polygone de sustentation des mains. L'élan était insuffisant et tu retombes à quatre pattes (pas très gracieux !) sans avoir réalisé l'équilibre.
Tu n'as plus qu'à recommencer.
Deuxième expérience : tu lances tes jambes plus vigoureusement. Trop vigoureusement, même. Danger ! Le tracé du CGC sur la figure ③ montre que ton corps est allé trop loin, il est passé de l'autre côté du polygone de sustentation des mains, sans s'arrêter. Réagis immédiatement en déplaçant tes mains, en repliant les jambes et en rentrant la tête pour rouler sur le dos et éviter une chute douloureuse à plat-dos.

UN BON CONSEIL

Si cette figure de gymnastique t'intéresse, entraîne-toi devant un mur qui t'arrêtera si tu te retrouves dans le cas de la figure ③.
En te plaçant à bonne distance, tu peux rechercher les conditions d'équilibre en toute sécurité, en prenant contact avec le mur, de la pointe des pieds. Prends conscience des sensations que tu éprouves. Tu vas les garder en mémoire et elles t'aideront à trouver ton équilibre lorsque tu tenteras un ATR.

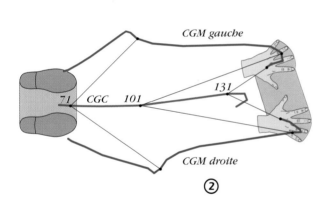

CGM gauche

71 CGC 101 131

CGM droite

②

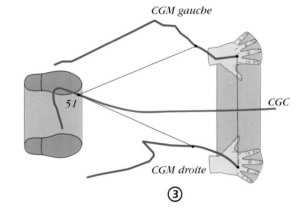

CGM gauche

51 CGC

CGM droite

③

SOUS LE CHAPITEAU

Au cirque, ce n'est plus la parfaite exécution, devant un jury, d'une figure de gymnastique codifiée que l'on recherche, mais la situation qui semble échapper aux capacités humaines, celle qui arrache un "oh !" admiratif aux spectateurs. Par exemple, ce mouvement de "main à main" : deux acrobates sont face à face, un porteur et un voltigeur, mains dans les mains. Dans un mouvement conjugué, les deux hommes fléchissent les jambes pour donner de l'élan au voltigeur. Celui-ci se retrouve en ATR sur les mains du porteur qui a maintenant les bras tendus vers le ciel. La position est très instable. La verticale du poids du voltigeur doit passer par deux polygones de sustentation superposés : celui que définissent les mains du porteur et celui que définissent ses pieds. Mais le premier est mobile : il dépend de la capacité du porteur à garder ses bras dressés sous une charge qui n'est pas un simple colis, et de la capacité du voltigeur à maintenir l'ATR sur quelque chose qui n'est pas stable comme le sol.
Cette performance demande le contrôle de beaucoup d'articulations et… une bonne dose de concentration !

L'art du salto arrière

Olivia a fêté ses quinze ans il y a six mois. Elle est l'une des meilleures gymnastes d'Europe. À l'entraînement, elle perfectionne une figure qu'elle réalise déjà depuis des années : un saut périlleux arrière appelé salto.

Prendre son élan

Olivia sait que la réussite de son salto dépend d'abord de son élan. En s'élançant, elle doit actionner les différentes parties de son corps d'une manière tout à fait particulière, différente de celle qui est nécessaire à un simple saut vertical. Lorsqu'elle quitte le sol, elle doit réunir deux conditions :

- sa vitesse de décollage doit être juste suffisante pour que son corps ait le temps de faire un tour sur lui-même.

Pour les spectateurs, son salto sera d'autant plus réussi que l'aller (ascendant) et le retour (descendant) seront superposés. Son centre de gravité* effectuera alors une trajectoire ressemblant à celle d'une balle de tennis avant la frappe du service, ou tout au moins à une étroite "épingle à cheveux";
- le salto ne demande pas seulement de s'élever, mais aussi de tourner. Olivia doit donner à l'ensemble de son corps une quantité de rotation sur lui-même autour d'un axe horizontal, et la rotation devra s'effectuer vers l'arrière.

Pour Olivia, à ses débuts, tout cela se transformait en obsession. Échouer signifiait une réception au sol catastrophique, au mieux inélégante, au pire dangereuse. Séance de travail après séance, son entraîneur lui apprit à régler les mécanismes à mettre en jeu, en restant près d'elle au début et en assurant sa sécurité par d'épais tapis de réception.

③

Atterrir

À l'atterrissage, Olivia doit être capable d'arrêter le mouvement de translation* et de rotation de son corps. Elle y arrive – ce n'est pas si simple ! – en gainant ses articulations, c'est-à-dire en les rendant rigides lorsque la position d'équilibre est atteinte. C'est alors qu'elle entend les bravos !

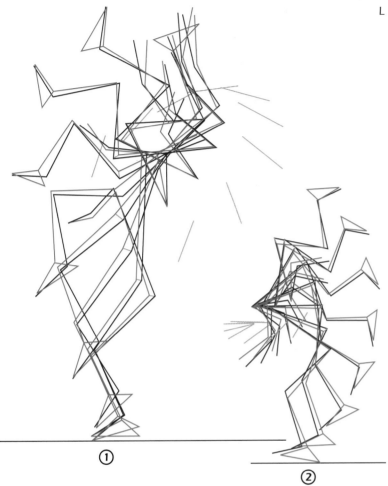

①

②

Grouper, dégrouper…

Une fois que ses pieds ont quitté le sol, Olivia ne peut plus modifier la trajectoire de son centre de gravité puisqu'elle n'a plus d'appui. Pour la même raison, elle ne peut plus modifier sa quantité de rotation.
Mais elle peut changer la disposition des éléments articulés de son corps : bras et jambes, tête, tronc. C'est ce qu'elle met à profit pendant les six dixièmes de seconde que dure sa trajectoire aérienne. Elle effectue deux modifications successives, un groupé puis un dégroupé :
– au décollage, son corps entame une rotation à 0,57 tr/s (figure ①). Si elle ne fait rien, elle sait qu'elle atterrira sur la tête, faute d'avoir accompli un tour complet. Immédiatement donc, elle plie et ramène ses bras et ses jambes sur son tronc, se transformant en boule. Conséquence : sa vitesse de rotation fait plus que doubler ; – surgit alors un autre danger : si elle garde cette vitesse, elle va atterrir, toujours groupée, sur le ventre. Pour l'éviter, elle déplie bras et jambes… (figure ②) Cependant, la gymnaste tourne trop vite pour se repérer visuellement par rapport à ce qui l'entoure. Mais elle possède un capteur, d'une tout autre nature, spécialisé dans le repérage de la verticale et situé dans son oreille interne. Quand elle ressent cette verticale, elle quitte sa position en boule, déplie ses membres et allonge ses jambes. Sa vitesse de rotation diminue. Elle adopte en même temps une posture d'atterrissage (figure ③).

LA QUANTITÉ DE ROTATION

Elle est le produit de deux grandeurs : $L = I \times W$
– Le moment d'inertie I représente la répartition des masses autour de l'axe de rotation. Il est maximal quand les membres sont écartés de cet axe et minimal quand ils en sont rapprochés.
– W représente la vitesse de rotation (le nombre de tours par seconde).
La quantité de rotation étant constante quand la gymnaste a quitté le sol, si elle augmente I, elle diminue W, et inversement.
Ainsi, modifier le groupage de ses membres lui permet-il d'influer sur sa vitesse de rotation.

Le saut en hauteur : question de styles

1968, Jeux olympiques de Mexico. Dick Fosbury, athlète américain, s'offre un beau succès : il franchit 2,24 m en hauteur et remporte la médaille d'or. Mais ce n'est pas tellement cela qui en fait un héros aux yeux des téléspectateurs médusés. Il est passé au-dessus de la barre… sur le dos ! Du jamais vu !

Depuis le début des Jeux olympiques modernes, il y a plus de cent ans, les styles de franchissement de la barre n'ont cessé d'évoluer, entraînant de nouveaux records. En même temps, les règlements ont changé, autorisant la réception sur tapis amortisseur, moins dangereuse que sur le sable. Les méthodes d'entraînement y sont aussi pour quelque chose.

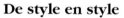

De style en style

Avant la révolution qu'apporta Fosbury, les athlètes avaient tous adopté le "rouleau ventral". Quelques années plus tôt, c'est le "costal" qui semblait la meilleure façon de négocier un saut en hauteur. Et, bien des années auparavant, aux Jeux d'Athènes de 1896, les premiers de l'ère moderne, on ne connaissait que le "ciseau". À chaque époque son style, ses partisans et ses adversaires, ses entraîneurs… et ses records.

La technique du fosbury-flop

La manière dont Fosbury approchait la barre était étrange. Il prenait son élan presque face à la barre, un peu comme au temps du costal, et sa course suivait une trajectoire courbe (au contraire de la course rectiligne du ventral). Il prenait appel avec sa jambe la plus éloignée de la barre (en ventral, c'est avec la jambe la plus rapprochée), et il la franchissait sur le dos

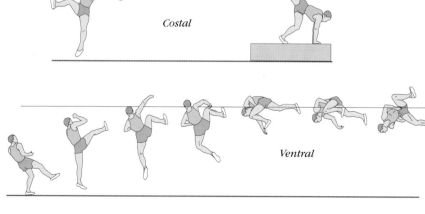

Ciseau

Costal

Ventral

Fosbury

(sur le ventre… en ventral). Ainsi se déroulait le fosbury-flop. Malgré ce premier succès, il eut du mal à s'imposer parmi les entraîneurs. Ce n'est qu'en 1973 que Dwight Stones établit le premier record du monde dans ce style : 2,30 m. Mais, en 1979, Vladimir Yatchenko le battit, en salle, avec un saut ventral à 2,35 m. Le fosbury-flop finit cependant par s'imposer et il détient aujourd'hui le record mondial avec 2,45 m, un bond réalisé par le Cubain Javier Sotomayor en 1993. C'est presque la hauteur sous plafond d'un appartement moderne !

en ciseau, 20 cm en costal, 10 cm en ventral et seulement 5 cm en fosbury. Le gain réalisé ne tient pas seulement à la différence d'encombrement du corps, mais à la manière dont l'athlète "se déforme" au cours de son mouvement, car il est articulé et non d'une seule pièce. La tête et les épaules étant déjà passées, le sauteur cherche à envelopper la barre au niveau de son dos : son centre de gravité peut alors se trouver extrêmement près de la barre. Il n'a plus qu'à relever vivement les jambes et le tour est joué. C'est plus facile à écrire qu'à faire !

À quoi tient le progrès

Imagine un athlète mesurant 1,80 m et sachant pratiquer tous les styles. Pour franchir la barre sans l'accrocher, il doit soulever son centre de gravité* au-dessus d'elle à des hauteurs variables selon les styles : de 25 à 30 cm

30 cm 20 cm

10-15 cm 5-10 cm

LA PLACE DU CENTRE DE GRAVITÉ

Il te faut :
- une feuille de carton épais de 30 cm de côté environ,
- une épingle,
- une gomme,
- du fil.

● Découpe une silhouette dans le carton et perce des trous de 1 mm de diamètre au bout de ses membres. Réalise un fil à plomb en utilisant la gomme comme "plomb". Plante l'épingle dans un panneau et suspends-y la silhouette et le fil.

● Marque au crayon un point derrière le fil à plomb, décroche l'ensemble et trace à la règle cette première verticale, qui passe par ce point et par le trou ayant servi à accrocher la silhouette. Recommence à partir des divers trous du pantin. Toutes les verticales se croisent en un point : c'est son centre de gravité.
● Plie une jambe du pantin et maintiens-la avec du Scotch.

Comment s'est déplacé le centre de gravité ? Vérifie ton hypothèse.

En station debout, le centre de gravité du corps se situe approximativement en haut du bassin. Mais sa place exacte dépend de la répartition des masses : elle n'est pas la même chez un petit enfant, une femme enceinte ou un vieillard courbé sur sa canne. Et chaque fois qu'on change de posture, qu'on plie un membre, le centre de gravité se déplace.

Un tkatchev à la barre fixe

Innover à la barre fixe n'est pas chose facile.
On a l'impression que toutes les figures possibles
ont déjà été réalisées. Et pourtant, en 1985,
Alexandre Tkatchev, gymnaste soviétique,
a présenté en compétition un inédit spectaculaire.
La figure porte désormais son nom, et les meilleurs
gymnastes internationaux l'ont inscrite
à leur programme.

Dans un tkatchev,
le gymnaste lâche la barre
fixe au cours d'un "soleil",
passe par-dessus en lui tournant
le dos, bascule, puis la rattrape
de l'autre côté avec les mains.
Pour les spectateurs,
l'impression est stupéfiante :
on dirait qu'il est revenu
vers la barre !
Y a-t-il un mystère,
un non-respect des lois
de la mécanique ?
Certainement pas.
Mais la difficulté
d'exécution est
réelle et un entraînement
acharné est nécessaire
pour la vaincre.

Trois essais pour un tkatchev

Imaginons que tu tentes
un tkatchev. Des tapis de chute
ont été disposés au sol et deux
solides gaillards sont prêts
à parer à tes piqués ou à tes vols
planés. Supposons que tu saches
effectuer un soleil (plusieurs
tours en prenant de la vitesse,
bras tendus). Sur la figure ①,
la vitesse de ton centre
de gravité* est représentée par
une flèche indiquant sa direction
et sa grandeur (c'est le "vecteur"
vitesse). En passant à la verticale
basse, tu as acquis un maximum
de vitesse (linéaire). Ta rotation
autour de la barre se poursuit
et tu ralentis lorsque tu remontes :
le vecteur vitesse change de
direction et sa longueur diminue.
Premier essai : en lâchant
la barre en position (a),
tu effectues une superbe
parabole de la gauche vers
la droite en t'éloignant de
la barre ! On te rattrape avant
que tu n'atterrisses brutalement
sur le dos.

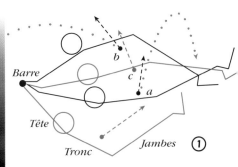

Barre
Tête
Tronc
Jambes ①

● - - -▸ *Vecteur vitesse lors du lâcher*
●•••▸ *Trajectoire du centre de gravité*

Deuxième essai : tu lâches
la barre en position (b).
Ta trajectoire parabolique va bien
de droite à gauche et t'amène,
dans la logique du mouvement,
de l'autre côté de la barre.

Mais comme tu as conservé
la même posture qu'au moment
du lâcher, tu accroches la barre
avec tes talons en redescendant.
On te rattrape heureusement
sans casse.
Troisième essai : tu reprends
ton souffle, tu écoutes
les conseils de ton entraîneur
et tu te lances. Tu lâches encore
la barre en position (b), puis
immédiatement, tu rentres
le ventre. Parfait : ton torse
se redresse puis bascule vers
l'avant, tes jambes se soulèvent
et tu passes sans accrocher.
En revanche, tu redescends trop
loin de la barre pour espérer

la saisir : on te rattrape encore
dans une position catastrophique
(figure ②). Mais ne désespère pas :
tu es sur la bonne voie !
Tu vas maintenant, séance
d'entraînement après séance,
apprendre à lâcher la barre
un peu plus tôt, partir en
position (c) pour parcourir
une parabole moins ouverte,
et finalement saisir la barre et
reprendre de nouveaux soleils.
Comme souvent, la réussite
ne viendra qu'avec beaucoup
de patience et sans doute
quelques bleus…

Barre

②

MOUVEMENT PARABOLIQUE

Après que le gymnaste a
lâché la barre, son centre de
gravité décrit une parabole,
quelle que soit la manière
dont il déplace ses membres
pendant son trajet aérien.
S'il n'était pas soumis à
la pesanteur*, il se déplacerait
selon une ligne droite
définie par la direction du
vecteur vitesse, obéissant
ainsi à la première loi de
Newton : « Si aucune force
n'est appliquée à un objet,
il continue son mouvement
sans rien y changer. »
Mais la force de pesanteur
intervient pour lui donner
un mouvement accéléré
vertical. La combinaison
des deux mouvements
se traduit par une trajectoire
parabolique, courbe, comme
celle d'une balle de tennis.

Le lanceur de poids

7,26 kg pour les messieurs ou 4 kg
pour les dames, catapultés à plus de 20 m :
lorsque l'on soupèse de pareils boulets,
on se rend compte que ces performances ne
sont pas à la portée d'athlètes ordinaires.
Mais sont-ils seulement forts ?

appelé "en rotation" :
ils exécutent un tour et demi
sur eux-mêmes dans le cercle.
Dans les deux cas, les athlètes
cherchent en fait à allonger
le chemin d'accélération
du boulet pour lui donner
la plus grande vitesse
possible lors du lâcher.
Ils ne font pas que cela…

Deux styles de lancers

Dans le cercle de lancer,
de 2,135 m de diamètre,
la majorité des athlètes
partent en tournant le dos
à l'aire de réception ; puis
ils pivotent violemment
le haut du corps en exécutant
un sursaut avec les jambes ①.
D'autres, minoritaires, adoptent
un style totalement différent,

Des muscles et de l'adresse

Lors d'une finale, aux Jeux
olympiques par exemple,
tous les athlètes masculins ont à
peu près la même taille (1,95 m)
et le même poids (ou plus
exactement la même masse,
plus de 110 kg en moyenne).
Au cours de leur carrière,
ils ont tous lancé le poids à plus
de 20 m. Celui qui gagnera
ce jour-là se sera rapproché
du jet idéal, en optimisant
ses qualités physiques
naturelles : son aptitude
à donner une vitesse
au boulet (il aura fait
pour cela beaucoup de
musculation) et sa très grande
adresse à produire le geste parfait.

Ce qui fait la performance

La performance que vise l'athlète, c'est la portée maximale du jet, mesurée par la distance entre le butoir du cercle de lancement et le trou laissé par le boulet dans la pelouse. La figure ② rassemble les paramètres qui influent sur cette distance :
– le boulet est lâché au point P. Plus l'altitude h de P est élevée, mieux c'est ;
– plus la projection de P au sol se trouve en avant du butoir, meilleur sera le résultat ;
– plus la vitesse d'éjection de la main (V) est grande, plus c'est favorable ;
– le dernier de ces paramètres, l'angle A que fait la vitesse d'éjection (V) avec l'horizontale, est aussi très important.
La différence entre les lanceurs réside dans l'art de produire l'angle A optimal. En effet, si A est trop petit ou trop grand, le jet sera court.

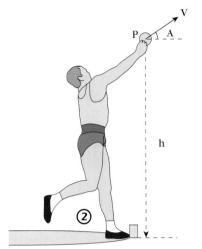

Ainsi, contrairement au sens commun, le lancer du poids n'est pas seulement une affaire de force (qui donne de la vitesse au boulet), mais aussi une question de mise au point extrêmement précise pour réaliser l'angle A optimal.

L'exemple de Werner Günthor

Günthor, champion du monde à Tokyo en 1991, a lancé dans les conditions suivantes lors de son meilleur jet : h = 2,22 m ; V = 14,31 m/s ; A = 36°, tout en lâchant le poids P de quelques centimètres au-delà du butoir. Ce jour-là, il a réalisé 21,67 m.
La trajectoire du boulet est une **parabole**, une courbe que l'on peut calculer et tracer si l'on connaît h et V.
Si Günthor avait pu lancer avec un angle A de 42°, tout en gardant les mêmes valeurs aux autres paramètres, le calcul montre qu'il aurait dépassé 22,5 m. Or une finale peut se jouer à 1 cm près…

LE SAVAIS-TU ?

L'âge de pierre et après
Le lancer du poids n'était, il y a un siècle et demi, que le lancer de pierre. Ce sport primitif s'est peu à peu affiné. La pierre biscornue est devenue sphère d'acier. L'aire de lancer, simplement délimitée par un trait, s'est transformée en un rectangle puis, au début du XXe siècle, en un cercle tracé au sol, qui fut ensuite limité par un butoir en bois. La mesure de la longueur du jet s'effectue par rapport au centre du cercle, en laissant 40° de liberté à la direction de la trajectoire.

Chaussures de sport à ton pied

Lorsque tu cours, l'impact de ton pied au sol crée une onde de choc qui se propage à travers ton corps à 120 km/h. Pour éviter les dégâts, une bonne chaussure de sport doit jouer le rôle d'amortisseur. Attention aux effets de mode !

Bien sûr, les parties de ton corps les plus proches de la zone de choc sont les plus touchées (voûte plantaire, tendons, cheville, genou...). Cependant, la vibration se propage jusqu'au cou, où son intensité atteint 10 % de celle de départ.

La physique du jogging

Lorsque tu cours, chacun de tes pieds frappe le sol environ 500 fois par kilomètre.
Lors d'une foulée, le poids de ton corps se reporte sur la voûte plantaire. Ton pied atterrit sur le sol à partir du bord externe du talon jusqu'au gros orteil.

Les semelles de mousse absorbent les chocs et réduisent l'**énergie cinétique** du corps (due au mouvement) au moment du contact avec le sol. Plus elles sont épaisses, plus la force d'impact sera limitée. Pour éviter au sportif la fatigue, une chaussure de sport doit en outre avoir la masse la plus faible possible (200 à 300 g) afin qu'il la soulève avec le moins d'efforts possible.

Les trois semelles

Les bandes que tu peux voir sur une chaussure de sport rappellent les trois couches qui composent la semelle. La première couche, ou **semelle intérieure**, soutient ta voûte plantaire. Elle doit être aussi confortable qu'un matelas. Elle est censée prévenir les ampoules et éviter les fortes compressions. Elle est faite de mousse polyuréthane à cellules fermées. Des bulles d'air à très haute pression sont emprisonnées dans le matériau. L'effet de roulement à billes que provoque cette semelle intérieure permet l'adaptation du pied à la forme du sol et amortit les chocs.

À LA RECHERCHE DU CONFORT

Il te faut :
- du carton ondulé,
- du coton,
- de la mousse
(des éponges, par exemple),
- une paire de chaussettes suffisamment grandes pour que tu puisses y glisser les semelles de ta fabrication.

● Pieds nus, saute sur place (de quelques centimètres !) en retombant les pieds à plat : tu sens les vibrations parcourir ton corps. Recommence en retombant uniquement sur les talons, puis sur les pointes des pieds : c'est pire !

● Trace deux fois les contours de tes pieds sur le carton et découpe-les. Colle une couche de coton entre deux semelles de carton, enfile tes chaussettes par-dessus et refais tes exercices de saut. Essaie avec un rembourrage plus épais au niveau des talons puis recommence avec une semelle en mousse. Tu peux encore ajouter une couche faite d'un autre matériau, ou modifier l'épaisseur là où tu le désires.

● Compare les résultats que tu auras obtenus avec les différentes semelles.

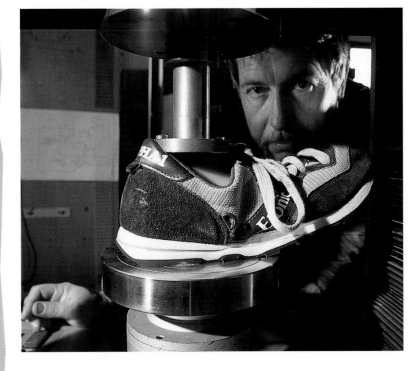

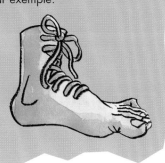

Semelle intérieure

Cale

Semelle intermédiaire

Semelle externe

La **semelle intermédiaire** assure l'amortissement et la restitution de l'énergie nécessaire à la course. Elle est en mousse EVA (éthylène vinyle acétate) pressée et moulée. Cette mousse est à cellules ouvertes (l'air y circule librement).
La **semelle externe,** en contact direct avec le sol, présente un aspect gaufré et des petits crampons qui donnent prise sur les divers terrains.

Elle est faite d'une couche de caoutchouc renforcé au carbone pour résister à l'abrasion (la brûlure) de la route.
Une **cale de compensation**, destinée à absorber l'impact lors de l'attaque du talon, peut s'insérer entre la semelle externe et la semelle intermédiaire. Cette talonnette, évasée et arrondie, s'élargit quand ton pied attaque le sol. Tu atterris ainsi en douceur sur une base plus large.

L'énergie du champion

D'où provient cette énergie qui nous fait plier un bras, parler ou même dormir ? De loin, de très loin, puisque c'est le Soleil qui nous la fournit à travers plusieurs intermédiaires. Sans lui, pas de plantes pour alimenter les animaux et les hommes.

Forêt du carbonifère (il y a 300 millions d'années)

se transforme en

Nappe pétrolifère

Baril d'essence ou de diesel

Pâturage

est consommé par

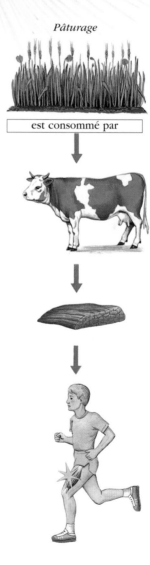

Contracter un muscle nécessite de l'énergie. Une jambe qui se plie est le résultat d'un long transfert d'énergie ayant le Soleil pour origine : un pâturage de 25 m² produit 10 kg d'herbe en un an d'ensoleillement ; un bœuf se nourrissant de ces 10 kg d'herbe fabrique à peine 400 g de viande ; le sportif de 65 kg qui mangerait uniquement ce steak aurait tout juste assez d'énergie pour effectuer une course à pied de 30 mn.

À chacun son carburant

Une voiture fonctionne avec un carburant qui, grâce à l'oxygène de l'air, est brûlé pour libérer de l'énergie. Les aliments constituent le carburant du corps humain. Ils sont digérés, c'est-à-dire réduits en petits morceaux puis en molécules qui passent dans le sang et arrivent aux cellules. Comme l'essence, ces molécules (glucides, lipides et protéines) sont brûlées sous l'action de l'oxygène parvenant aux cellules depuis les poumons, toujours par le sang. Les cellules produisent de l'énergie qui va servir à la contraction des muscles, à la fabrication et à la réparation des tissus, et à de nombreuses autres réactions chimiques (synthèse des protéines...).

Parlons rendement...

Une grande partie de l'énergie produite est dissipée en chaleur. Au niveau d'une cellule, la "centrale énergétique" est localisée dans les mitochondries. Celles-ci transforment l'énergie contenue dans les sucres en énergie chimique utilisable, à hauteur de 40 %. Le reste part sous forme de chaleur. Le rendement d'une voiture est encore moins bon : 35 % pour un moteur Diesel, 30 % pour un moteur à essence. Les moteurs aussi s'échauffent et doivent être constamment refroidis : pour cela, de l'eau froide circule autour du moteur.

Les signaux d'alerte

Le corps, comme la voiture, possède des systèmes d'alerte en cas de surchauffe ou quand le carburant vient à manquer.

• Jauge de niveau de carburant. Dans le corps humain, le cerveau et le système nerveux sont tenus informés des taux d'oxygène, de sucre et d'eau dans le sang par des détecteurs chimiques localisés pour la plupart sur une artère, à la sortie du cœur.

• Compte-tours du moteur. Chaque muscle du corps humain contient des indicateurs quant à son état de contraction. En forme de petits fuseaux, ils envoient des informations vers le système nerveux. Ils permettent d'éviter une contraction totale du muscle, de garder des réserves en cas d'urgence et ils assurent le maintien du muscle dans la longueur voulue.

Le dopage

Le corps se réserve toujours une marge de sécurité. Dans la vie quotidienne, les activités physiques ne mettent en jeu qu'une faible partie de nos capacités. Les fibres musculaires non utilisées constituent une réserve de protection pour les stratégies d'urgence. Ainsi, sous l'effet d'un fort stress, on peut sentir ses forces décupler.

Le dopage permet aussi de solliciter ce potentiel de secours. Les amphétamines améliorent la rapidité de contraction des muscles et augmentent l'agressivité du sportif ; les anabolisants accroissent la puissance musculaire ; la cortisone favorise la récupération, et la désormais célèbre EPO augmente la quantité naturelle de transporteurs d'oxygène, les globules rouges. Ces pratiques sont bien entendu dangereuses à terme, puisqu'elles imposent une surexploitation du corps. Comme une voiture en surrégime, le corps s'use alors prématurément.

L'ÉNERGIE NÉCESSAIRE AUX ACTIVITÉS HUMAINES (EN CAL/HEURE)

Le besoin énergétique journalier d'un adulte sédentaire est d'environ 2 000 Cal. Pour un adolescent, il est de 2 500 Cal.

digestion	sommeil	assis, repos	debout, repos	assis, lecture	transport en commun	assis, écriture	debout, bricolage, repassage	marche	vélo	course	nage	sport collectif
14	48	71	83	95	107	120	167	214	345	500	571	619

L'ÉNERGIE MOYENNE APPORTÉE PAR LES ALIMENTS CONSOMMÉS (EN CAL/100 G)

légume	bière, vin	fruit	lait	pâtes	pomme de terre	riz	poisson	viande	fruit sec	pain blanc	fromage	noisette
15-40	50	55	65	70	90	100	100-200	200-300	260	260	350	670

Après l'effort, le réconfort

Mettre en route la "machine" corporelle, tenir la distance puis reconstituer les stocks d'énergie, et se préparer au prochain effort : voilà la gestion subtile que le sportif doit assurer pour tirer le meilleur parti de lui-même.

Reprendre son souffle

Après l'effort physique, le corps a encore beaucoup de travail à effectuer. L'essoufflement signifie que le corps manque encore d'oxygène pendant quelques minutes. Les cellules ont contracté une dette en oxygène, qu'il faut combler pour achever toutes les réactions chimiques de réparation et de reconstitution du stock d'énergie. En mesurant son pouls, on observe que le cœur bat encore très vite pour faire circuler le sang oxygéné et apporter le plus d'oxygène possible aux cellules. Il se calme progressivement.

Boire, manger, dormir

Beaucoup d'eau s'est évaporée pour refroidir le corps, et, avec elle, de nombreux sels minéraux (magnésium, calcium, potassium, sodium) sont partis. Il est temps de se réhydrater en buvant de l'eau riche en minéraux. Mieux vaut manger léger après l'effort et un peu plus le lendemain pour reconstituer les réserves en sucres les plus faciles à mobiliser, c'est-à-dire celles qui sont stockées dans le foie et dans les muscles.

Du point de vue de la mécanique musculaire, c'est le moment de faire des étirements qui aident le muscle à se relaxer et à retrouver sa longueur habituelle. Le meilleur réconfort est le sommeil, qui place le corps en sous-activité et qui lui donne tout le temps d'effectuer les réparations nécessaires.

La récupération active

Pour accélérer l'élimination des déchets accumulés dans les muscles (suite à tous les phénomènes chimiques ayant eu lieu pendant l'effort), il faut pratiquer une récupération active qui favorise la circulation sanguine : petits exercices musculaires (footing, par exemple), massages, bains chauds, courtes séances de sauna.

Ces petites douleurs soudaines

Le **point de côté** semble dû à une fatigue des muscles de la paroi du tronc et du diaphragme. Pour l'éviter, il faut bien s'échauffer et adapter l'effort à ses capacités physiques. On peut l'éliminer en soufflant longuement.
La **crampe** : cette contraction totale et violente du muscle se produit lorsque les sels minéraux – qui assurent la conduction nerveuse (le transfert des ordres du cerveau au muscle) et donc le contrôle de la tension musculaire – font défaut. Pour l'éviter, il faut boire suffisamment avant l'effort et étirer le muscle régulièrement.
La **contracture** : c'est une petite contraction prolongée de fibres musculaires. Si l'on favorise la dilatation des vaisseaux sanguins par de l'eau chaude ou des massages, le muscle reprend petit à petit sa forme initiale.
Les **courbatures** : elles apparaissent quand le corps se refroidit. Elles résultent de l'accumulation massive d'acide lactique dans les muscles. Cet acide est un produit de dégradation que le muscle fabrique lorsqu'il n'a plus d'oxygène.
L'**élongation** : le muscle a été trop étiré et de petites lésions apparaissent. Quand les fibres musculaires se cassent, c'est le **claquage**, qui s'accompagne de saignements internes.

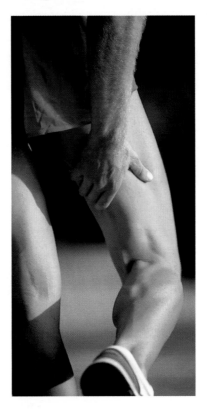

MESURE TA CAPACITÉ À RÉCUPÉRER

Compte les pulsations de ton pouls (P_1) pendant 15 s, debout, au repos. Fais 30 flexions des jambes en 45 s. Mesure (P_2) pendant 15 s immédiatement après. Mesure à nouveau (P_3) pendant 15 s après 1 mn de récupération. La formule suivante te permet de calculer ton indice de récupération (N) :

$$N = \frac{(4 \times P_2 - 70) + 8 (P_3 - P_1)}{10}$$

Ta récupération est très bonne si N est inférieur ou égal à 5, bonne si N est compris entre 5 et 10, et médiocre si N est supérieur à 15.
Ce test, dit de Ruffier-Dickson, est valable jusqu'à 30 ans.

Préparer la performance

Réussir une performance est l'objectif de tout athlète passionné par son sport. Y parvenir nécessite une préparation qui ne laisse rien au hasard, tant sur le plan de l'équilibre alimentaire que sur celui de l'indispensable motivation aux entraînements parfois fastidieux. Les règles générales sont les mêmes à tout âge, que l'on soit "poussin" ou "senior".

S'entraîner

Si tu veux préparer une performance sportive, tu dois tout d'abord suivre un entraînement régulier et rigoureux, sous la direction d'un professionnel compétent auquel tu accordes toute ta confiance. Avec lui, tu te fixeras un objectif qui tiendra compte de tes qualités sportives et de tes disponibilités. Un exemple : Antoine, 13 ans, pratique le cross au collège. Avec ses copains, il s'est inscrit à l'UNSS pour faire des compétitions scolaires. Dans un mois auront lieu les championnats de son département. Toute la bande a un objectif : se qualifier pour les championnats d'académie. L'entraîneur les a réunis et leur propose la préparation suivante : après avoir couru ensemble 6 km à une allure leur permettant de bavarder, ils effectueront quelques étirements puis une série de parcours chronométrés sur piste : 500 m (de 1 mn 45 s à 1 mn 55 s), 1 000 m (de 3 mn 45 s à 4 mn), puis à nouveau 500 m (de 1 mn 45 s à 1 mn 50 s). Entre deux parcours, ils se reposent 3 mn. Aussitôt après, ils effectueront un footing de 10 mn à faible allure pour récupérer. Enfin, ils prendront une douche après avoir bu. Une nouvelle séance, trois jours plus tard, servira à mesurer les progrès effectués.

Autre exemple : Véronique, 16 ans, pratique depuis quatre ans la natation dans son club. Comme elle est douée et qu'elle s'entraîne régulièrement, elle a pu entrer en section sport-études de son lycée.

l'entraînement, avant ou après les repas, et peu à chaque fois. Méfie-toi des boissons toutes prêtes ou trop sucrées. Prises après l'entraînement, elles peuvent donner des douleurs d'estomac. L'alimentation : il est indispensable de manger équilibré, c'est-à-dire de manger

humide sans risquer de glisser. Avec ses chaussures de sport traditionnelles, il ne pourrait courir normalement. De même, Véronique, nageuse de compétition, s'est acheté un maillot et un bonnet de bain qui favorisent l'écoulement de l'eau sur son corps afin d'améliorer sa "glisse".

Son entraîneur et elle, au vu de ses résultats et de ses progrès, ont défini un objectif : la finale des championnats de France du 200 m brasse. Elle devra effectuer huit entraînements par semaine. Ils planifient ensemble les jours et les contenus de chaque entraînement.

Mauvais régimes

Une enquête a montré que les adolescents ne boivent pas assez de lait et mangent trop d'aliments gras et sucrés. Cela perturbe leur appétit et ne leur permet pas de reconstituer rapidement les réserves utilisées. Ils ne consomment pas assez de légumes verts ni de céréales. L'adolescence est la période des grands appétits ! Préparer son corps pour une performance, c'est avant tout savoir choisir les aliments les plus adaptés.

Récupérer

La récupération repose sur trois points essentiels. Le sommeil : plus tu te dépenses, plus tu as besoin de repos pour récupérer. Pour toi, entre 8 et 10 h de sommeil, voire plus, sont indispensables. Lorsque tu te réveilles le matin, tu dois te sentir détendu. L'hydratation : la meilleure boisson de récupération est l'eau minérale. Il faut boire souvent après

de tout. Bien sûr, il faut privilégier les "sucres lents", comme les pâtes, le riz ou les pommes de terre.

S'équiper

Préparer sa performance, c'est aussi disposer du matériel qui contribue à sa réalisation. Si Antoine veut faire du cross en compétition, il doit posséder des chaussures à pointes pour courir dans les bois et sur terrain

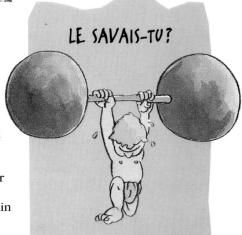

LE SAVAIS-TU ?

Entraînement olympique
Il n'est pas rare de voir sur les podiums olympiques de natation et de gymnastique des adolescents de 15 ou 16 ans. Pour arriver à un tel niveau, ils consacrent entre 5 et 7 h par jour à l'entraînement. Si tu es passionné, tu sais ce qui t'attend…

LE POULS RÉVÉLATEUR

Prends tes pulsations cardiaques trois fois par semaine, le matin avant de te lever : soit sur l'artère radiale, située sur le poignet, sous le pouce ; soit sur la carotide, sur le cou, à droite et à gauche de la glotte.

Note le résultat. Normalement, ce pouls de repos descend de semaine en semaine pour les sportifs entraînés. Les plus grands champions ont un pouls de repos aux environs de 30 pulsations par minute.

CONNAÎTRE TES POINTS FORTS

Tu aimes le sport,
mais sais-tu quelles sont
tes meilleures qualités
physiques ? Es-tu rapide,
endurant, résistant ?
Es-tu plutôt souple, fort,
précis ou adroit ?
Voici quelques tests qui
te permettront de mieux
connaître tes points forts.
Évalue-toi et inscris-toi dans
le sport que tu préfères
ou dans celui où tu
as le plus de qualités
à exprimer.

Avant de réaliser les tests
ci-dessous, échauffe-toi
pour ne pas subir de claquage
ni t'infliger une blessure.

La détente

Elle est utile pour le sprint et pour toutes les
formes de saut, pour le basket-ball, le volley-ball, etc.
Saute pieds joints et bras levés devant un mur.

Fais plusieurs essais
en demandant à un ami,
debout sur une chaise,
de repérer au crayon
sur le mur la hauteur
atteinte par l'extrémité
de tes mains.
Note la différence entre
leur hauteur au repos
et celle que tu obtiens
lors de ton meilleur
saut. Tu peux considérer
comme une bonne
détente une différence
supérieure à 50 cm.

Le multibond

Utile pour évaluer
ta capacité de
détente horizontale,
ce test sert pour le saut
en longueur, le triple saut,
le sprint et le hand-ball.
Effectue cinq foulées bondissantes enchaînées
en partant de la position arrêtée pour arriver dans
une fosse à sable. On exécute une foulée bondissante
en changeant de pied à chaque impulsion pour
réaliser la foulée ou le bond les plus longs possible.
Mesure ta meilleure performance : à 13 ans,
elle est bonne pour une fille si elle se situe entre
7,5 et 8,5 m, et pour un garçon entre 8,5 et 9,5 m.

Le bond vertical unique

On utilise ce test pour le volley-ball, le basket-ball et pour tous les sauts. Installe un élastique entre deux montants. Saute par-dessus l'élastique à pieds joints sans élan en commençant par le placer très bas, puis en le montant de 5 cm en 5 cm. Note ton meilleur résultat : il est excellent entre 45 et 55 cm pour une fille, et entre 55 et 65 cm pour un garçon.

La résistance

Ce test est une variante de celui de Ruffier-Dickson décrit p. 67. Tu dois faire 30 flexions en 25 s seulement. Prends ton pouls pendant 15 s trois fois : avant l'effort (P_1), juste après l'effort (P_2) et 1 mn après l'effort (P_3). Applique ensuite la formule suivante :

$$\frac{4\,(P_1 + P_2 + P_3) - 200}{10}$$

Si tu obtiens entre 0 et 4, tu es résistant ; à moins de 0, tu es très résistant !

La souplesse

Essaie de faire un grand écart de face ou de côté. Les filles sont souvent meilleures que les garçons. Ou bien, plus simplement, debout, jambes droites et tendues, cherche avec tes mains à toucher tes pieds. Si cela te paraît trop facile, essaie de poser tes paumes au sol.

Test d'apnée volontaire

Après avoir inspiré à fond, vide tes poumons et reste sans respirer le plus longtemps possible. Si tu tiens 40 s ou plus, tu as de bonnes capacités pour tous les sports comportant des moments d'apnée : plongée, natation, voire même sauts et lancers.

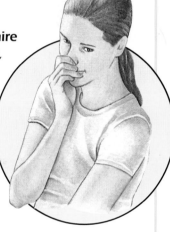

La force des épaules et des bras

Sur une barre horizontale installée chez toi ou sur un portique, effectue le plus grand nombre possible de tractions complètes, en hissant la tête jusqu'au-dessus de la barre. Avec de l'entraînement, le nombre de tractions augmente à chaque fois. Les résultats performants sont très différents chez les filles et chez les garçons : de 4 à 6 tractions chez les premières, de 7 à 10 chez les seconds.

Tests spécifiques à chaque sport

Il existe aussi, dans chaque sport collectif (football, volley-ball, handball, basket-ball…), des tests d'adresse spécifiques. Parles-en à ton professeur d'éducation physique de collège ou à un entraîneur. Voici déjà deux exemples : Volley-ball : jeter en un temps donné le plus de balles possible dans un cercle situé à 2 m de l'autre côté du filet. Basket-ball : test de "dribble resistance". Traverser un terrain de basket dans le sens de la largeur en courant, puis revenir en dribblant. À effectuer une, deux ou trois fois d'affilée suivant le niveau auquel prétend le joueur. À partir des résultats obtenus, oriente-toi vers le sport pour lequel tu présentes le plus d'aptitudes.

L'athlète à l'entraînement

Championnats d'Europe, arrivée du 400 m dames : Marita coupe le fil la première. Éblouissement de la victoire ! Quand elle entre au vestiaire sous les applaudissements de ses amis, la joie qu'elle ressent trouve sa source bien au-delà de ce bref instant. Cette place de vainqueur, elle l'a construite. Elle est le résultat d'un travail volontaire et méthodique poursuivi tout au long d'années d'entraînement.

Les sportifs de haut niveau sont aujourd'hui des professionnels qui consacrent tout leur temps à leur sport et à la récupération. Utilisant du matériel sophistiqué, ils progressent en vitesse, en précision et en force. Ils s'entraînent deux fois par jour, sont suivis très régulièrement par des médecins et des kinésithérapeutes ou autres soigneurs. Leurs gestes sont analysés pour qu'ils les perfectionnent constamment en tenant compte de leur morphologie et de leur nature.

Ils suivent un programme alimentaire établi sur mesure à partir de l'analyse détaillée de leurs besoins nutritifs.

La méthode anglaise

Jusqu'à la fin des années 1970, les coureurs de demi-fond de toutes les nations s'entraînaient principalement en pleine nature et très peu sur piste. Ils parcouraient entre 140 et 200 km par semaine, effectuant des séances fractionnées en forêt et alternant courses rapides et courses lentes. Cette technique,

héritée des coureurs scandinaves, portait le nom de "fartlek".
Au début des années 1980, les Anglais dominèrent le demi-fond mondial. Leurs résultats furent la conséquence d'un changement radical de méthode d'entraînement. Fini les séances fractionnées dans la nature. Hormis les footings, tout s'effectuait sur piste (où distance et chronométrage sont précis), avec une intensité jamais atteinte jusqu'alors.
Cette évolution très exigeante, tant sur le plan physique que psychologique, porta ses fruits. C'est encore ainsi que les athlètes kenyans et éthiopiens s'entraînent, en travaillant très activement sur piste.

Entraînement en altitude

L'entraînement à une altitude comprise entre 1 500 et 2 000 m conduit l'organisme à produire plus de globules rouges pour compenser la raréfaction de l'oxygène. Le sportif en conserve le profit un mois encore après son retour en plaine, d'où une amélioration de ses performances en endurance.
Il existe en France un centre d'entraînement à Font-Romeu dans les Pyrénées (1 800 m) où se pratiquent tous les sports du monde. Il s'agit là d'un "dopage" naturel et sans danger. Qui n'a pas connu les bienfaits de la marche en montagne sur sa condition physique ?

Les performances féminines

Les performances féminines évoluent plus vite que celles des hommes. En fait, les femmes rattrapent un retard qui tient à plusieurs raisons : la place de la femme dans la société a considérablement évolué au cours de ce siècle. L'accès aux compétitions a suivi cette évolution : la proportion de femmes dans les clubs sportifs est de plus en plus importante et le nombre de candidates aux records augmente.
Des expériences malheureuses ont retardé l'essor de certaines disciplines. Un exemple parmi d'autres : en 1928, lors des Jeux olympiques d'Amsterdam, plus de la moitié des coureuses du 800 m se sont évanouies aussitôt la ligne d'arrivée franchie, ce qui a entraîné l'interdiction de cette discipline pendant trente ans !
Enfin, on peut noter que, probablement pour des raisons hormonales, les carrières des sportives de haut niveau durent plus longtemps que celles de leurs homologues masculins.

LA HANTISE DU CONTRE-EXPLOIT

L'athlète ne peut réaliser ses meilleures performances que s'il dispose non seulement de ses moyens physiques mais aussi, et surtout, d'une solidité psychologique à toute épreuve. Manquer sa course, son lancer ou son saut, est la hantise du sportif : les psychologues du sport l'aident à gérer le stress lié aux enjeux auxquels il est confronté, à encaisser les efforts quotidiens exigés par l'entraînement de haut niveau, et à trouver son équilibre dans le monde impitoyable de la compétition.

Le sportif, l'outil et la machine

Même les sports apparemment les plus naturels demandent quelques accessoires : pas de natation sans maillot, pas de course ni de saut sans chaussures et pointes. Mais d'autres sports n'existent qu'à travers un outil (la perche…) ou une machine (le canoë-kayak, le vélo…). En améliorant l'outil ou la machine, on fait progresser la performance sportive.

D'une perche à l'autre

Jusqu'à la dernière guerre mondiale, les sauteurs à la perche utilisaient une perche en bambou, peu flexible et fragile, et la réception au sol s'effectuait dans une fosse à sable. Compte tenu de la hauteur atteinte, environ 4,5 m, les risques de rupture de perche ou d'accident de réception étaient importants.
Puis apparut la perche en métal, plus souple

et plus solide. Les records firent un bond. Enfin, une nouvelle évolution apporta la perche en fibre de verre, plus légère, plus flexible et très résistante : les performances s'améliorèrent à chaque compétition. De nos jours, la fibre de verre est toujours utilisée, et les hauteurs atteintes dépassent les 6 m. Dans les années 1970, on a vu apparaître des perches préalablement courbées, dites "perches bananes", qui facilitaient la flexion de la perche lors du saut. Afin de mettre en évidence les performances propres du perchiste, on les a interdites.

Piste "tous temps"

L'apparition, à la fin des années 1960, des pistes synthétiques en lieu et place des pistes en cendrée, s'est accompagnée de nettes améliorations des différents records. À cela, deux raisons. La piste ayant gagné en élasticité, elle exerce un effet rebondissant à chaque foulée.

De plus, elle résiste mieux aux intempéries : les athlètes ont pu s'entraîner davantage que sur les pistes en cendrée, trop boueuses par temps de pluie et trop dures par temps sec.

Vélo d'aujourd'hui

Machine assez peu complexe *a priori*, le vélo n'a cessé, depuis son invention au milieu du XIXᵉ siècle, de faire l'objet d'innovations et de progrès.

Le boom du vélo aux États-Unis, vers 1970, puis l'invention du VTT ont accéléré son évolution récente. Les progrès d'une discipline profitent aux autres : cadres légers (par exemple, le vélo utilisé en montagne par l'Italien Marco Pantani lors du Tour de France 1998 ne pesait que 7,2 kg), pédales automatiques et chaussures à cale intégrée (remplaçant les traditionnels cale-pieds),

dérailleurs multivitesses, sélecteurs de vitesse intégrés à la poignée de frein, freins à disques, roues pleines ou à bâtons, suspensions, et même pneus et selles.

Tête baissée dans la soufflerie

Dans les sports mécaniques comme la moto et les différentes formules de course automobile, ainsi que dans certaines disciplines du vélo et du ski, un progrès technique considérable a été franchi grâce aux études en soufflerie (*voir p. 240-241*). Les "tunnels de vent" (ci-contre) ont ainsi vu arriver des hommes et des femmes, et non plus seulement des objets inanimés. Des recherches très pointues ont permis des avancées non seulement sur l'aérodynamisme des machines, mais aussi sur la position à adopter suivant

la discipline, et sur les vêtements favorisant au mieux l'écoulement de l'air, sérieux facteurs limitants de la performance. Il est vrai que le "kaléiste", skieur des vitesses extrêmes, peut atteindre en bout de course plus de 240 km/h !

L'ordinateur-conseil

Peut-on passer par la simulation, et non plus seulement par l'expérience, pour tenter d'optimiser la performance ? Des chercheurs s'y essaient dans le cas de gestes relativement simples. L'épreuve de ski de vitesse a été étudiée sur ordinateur. Pour cela, la machine doit prendre en compte les grandeurs physiques qui interviennent. Les données géométriques de la piste d'abord, puis les conditions météorologiques (vent, température), la morphologie du skieur (taille, poids…), son équipement (des vêtements aux skis), l'état de la neige et le frottement des skis.

Si le skieur adopte la meilleure position et si sa volonté de réussir est au plus haut, l'ordinateur prédit correctement la vitesse acquise en bout de piste. La simulation stimule la capacité imaginative du sportif pour qu'il améliore encore son geste.

Accidents de parcours

Faire du sport amène à se dépasser, à prendre des risques. Parfois, l'accident survient. Tout l'art du médecin va consister à guérir la blessure et à proposer une rééducation adaptée pour que l'avenir sportif du blessé ne soit pas compromis. Pour établir son diagnostic, il décrypte de mystérieuses images médicales.

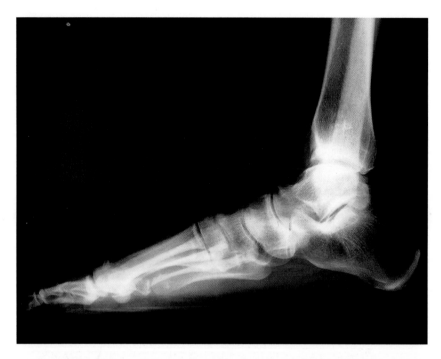

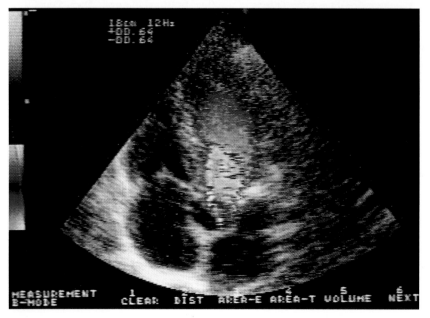

La radiographie

Elle repose sur un principe simple : l'émission de rayons X* qui traversent le corps et impressionnent un film photographique placé derrière lui. Les rayons X sont arrêtés par les parties les plus denses du corps, les os, qui apparaissent en blanc sur le cliché. À l'inverse, ils traversent les poumons sains remplis d'air sans obstacle et en donnent une image noire sur le cliché. On emploie la radiographie pour détecter les problèmes osseux et pulmonaires. Le **scanner** utilise aussi les rayons X, qui sont perçus par des détecteurs électroniques très sensibles disposés autour du corps. On obtient ainsi des coupes transversales et on peut reconstituer des images en trois dimensions.

L'échographie

Cette technique est adaptée à la visualisation des tissus mous. Une sonde émet des ultrasons – ondes acoustiques à hautes fréquences – qui se propagent dans les tissus. Comme l'écho qui se produit en montagne lorsqu'un son se heurte à une paroi, les ultrasons sont réfléchis quand ils rencontrent une modification de densité des tissus. La sonde extérieure enregistre ces différents échos et les transforme en signal électrique. L'échographie est principalement utilisée pour l'abdomen (foie, pancréas, vésicule, prostate, organes génitaux, gros vaisseaux), le cœur et les fœtus, pour qui les ultrasons sont inoffensifs.

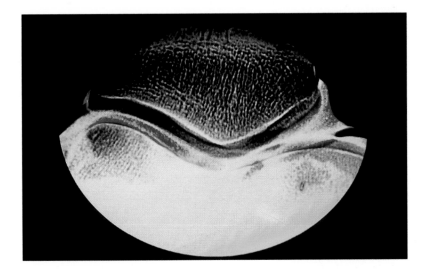

L'arthrographie

Ce cliché permet de voir
une articulation dissimulée par les os.
C'est un examen radiologique qui
nécessite l'injection d'un produit de
contraste : un produit à base d'iode
ou, simplement, de l'air.
On détecte ainsi le ménisque (en bleu
sur la photo ci-dessus), les ligaments et
les cartilages des articulations.

permet de construire une image où
la densité des points est fonction
de la densité en protons* des tissus
analysés. On s'en sert pour examiner
le système nerveux central.

La scintigraphie

Elle mesure les radiations émises
par un organe (thyroïde,
rein, cœur) après introduction
dans l'organisme d'une substance
radioactive inoffensive qui s'évacue
en quelques heures. Par exemple,
en cas de décalcification*, le calcium
radioactif injecté se fixe là où l'os
est en train de cicatriser.
Son rayonnement est détecté
par une caméra à particules gamma*.

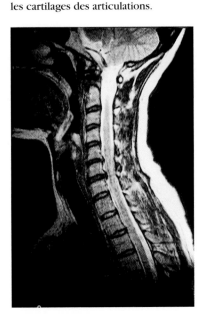

L'IRM (imagerie par résonance magnétique)

Cette technique consiste à placer
le patient dans un champ magnétique*
puissant, à envoyer un signal radio
aux tissus et à enregistrer la réponse
des atomes d'hydrogène. L'analyse
informatique des ondes recueillies

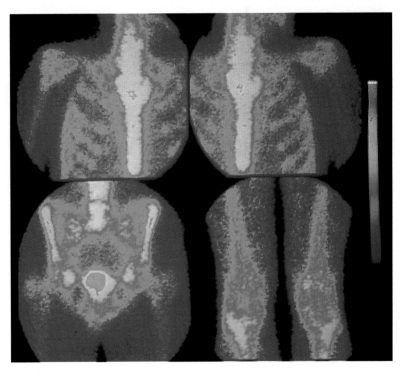

Temps
et rythmes

Entends-tu le discours du temps ? Ton livre d'histoire ou les récits de tes parents te font vivre le passé. Le calendrier t'aide à prendre patience ou à bâtir des projets. Ta vie est rythmée par la ronde des saisons, et aux activités du jour succède le repos nocturne. Et tout évolue sans retour : le Soleil brûle ses réserves, l'enveloppe de la Terre se transforme, ton corps se développe, ton mode de vie se métamorphose...

L'année, le jour et l'heure

L'année avec ses saisons, le jour avec ses moments de lumière et d'obscurité, voilà deux rythmes naturels, extérieurs à nos décisions, qui fondent notre façon de nous situer dans le temps qui passe. L'observation du Soleil suffit à les définir. Mais, pour rythmer les activités journalières, il a bien fallu diviser le jour en heures...

Entre deux équinoxes

Observe le Soleil. Il se lève vers l'est, monte dans le ciel jusqu'au milieu du jour, puis redescend et se couche vers l'ouest. La hauteur qu'il atteint lorsqu'il culmine (son zénith) change au cours de l'année : maxima fin juin au solstice d'été, minima fin décembre au solstice d'hiver.

Deux fois par an, aux équinoxes de printemps (fin mars) et d'automne (fin septembre), le Soleil se lève exactement à l'est et se couche exactement à l'ouest. Le jour et la nuit sont alors de durée égale. L'année est le temps qui sépare, d'une équinoxe de printemps à l'autre, les passages du Soleil à son zénith. Cette année, dite **tropique**, vaut très exactement 365 jours 5 h 48 mn 46 s.

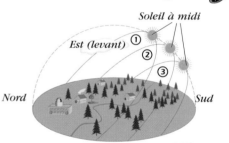

Le Soleil se lève à l'est, puis décrit une trajectoire apparente, dont le point culminant se situe à midi, pour se coucher le soir à l'ouest. Cependant, d'une saison à l'autre, la trajectoire du Soleil connaît des différences : il s'écoule plus de temps entre son lever et son coucher en été ① (où il est en moyenne plus élevé dans le ciel) qu'en hiver ③. La durée de la nuit est égale à celle de la journée au printemps et en automne ②.

Le jour solaire

Entre deux passages du Soleil à son zénith, il s'écoule exactement un jour. Une telle durée est trop longue pour permettre à l'homme de se repérer dans le temps : le jour a donc été divisé en 24 heures. Il dure de midi au midi suivant (ou de minuit au minuit suivant, etc.).

Des Dogons, *tribu du Mali, puisant de l'eau au soleil couchant*

L'heure a elle-même été divisée en 60 minutes, et la minute en 60 secondes.

Au cours d'une journée, le jour et la nuit se partagent le temps de manière inégale (sauf les jours d'équinoxe évidemment) et cette inégalité évolue tous les jours.

On a constaté que le jour solaire variait légèrement au cours de l'année, jusqu'à 15 minutes en plus ou en moins. On a donc défini un **jour solaire moyen**. Ce temps moyen nous évite de remettre les pendules à l'heure tous les jours !

Aucun cadran solaire ne peut donner l'heure mieux qu'à deux minutes près, quelles que soient ses dimensions.

Un axe et une orbite

La course du Soleil dans le ciel n'est qu'un mouvement apparent. En fait, elle est le résultat de deux mouvements de la Terre : d'une part, celle-ci tourne sur elle-même autour d'un axe et se présente de nouveau au Soleil de la même manière au bout de 24 heures ; d'autre part, elle parcourt une orbite* autour du Soleil en un an. C'est parce que l'axe de la Terre est incliné sur son orbite que le Soleil monte plus ou moins haut dans le ciel et que l'alternance du jour et de la nuit varie au cours de l'année. En conséquence, pour un point donné de la Terre, l'ensoleillement évolue : c'est l'origine du rythme des saisons.

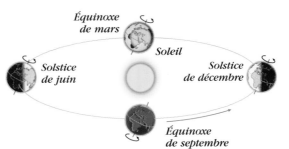

La succession des saisons est due à l'inclinaison (23°27') de l'axe de la Terre sur le plan de son orbite.

L'heure au cadran solaire

Un bâton planté dans le sol (on parle d'un style), et voilà un moyen de suivre la course du Soleil dans le ciel : il suffit d'observer l'ombre qu'il projette. Sur ce principe, de multiples civilisations ont construit des cadrans solaires : certains sont monumentaux, d'autres tiennent dans le creux de la main. L'ombre qui se déplace sur le cadran est généralement celle d'un style orienté suivant l'axe de rotation de la Terre sur elle-même, en fonction de la latitude du lieu. La graduation dépend de l'orientation et de la forme de la surface sur laquelle se projette l'ombre.

COMPARE LA DURÉE DES JOURS ET DES NUITS

Il te faut :
- un calendrier (ou un agenda) avec les heures de lever et de coucher du Soleil,
- une feuille quadrillée.

● Trace un rectangle long de 12 carreaux portant les noms des 12 mois, haut de 24 carreaux gradués en 24 heures.

● Reporte pour chaque mois les heures de lever et de coucher du Soleil (le 15 du mois, par exemple). Noircis les carreaux correspondant aux heures de nuit. Un diagramme se dessine, faisant apparaître la proportion du jour et de la nuit tout au long de l'année. Tu peux y repérer les solstices et les équinoxes.

Les gardiens du temps

*Pas toujours très pratique, le cadran solaire :
la nuit, par temps couvert, à bord d'un navire…
Il a fallu très tôt chercher des "garde-temps",
des appareils capables de reproduire des durées
sur des périodes plus ou moins longues, et
susceptibles de permettre le "transport du temps".
Ce fut une longue suite d'inventions remarquables.*

à l'heure tous les jours… grâce au Soleil. À partir du XVIᵉ siècle, toutes les villes d'Europe s'en procurent pour afficher le temps au clocher de la cathédrale ou au beffroi, puis pour déclencher les carillons sonnant les heures.

La clepsydre

La plus ancienne forme de mesure du temps. Le principe est simple : un récipient gradué contenant de l'eau la laisse s'échapper par un trou. Pourtant sa réalisation présente bien des difficultés, car beaucoup de phénomènes peuvent perturber l'écoulement (diamètre et obturation de l'orifice, action du froid…). On a perfectionné la clepsydre à l'aide de mécanismes admirables, mais elle est toujours restée un souci pour ses propriétaires jusqu'au XIIIᵉ siècle.

Le sablier

Du sable fin s'écoule d'une ampoule de verre dans une autre à travers un passage étroit. Fiable, précis, transportable, peu coûteux : c'est l'instrument le plus répandu du XIVᵉ au XVIIIᵉ siècle. On en construit pour des durées allant de la minute

à plusieurs heures. Mais surtout, il s'agit du seul instrument pouvant fonctionner à bord d'un bateau secoué par la mer.

L'horloge à foliot

La première machine à "fabriquer du temps" : un poids suspendu à une corde entraîne une roue dont le mouvement est transmis à l'aiguille unique par des roues dentées. La chute du poids s'arrête et reprend grâce au **foliot** qui ralentit le mouvement par son inertie. Cette horloge remporte un énorme succès. Pourtant, elle manque de précision (elle peut dériver d'une demi-heure par jour) au point qu'il faut la remettre

L'horloge à balancier

Le savant néerlandais Christiaan Huygens en donne la clé en 1656. Pour faire tourner les aiguilles, il remplace le foliot par un régulateur indépendant de la force motrice : une masse au bout d'une tige, le "pendule pesant". Lorsqu'on le laisse osciller librement, il le fait avec une parfaite régularité, en un mouvement dont la période est définie par sa longueur. Ce principe est celui de toute l'horlogerie qui suivra jusqu'à nos jours.

Dès son invention, l'horloge à balancier se révèle dix fois plus précise que l'horloge à foliot. Elle fera des progrès jusqu'à la fin du XIXᵉ siècle. Le tic-tac de l'horloge va peu à peu s'installer chez les particuliers.

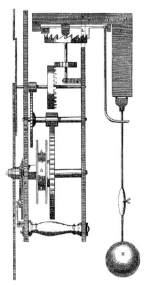

Le chronomètre de marine

L'horloge n'est pas transportable, et les marins ont besoin d'emporter avec eux l'heure du port qu'ils viennent de quitter afin de calculer leur position en mer. Huygens apporte la solution en imaginant un balancier circulaire ramené à son état d'équilibre par un ressort spiral et non par la pesanteur*.

De multiples améliorations font progresser la précision à pas de géant, et les marins du XIXᵉ siècle disposeront de chronomètres capables de "conserver la seconde" pendant plusieurs semaines.

L'horloge à quartz

Son principe est le même que celui des horloges à balancier ou des montres mécaniques, mais le va-et-vient du balancier est remplacé par la vibration d'un petit cristal de quartz. La précision fait un bond : 2 secondes d'avance ou de retard en dix ans pour les meilleures horloges. Inventée en 1928, l'horloge à quartz n'est sortie des laboratoires pour venir sur nos poignets que dans les années 1960.

L'horloge atomique

Ici tout change. Pas seulement la précision (encore un bond : si l'on comparait deux horloges fonctionnant au césium 133, elles ne se décaleraient que de 3 secondes en un million d'années), mais aussi le principe lui-même. Le régulateur n'est plus taillé de main d'homme, il est emprunté à la nature, aux propriétés d'un atome.

SUR QUEL MÉRIDIEN SUIS-JE ?

À bord de ton bateau, tu navigues depuis quelques jours. Midi approche, tu vas déterminer ta longitude. L'œil au sextant, tu observes le Soleil et lorsqu'il est au plus haut (il est alors midi à ton bord), tu cries "top". À ce signal, ton copain lit l'heure sur sa montre, qu'il a réglée sur l'heure du port au moment du départ. Le décalage horaire te donne ta position, puisque la Terre tourne de 360° en 24 heures et que tu connais la longitude du port.

CADRAN SOLAIRE

Il y a des siècles que le cadran solaire ne présente plus d'utilité pratique, et pourtant on ne résiste pas au plaisir d'en découvrir un sur la façade d'une maison ou dans un jardin, accompagné de quelque précepte philosophique. Est-ce parce que cet objet si simple nous rappelle notre lien intime avec l'Univers ? Il en existe divers modèles. Le "cadran solaire équatorial" décrit ci-dessous est le plus facile à construire.

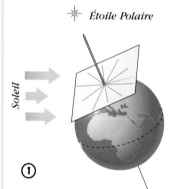

Étoile Polaire

Soleil

①

Principe

Pendant sa course journalière, le Soleil dessine des ombres qui suivent exactement son mouvement. C'est pour exploiter ce phénomène que les Babyloniens inventèrent le cadran solaire, il y a environ 4 000 ans. Regarde ce qui se passe au pôle Nord. La Terre effectue un tour en un jour autour d'un axe qui passe par l'étoile Polaire. Le Soleil projette l'ombre de cet axe sur une table qui lui est perpendiculaire (figure ①) et qui porte une graduation :

l'ombre se déplace de 360° en 24 h, soit 15° en 1 h ou 1° en 4 mn. En un autre point de la Terre, situé à la latitude L, on place un "style" parallèle à l'axe de la Terre (donc dirigé vers l'étoile Polaire), planté dans une table qui lui est perpendiculaire (donc parallèle à l'Équateur). L'ombre du style se déplace sur la table de la même manière qu'au pôle, indiquant l'heure solaire. On a un "cadran solaire équatorial" (figure ②).

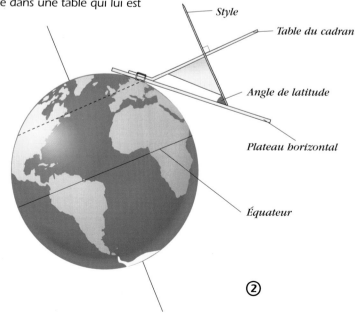

Style

Table du cadran

Angle de latitude

Plateau horizontal

Équateur

②

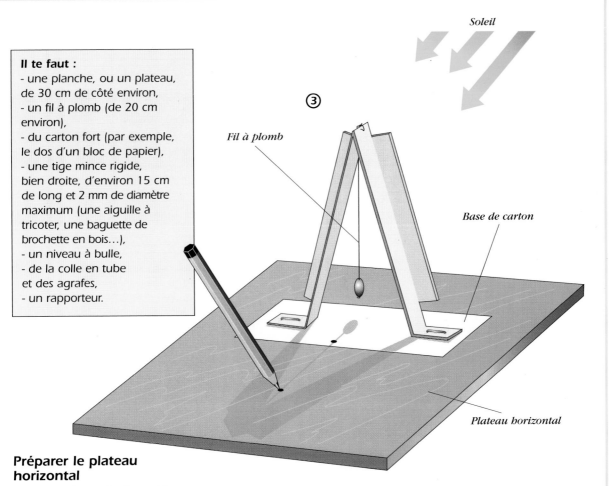

Soleil

③

Fil à plomb

Base de carton

Plateau horizontal

Il te faut :
- une planche, ou un plateau, de 30 cm de côté environ,
- un fil à plomb (de 20 cm environ),
- du carton fort (par exemple, le dos d'un bloc de papier),
- une tige mince rigide, bien droite, d'environ 15 cm de long et 2 mm de diamètre maximum (une aiguille à tricoter, une baguette de brochette en bois…),
- un niveau à bulle,
- de la colle en tube et des agrafes,
- un rapporteur.

Préparer le plateau horizontal

Place ton plateau horizontal à un endroit ensoleillé autour de midi : rebord de fenêtre, balcon, terrasse, jardin, éventuellement une table poussée contre une fenêtre par laquelle entrent les rayons du Soleil. Le plateau doit être calé de manière à être parfaitement horizontal (utilise le niveau à bulle), et fixé afin de ne pas bouger du tout.

Repérer le plan méridien

C'est le plan qui coupe la Terre en deux en passant par le point où tu habites et par les pôles. Dans son mouvement diurne apparent, le Soleil "passe" dans ce plan quand il est midi (heure solaire exacte du lieu) : à ce moment-là, l'ombre d'un fil à plomb sur le sol dessine la trace du méridien.

Réalise une "potence" pour porter le fil à plomb, par exemple en suivant le dessin de la figure ③ : deux supports en carton, pliés pour plus de rigidité, assemblés avec la colle ou les agrafes et fixés à une petite base en carton également.

Sur ton plateau horizontal, place le support de fil à plomb. Calcule l'heure civile Hc (celle de ta montre) quand il est midi (12 h) au Soleil en appliquant la formule :
Hc = 12 h + E - Lg + (1 ou 2 h).
Lg est la longitude du lieu où tu te trouves : tu la lis sur une carte. Elle est positive si tu es à l'est du méridien de Greenwich. Il faut convertir les degrés en temps

(1° vaut 4 mn, voir "Principe") ; E est une correction qui est due en particulier au fait que l'orbite de la Terre n'est pas exactement un cercle. E varie avec les mois et, bien qu'elle puisse atteindre une quinzaine de minutes, tu la négligeras en posant qu'elle vaut 0.

Suivant que l'heure civile est celle d'hiver ou d'été, tu ajoutes 1 ou 2 heures.

Quand l'heure Hc approche, reste près du pendule, et à Hc exactement, trace deux points sur le plateau pour repérer l'ombre du fil à plomb, puis trace la droite qui les relie. Attention, il ne faut plus déplacer le plateau !

CADRAN SOLAIRE

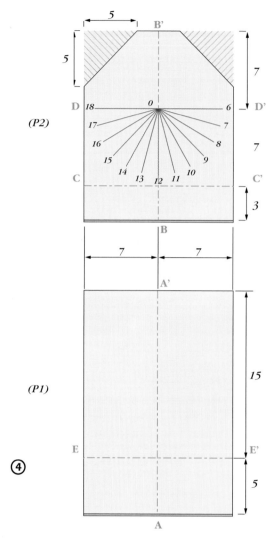

(P2)

(P1)

④

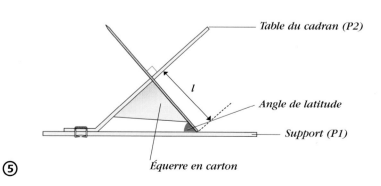

Table du cadran (P2)

Angle de latitude

Support (P1)

l

Équerre en carton

⑤

Préparer le cadran

Découpe dans le carton deux pièces P1 et P2 aux dimensions de la figure ④.

Trace soigneusement les lignes AA' et BB' (les "lignes méridiennes"), puis les lignes CC', DD' et EE'. Avec le rapporteur, trace les "lignes horaires" à partir de 0 (milieu de DD') tous les 15° de part et d'autre de BB'. Gradue-les en heures.

Coupe les coins de P2 et mets les morceaux de côté.

Plie le carton vers le haut en suivant le trait CC' (tu peux l'entailler légèrement au dos pour faciliter le pliage).

L'inclinaison du cadran dépend de la latitude du lieu où tu te trouves. Utilise le style comme cale pour la régler : repère sur celui-ci la longueur de réglage "l" indiquée sur le tableau ci-contre, après avoir lu ta latitude sur une carte.

Perce avec précision le cadran au point 0, enfile le style en le faisant dépasser de la longueur "l" du côté non gradué.

Maintiens le style rigoureusement perpendiculaire au cadran en collant un des coins de P2, utilisé comme équerre (figure ⑤).

12 h par Hs. Par exemple,
à Bruxelles (Lg = 4,3° = 17 mn et
en posant que E = 0 toujours pour
simplifier), si le cadran indique
16 h 30 mn, Hc est donnée par :
Hc = 16 h 30 + 0 – 17 mn + 2 h
(heure d'été) = 18 h 47 mn.
Vérifie-le sur ta montre.
 Au hasard de tes voyages,
tu pourras faire la même
opération sur d'autres cadrans
solaires, à condition
qu'ils soient bien
entretenus.

Dans un jardin

Tu peux installer un
cadran solaire, comme
celui décrit ici, dans un
jardin. Il faut dégager au sol
une surface absolument plane
et horizontale de dimensions
suffisantes pour accueillir le cadran.
Une dalle de pierre ou de ciment
facilite les choses.
Le repérage du méridien peut
se faire avec un fil à plomb lourd,
d'au moins 1 m de long (attention
au vent!), ou avec un bâton planté
bien verticalement dans le sol.
Le cadran doit être réalisé dans un
matériau résistant aux intempéries.
Le bois aggloméré "stratifié"
convient pendant deux ou trois ans,
à condition de couvrir ses bords
d'une baguette de bois vernie.
Sinon, il faut utiliser la pierre
ou le ciment.
Le style est une tige métallique;
peu importent les solutions
techniques, la seule condition à
observer est le respect des angles :
- le style perpendiculaire à la table,
- le style incliné de l'angle de latitude
par rapport à l'horizontale,
- le style dans le plan méridien
(c'est-à-dire la ligne "12 h" de
la table dans le plan méridien).

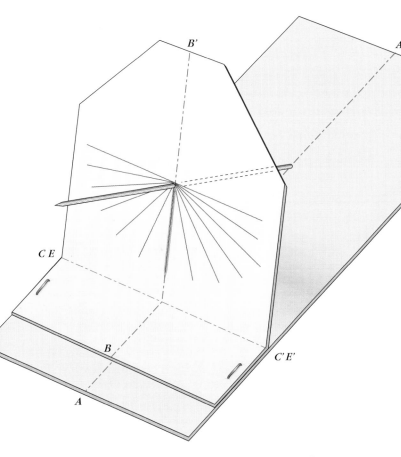

Utiliser le cadran

Pose ton cadran sur le plateau
horizontal au soleil, en faisant
coïncider la ligne méridienne AA'
avec le méridien que tu as tracé,
le style pointant vers le Nord.
Tu peux alors lire l'heure solaire
locale Hs. Pour retrouver l'heure
civile Hc de ta montre, utilise
la formule page 85 en remplaçant

Place ton cadran sur la pièce P1,
en faisant coïncider CC' et EE',
ainsi que AA' et BB'. Fixe-les l'un
sur l'autre, par exemple en
les agrafant. Colle enfin l'extrémité
du style sur la ligne AA'. Ton
cadran solaire est prêt (figure ⑥).

Latitude (°)	36	38	40	42	44	46	48	50	52	54
l (cm)	9,5	9	8,5	8	7,5	7	6,5	6	5,5	5

Pour mettre les pendules à l'heure...

Pendant très longtemps, la course apparente du Soleil dans le ciel suffisait à guider l'activité des hommes. L'ombre d'un bâton planté dans le sol constituait l'aiguille du temps. Mais l'heure solaire est différente en chaque méridien : quand le Soleil se lève ici, il fait encore nuit 100 km plus à l'ouest. Alors comment se donner rendez-vous ?

En Europe, les lignes internationales commencent à apparaître, et il devient indispensable d'unifier les différents systèmes horaires ! En 1875, un congrès international propose la division de la surface terrestre en 24 fuseaux horaires et, en 1885, on adopte l'heure du méridien* de Greenwich (près de Londres) comme référence (d'où le temps GMT, *Greenwich mean time*).

Au village, autrefois, le tintement de la cloche de l'église rythmait le départ aux champs et le retour au logis. L'heure au cadran du beffroi, malgré son imprécision, suffisait à l'activité des citadins. Chaque ville, chaque village avait son heure locale, celle du cadran solaire, et peu importait celle des voisins ! Les déplacements étaient peu fréquents et, surtout, suffisamment lents pour que les décalages horaires ne viennent pas gêner les voyageurs.

Ne pas rater son train

Le XIXᵉ siècle voit naître le chemin de fer. Vers 1850, son développement est tel qu'il est impossible pour chaque gare de conserver son heure locale. Aux États-Unis, chaque compagnie possède sa propre heure : organiser un voyage dans ce pays où il est 9 h à San Francisco quand il est 12 h à New York est un vrai casse-tête !

Mécanisme de la première horloge parlante à Paris

Au quatrième top…

L'invention du télégraphe, vers 1830, permet de transmettre l'heure à une minute près. Au début du XXe siècle, c'est à une fraction de seconde près que la radio diffusera l'heure dans le monde entier. Comme on observe des décalages de quelques secondes entre pays, le Bureau international de l'heure est créé. À partir de 1920, il coordonne les résultats de différents observatoires et distribue le **Temps universel** (UT). Une autre invention va bouleverser les habitudes du public: on peut obtenir l'heure exacte par téléphone… En 1933, les opératrices sont remplacées en France par une machine: l'horloge parlante donne l'heure à un centième de seconde près. Le succès est foudroyant. Les États-Unis puis l'Angleterre installent des appareils similaires.

Malgré les humeurs de la Terre…

Le Temps universel, défini à partir de la rotation de la Terre sur elle-même, est le temps des astronomes. Mais la Terre a des fantaisies: les meilleures horloges révèlent de petites variations de la durée du jour. La découverte de l'horloge atomique, d'une extraordinaire stabilité, conduit, dans les années 1950, à établir un temps des physiciens, indépendant du mouvement de la Terre, le **Temps atomique international** (TAI). Grâce à des satellites, le TAI est aujourd'hui diffusé à la Terre entière, avec une précision du milliardième de seconde.

Il est utile pour des applications comme la radionavigation. Il ne l'est guère pour prendre le train… UT et TAI, par leur définition, s'écartent très doucement l'un de l'autre. Aussi le temps légal, diffusé par l'horloge parlante, est-il un **Temps universel coordonné** (UTC), aussi stable que le TAI, mais corrigé de temps à autre pour rester le plus proche possible de l'UT…

LES FUSEAUX HORAIRES

La Terre effectue un tour sur elle-même, soit 360°, en 24 heures. Elle a été divisée en 24 fuseaux, chacun correspondant à une rotation de 15° effectuée en une heure. Chaque fuseau affiche l'heure de son méridien central. Le fuseau de référence (numéro 0) est celui de Greenwich. L'heure de son méridien est le Temps universel coordonné (UTC). En se déplaçant vers l'est, on passe de fuseau en fuseau en avançant l'heure à sa montre de 1, 2, 3… heures. Vers l'ouest, on retarde l'heure à sa montre de 1, 2, 3… heures.

Les frontières des États ne correspondent pas aux limites géométriques des fuseaux. La majeure partie de l'Europe de l'Ouest est à l'heure de Greenwich, alors qu'elle s'étend sur les fuseaux 0 et 1. Un pays s'étendant sur plusieurs fuseaux, comme l'Australie, utilise plusieurs heures légales.

Calendrier

31 jours, 30 jours, 28 jours et de nouveau 31 jours... À croire que l'inventeur du calendrier a hésité dans le choix de la durée des mois. Derrière cette apparente incohérence se cache en fait un très banal problème d'arithmétique !

La tentation lunaire

Quelle durée choisir pour diviser l'année, sinon ce qui saute immédiatement aux yeux : la lunaison, le temps qui sépare deux nouvelles lunes ? L'idée est si tentante que bien des civilisations l'ont adoptée. Mais elles se sont tout de suite heurtées à une difficulté : une lunaison dure un peu plus de 29 jours et demi (exactement 29 j, 12 h, 44 mn). Or il faut qu'un mois se compose d'un nombre entier de jours. Si l'on choisit 12 mois de 29 jours, il manque 17 jours pour parvenir aux 365 que compte l'année, et avec des mois de 30 jours, il manque encore 5 jours.

Table des lunaisons (1546)

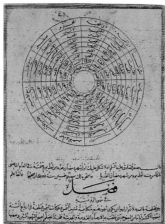

Division de l'année en Orient (XIVᵉ siècle)

Quand les saisons glissent...

Le calendrier musulman (calendrier religieux) alterne équitablement les lunaisons raccourcies et les lunaisons allongées : 6 mois de 29 jours, 6 mois de 30 jours. Au total, il manque 11 jours pour finir l'année. L'année commence donc 11 jours plus tôt chaque an par rapport au calendrier civil que nous utilisons. Ainsi, les dates des fêtes religieuses musulmanes se décalent d'année en année. Toutes les tentatives de division de l'année fondées sur la lunaison ont rencontré ce même problème et l'ont résolu en ajoutant, par des choix différents, des périodes supplémentaires : quelques jours chaque année, ou une période plus longue mais à des intervalles plus espacés…

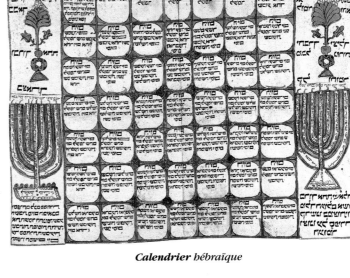

Calendrier hébraïque

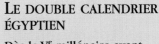

Chronique des mois (manuscrit carolingien du IXe siècle)

Jules César met de l'ordre

En 46 avant notre ère, l'empereur romain Jules César décide, sur proposition de l'astronome grec Sosigène, d'établir un calendrier conforme aux mouvements du Soleil. Ce calendrier, appelé **calendrier julien**, abandonne la Lune et retient l'idée d'une année de 12 mois inégaux, pour éviter les jours supplémentaires… autant que faire se peut :

7 mois de 31 jours (217) + 4 mois de 30 jours (120) + 1 mois de 28 jours (février), ce qui fait 365 jours. Cependant, l'année équivaut à 365 jours 1/4 ; on ajoute donc, tous les quatre ans, un jour au mois de février : ce sont les années bissextiles (celles dont les deux derniers chiffres forment un nombre divisible par 4, par exemple, 1972).

Le pape corrige César

Le système de Sosigène n'est pas parfait, car l'année ne dure pas exactement 365 jours et 6 heures, mais 365 j, 5 h, 48 mn, 46 s. Le pape Grégoire XIII réforme en 1582 le calendrier julien en supprimant les années bissextiles qui ne sont pas divisibles par 400 (1800, 1900, 2100). Ce **calendrier grégorien,** amélioré, mais toujours imparfait, est celui que tu utilises aujourd'hui…

Au jour succède la nuit

Pourront-ils jamais s'entendre ?
Les "lève-tôt" se croient
facilement entourés
de paresseux et
les "lève-tard" détestent
ceux qui les secouent
le matin. En réalité,
à chacun son rythme :
c'est d'abord une horloge
interne qui nous gouverne,
même si elle se remet
à l'heure sur le Soleil.

Dormir la nuit

À sa naissance, un nouveau-né humain suit un rythme de veille et de sommeil indépendant des phases nocturnes et diurnes. Pendant les cinq cycles identiques qui ponctuent sa journée, il dort en moyenne 3 h, s'éveille 2 h, dort à nouveau. Peu à peu, son sommeil se cale sur la nuit, même si de courtes périodes de sieste se maintiennent jusqu'à l'âge de six ans. Le passage de l'état de veille au sommeil s'accompagne d'une baisse de la température du corps et du rythme cardiaque. Le réveil spontané s'accompagne d'une remontée de la température interne, de la tension, du rythme cardiaque et de la consommation d'oxygène. Ces changements physiologiques se mettent en place quelques heures avant le réveil. Si les "matinaux" se réveillent plus facilement, c'est peut-être parce que leur température augmente brusquement en fin de nuit. Tandis que celle des "nocturnes" augmente très progressivement au cours de la matinée. En fait, chaque personne suit le rythme jour/nuit avec plus ou moins d'exactitude : certains s'endorment et se réveillent tard, d'autres ont sommeil dès la tombée de la nuit.

Biorythmes quotidiens
Sommeil
8 12 16 20 24 4 8 *Heures*

Tension artérielle

Pouls

Température

Consommation en oxygène

Débit cardiaque

Dormir le jour

Chez les travailleurs de nuit, obligés de dormir le jour, l'organisme s'adapte assez facilement et décale tous ses cycles métaboliques* en fonction

92

du nouveau rythme de veille et de sommeil. Si cette inversion du rythme naturel est maintenue pendant de longues périodes, l'organisme en pâtit peu. En revanche, dans le cas du travail en 3 x 8 h pour lequel l'activité de nuit a lieu un jour sur trois, les rythmes ne se stabilisent pas et l'organisme en souffre.

L'horloge interne

Il existe une véritable programmation des organismes qu'ils réalisent eux-mêmes et qui leur fait adopter un cycle spontané de 24 à 25 h ; les conditions extérieures ajustent précisément ce cycle à la durée du jour solaire de 24 h. Chez les mammifères et les oiseaux, cette programmation est élaborée dans des zones du cerveau que l'on a repérées : leur ablation perturbe ou fait disparaître les rythmes circadiens (du latin *circa* : environ, *dies* : jour). Ainsi, les facteurs extérieurs ne créent pas les rythmes mais les influencent.

L'heure du médicament

L'effet d'un médicament dépend du moment où il est administré, car les organes présentent des sensibilités variables au cours de la journée. De plus, l'organisme connaît des heures de moindre résistance aux substances toxiques, aux bruits et aux rayonnements nocifs. La médecine étudie de près les effets des médicaments au cours de la journée pour optimiser leur action.

Le décalage horaire

Lors d'un déplacement, par exemple d'Europe vers le continent américain, le voyageur arrive avec des paramètres physiologiques (température, tension, taux d'hormones) correspondant à une période de sommeil, mais dehors il fait grand jour. Il sécrète donc des hormones d'éveil qui le stressent. Il en ressent une grande fatigue. La synchronisation du sommeil sur la nuit locale demandera quelques jours. Dans certains pays, une pilule de mélatonine (une hormone sécrétée pendant le sommeil) est prescrite : elle sert à accélérer la resynchronisation des rythmes.

VIVRE HORS DU TEMPS ?

En 1989, la spéléologue française Véronique Le Guen a entrepris de vivre plusieurs semaines au fond d'un gouffre. Dans ces conditions naturelles de silence, d'obscurité et de température constantes, elle n'avait ni télévision, ni radio, ni montre. Elle dormait quand elle en avait envie et allumait la lumière artificielle lorsqu'elle était éveillée. Après quelques jours d'adaptation, ses journées duraient 25 h et elle passait un tiers de son temps à dormir. Dans des expériences similaires, le rythme journalier de certaines personnes a atteint 35 h !

Vivre tout au long de l'année

La mécanique céleste est bien réglée : chaque année, la Terre réalise sa révolution autour du Soleil et l'été succède toujours au printemps. Au cycle des variations climatiques répond, aussi régulièrement, celui des stratégies de survie des êtres vivants.

Les saisons

Les quatre temps climatiques associés aux saisons sont bien marqués dans les latitudes moyennes correspondant aux régions tempérées. Bien sûr, chacun peut remarquer des anomalies climatiques (un hiver doux, un été très pluvieux !), mais globalement le comportement moyen de l'atmosphère se répète chaque année. Il existe bien des modifications du cycle des saisons, mais elles se mettent en place très progressivement au cours de cycles qui durent de 21 000 à 90 000 ans. En sera-t-il toujours ainsi ? On se demande si les activités humaines n'auront pas des conséquences sur la composition de l'atmosphère, et donc sur les climats, par amplification de "l'effet de serre*".

Suivre la saison

Des régions tempérées aux régions arctiques, la variation de la durée du jour suit un cycle très stable et de grande amplitude, de l'équinoxe au solstice et à l'équinoxe suivant. À travers les milliards de millions d'années d'évolution de la vie sur Terre, les plantes et les animaux ont enregistré ce cycle lumineux et adoptent les bons comportements aux bonnes saisons, même lorsqu'ils sont placés dans un laboratoire où la lumière et la température ne varient pas de l'année. On a constaté dans ce cas que leur cycle biologique est seulement un peu plus court que douze mois.

Mue d'un serpent jarretière

Naître à la bonne époque

Pour assurer le plus de chances possible à la survie de leur espèce, les plantes doivent germer et les animaux faire naître leurs petits au printemps. La température et la lumière sont alors clémentes, elles favorisent la croissance des plantes et assurent la production d'une grande quantité de

Tableau comparatif des cycles de reproduction des espèces animales

	Juil.	Août	Sept.	Oct.	Nov.	Déc.	Janv.	Fév.	Mars	Avril	Mai	Juin
Cerf				●	━	━	━	━	━	━	━	▼
Chevreuil	●	━	━	━	━	━	━	━	━	━	▼	
Renard						●	━	▼				
Hérisson										●━	▼	
Hirondelle	━	▼								●━	●━	▼

● accouplement   ━ gestation   ▼ naissance

nourriture pour les jeunes animaux. Cette saisonnalité des naissances implique que les amours animales aient lieu à des époques différentes selon leur durée de gestation*. Cette dépendance par rapport aux saisons constitue une véritable méthode contraceptive naturelle qui n'autorise les naissances qu'en période favorable à la survie des petits.

Rester... ou partir ?

Lorsque la saison froide arrive, de nombreuses espèces animales se préparent à hiberner en accumulant des réserves : certains animaux augmentent ainsi leur poids de 40 %. D'autres espèces préfèrent la "fuite" et migrent dans des zones plus favorables à leur survie et à leur reproduction. Les baleines, les harengs et les morues séjournent dans les mers froides au printemps et en été, et gagnent les mers tempérées

Un loir en hibernation

pour se reproduire en automne et en hiver. Quant aux oiseaux, ils sont nombreux à quitter l'Europe dès les premiers frimas pour se rendre le plus souvent en Afrique et revenir au printemps suivant (hirondelle, cigogne, flamant, fauvette…). Ce comportement de migration, apparu semble-t-il avant la dernière ère glaciaire, est favorisé par leur mode aérien de déplacement et leur métabolisme* élevé.

Et l'homme ?

Le comportement de l'homme varie peu en fonction des saisons. Plus que les conditions climatiques, ce sont les impératifs sociaux, liés aux horaires et aux périodes de travail, qui synchronisent nos activités. Et les environnements artificiels éclairés, chauffés ou climatisés nous permettent de nous affranchir des saisons. Cependant, on s'aperçoit tout de même que chaque année, aux saisons froides, la faim augmente, le corps grossit et le besoin de sommeil est plus grand. Et les statistiques montrent que, à l'instar des animaux, les enfants naissent en plus grand nombre au printemps.

LE SAVAIS-TU?

Le voyage du monarque
Chaque année, à l'automne, les monarques, papillons du Canada et du nord des États-Unis, partent en direction du Mexique et de la Californie, à 3 000 km au sud de leur lieu de vie. Là, ils nidifient et se reproduisent avant de mourir. Des chenilles écloront, se transformeront en papillons qui repartiront vers le Canada au printemps suivant. Les raisons de cette migration extraordinaire restent mystérieuses.

Vol de grues cendrées

Une année sur la Terre

La distance au Soleil et l'inclinaison de l'axe de la Terre engendrent des éclairements, et donc des apports d'énergie, variables suivant les régions du globe. Au fil des saisons, les êtres vivants adaptent leurs activités selon un cycle annuel perpétuel.

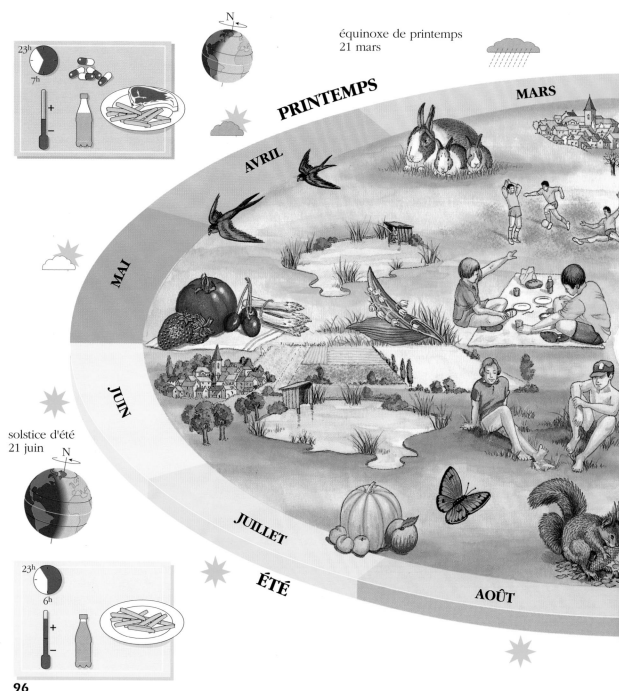

équinoxe de printemps
21 mars

PRINTEMPS

MARS

AVRIL

MAI

JUIN

solstice d'été
21 juin
N

JUILLET

ÉTÉ

AOÛT

23h
7h

23h
6h

Besoin
en sommeil

Besoin
en eau

Besoin
en nourriture

Rhume
grippe

Température

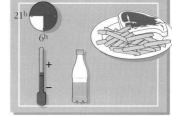

Sens de révolution de la Terre

FÉVRIER

HIVER

JANVIER

DÉCEMBRE

NOVEMBRE

OCTOBRE

AUTOMNE

SEPTEMBRE

N

solstice d'hiver
22 décembre

N

équinoxe d'automne
23 septembre

21h

7h

21h

6h

Les temps de la Terre

18 mai 1980, 8 h 32. Le flanc du mont Saint Helens, volcan du nord-ouest des États-Unis, s'effondre. Son sommet explose, une nuée tourbillonnante de cendres et de gaz chauds se déverse au bas de la montagne, couchant les arbres, étouffant la vie, couvrant la campagne d'un gigantesque linceul gris. En quelques heures, le visage de la Terre a changé.

Et ce n'est pas fini. Tous ces matériaux vont maintenant être charriés par les rivières, transportés par le vent. Ils aboutiront, avec bien d'autres matériaux arrachés à la Terre par l'érosion, à l'embouchure d'un fleuve. Et dans des millions d'années, tout cela se sera transformé en roche sédimentaire.

Des milliards d'années

Examine la photo du célèbre Grand Canyon, aux États-Unis. Le fleuve Colorado l'a creusé en usant et arrachant des roches pendant des centaines de millions d'années. Il coule maintenant à 1,6 km de profondeur. Pour les géologues qui l'étudient, quelle aubaine ! Devant eux s'étalent 3 milliards d'années d'histoire

LE SAVAIS-TU ?

L'âge de la Terre
Depuis que l'on s'interroge sur son âge, la Terre en a entendu de belles ! En 1867, sir Charles Lyell, géologue, lui donnait 240 millions d'années. Le naturaliste Charles Darwin la voyait plus jeune : 60 millions d'années. Mais lord Kelvin, physicien britannique, ne lui accordait que 20 millions d'années… ce qui fit sourire ses collègues géologues. Il fallut attendre la première moitié du XXᵉ siècle et l'application de la radioactivité à la datation des roches pour effectuer une véritable mesure : la Terre s'est formée il y a 4,55 milliards d'années.

de cette région de la Terre. Ils peuvent lire, dans l'empilement des couches de roches parfaitement visibles, les événements qui se sont succédé ici, les couches les plus profondes étant, logiquement, les plus anciennes.

À raison de 2 cm par an

La surface de la Terre se modifie lentement : des mers s'ouvrent ou se ferment, les continents se déplacent. Mais comment sait-on à quelle vitesse l'Europe et l'Afrique s'écartent de l'Amérique ? Par l'examen des roches sous-marines d'abord, puis par des mesures liées aux signaux émis par des étoiles lointaines. Cette vitesse est de l'ordre de 2 cm par an ; c'est à peu près celle à laquelle poussent nos ongles. Il a donc fallu 180 millions d'années pour que l'océan Atlantique soit ce qu'il est aujourd'hui.

En une fraction de seconde

À certains endroits de la Terre, les roches résistent à la lente poussée qui voudrait les faire

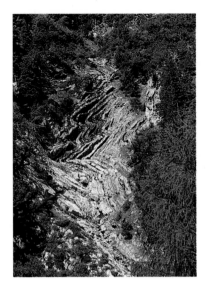

Leurs coquilles et squelettes se sont accumulés et lentement minéralisés. Ces fossiles étaient vivants à des époques assez précises pour que l'on constitue une échelle des temps de la Terre, au moins pour les 600 derniers millions d'années. Avant de devenir des témoins du passé, les fossiles ont beaucoup intrigué les hommes. Pour les uns, il s'agissait de corps étrangers développés à partir de semences tombées des étoiles ; pour d'autres, de caprices de la nature s'amusant à se copier elle-même en fabriquant des pierres en forme de coquillages !

bouger. Puis, brutalement, elles cèdent : un séisme se déclenche. Le tremblement de terre se propage à raison de quelques kilomètres par seconde, détruit les constructions, fait des victimes. On constate alors qu'une cassure s'est formée, parfois visible, comme en Islande et en Californie. La lente poussée reprend. Un nouveau séisme la libérera… dans quelques dizaines d'années peut-être.

Les fossiles, calendrier géologique

Pendant toute leur formation, les roches sédimentaires ont emprisonné des restes d'animaux marins pour la plupart.

LE JEU DU GÉOLOGUE

Un géologue a relevé cette coupe de terrain :

Quatre événements géologiques se sont succédé, représentés dans le désordre par les quatre figures ci-dessous :

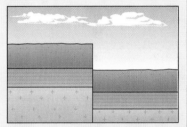

Sédimentation : *des roches se forment, couche après couche, par accumulation de matériaux.*

Faille : *la région est étirée ou comprimée, les roches se cassent.*

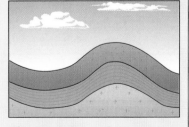

Érosion : *les roches sont rabotées par l'eau, le gel, le vent.*

Plissement : *les couches sont déformées par des forces latérales.*

Lis le passé et retrouve l'ordre logique des événements.

Solution : sédimentation - plissement - faille - érosion.

L'archéologue mène l'enquête

L'archéologue fouille, trouve,
met en mémoire, date.
Il est le premier sur les lieux
d'une enquête cherchant
à reconstituer le passé :
quels hommes vivaient là, quel était
leur mode de vie, comment étaient-ils
organisés, que leur est-il arrivé… ?

Fouiller,
c'est aussi effacer

Sur le site auquel il se consacre, l'archéologue efface, en retirant la terre et ce qu'elle cache, ce qui attendait là depuis des siècles ou des millénaires. Terrible responsabilité, car la place des objets est aussi importante que les objets eux-mêmes ! L'archéologue divise le sol en carrés qu'il délimite par des cordes ou des cadres pour repérer très précisément chaque indice récolté. Il note et photographie la position de chaque objet et la profondeur à laquelle il se trouvait. Couche après couche, il avance, faisant ainsi de la stratigraphie. Mesures, dessins, photographies constituent des archives qui permettront de comprendre avec précision l'histoire du site.

Fouilles dans les pyramides d'Égypte

La pelle et le pinceau

Le dégagement du site peut nécessiter l'emploi d'une pelle mécanique. Mais, à l'approche des vestiges, les outils deviennent de plus en plus fins : c'est au grattoir à main et au pinceau que le moindre tesson de poterie, comme la plus belle sculpture, sont dégagés. L'archéologue prend tout en compte : des matériaux de construction aux objets utilisés par les occupants du lieu, des restes de bois brûlé aux os et aux coquilles abandonnés dans un coin.

Dégagement de maisons datant du Néolithique (Syrie)

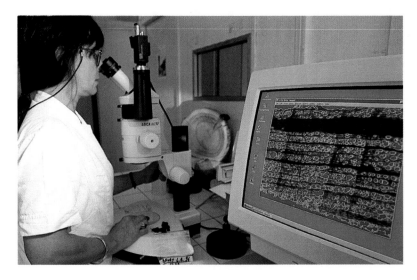

on sait combien d'années l'arbre a vécu. Suivant le temps qu'il a fait, la largeur de chaque cerne varie : il est plus mince en année de sécheresse. La succession de cernes plus ou moins larges est ainsi caractéristique d'une même époque dans une même région climatique.

Peu à peu, en recoupant les observations relevées sur des pièces de bois provenant d'arbres de plus en plus vieux, on a établi des échelles de temps sur plusieurs milliers d'années. Par comparaison, on peut donc dater une pièce de bois trouvée lors d'une fouille.

Dater

La stratigraphie permet de dire "ce qui est avant" et "ce qui est après", c'est-à-dire de construire une chronologie. Une des missions de l'archéologue consiste à donner un âge à ses découvertes. Il peut les situer sur une échelle des temps déjà établie, en les comparant à d'autres objets déjà datés (monnaies…). Il peut aussi tenter d'effectuer une "datation absolue" par une méthode physique. Par exemple, des restes de matériaux qui furent vivants (charbon de bois, ossements) seront datés par la méthode du carbone 14, s'ils n'ont pas plus de 50 000 ans. Il pourra également faire appel, si la fouille met entre ses mains une pièce de bois suffisamment grosse, à la dendrochronologie.

À condition que cette pièce n'ait pas plus de 6 000 ans, il saura, à un an près, à quelle date l'arbre dont elle est extraite a été abattu.

La dendrochronologie

Sur la tranche d'une bûche ou sur une souche, tu as certainement remarqué les cernes de croissance de l'arbre d'origine. Chacun représente une année. En comptant ses cernes, du centre vers l'écorce,

REMONTE LE TEMPS

Compte les cernes sur la souche d'un arbre fraîchement abattu. Quel âge a-t-il ?
À partir du cerne situé juste sous l'écorce, remonte le temps. Retrouve l'année de ta naissance, celle de tes parents, celle de tel ou tel événement ancien.

Repère-les par des punaises et photographie la souche. Compare la largeur des cernes. Repère les années de sécheresse. Correspondent-elles au souvenir que les adultes qui t'entourent en ont gardé ?

Le temps d'une vie

«Quel être doué de la voix a quatre pattes le matin, deux à midi et trois le soir ?» Telle était l'énigme que le Sphinx de Thèbes posait aux voyageurs. Seul Œdipe sut donner la réponse: c'est l'homme, qui rampe sur les genoux et les mains dans son enfance et s'aide d'une canne à la fin de sa vie.

Les premiers mois

W. a cinq mois. Il fait le bonheur de ses parents. Bien sûr, il n'a garde de se faire oublier, même au milieu de la nuit. Il crie : a-t-il faim, a-t-il mal ? Aux adultes de le comprendre. Totalement dépendant des personnes qui l'entourent, il met toute sa confiance en ceux qui s'occupent de lui. À un mois, il esquissait quelques sourires, mais maintenant c'est à des visages familiers qu'il réserve ses faveurs. On sait qu'il pousse bien puisqu'il prend régulièrement du poids. Sa mère redoute un peu l'arrivée de sa première dent et des hurlements qui l'annonceront.

14 ans

Son oncle ne l'avait pas vu depuis deux ans et l'a à peine reconnu : W. a profondément changé.
Il a beaucoup grandi, bien sûr, mais surtout ses proportions se sont modifiées : fini l'enfant, c'est l'adulte qui s'annonce. D'ailleurs, son corps le préoccupe beaucoup.
Il est pubère, et il se sait capable de procréer. Le groupe de copains est devenu très important et ses valeurs remplacent celles de la famille, d'où les conflits fréquents qui l'opposent à ses parents. Ses professeurs estiment qu'il aura bientôt acquis un raisonnement d'adulte. Les idées qu'il exprime révèlent déjà une certaine autonomie intellectuelle. Cependant, W. n'a encore aucune idée de ce qu'il veut devenir plus tard.

4 ans

«Quelle énergie !», disent de lui ses parents et sa maîtresse. W. est curieux de tout. Chaque jour, il en découvre un peu plus sur le monde : en classe avec la maîtresse et surtout dans la cour de récréation avec ses camarades. La vie est une longue suite de jeux qui lui permettent de gagner de l'autonomie dans ses mouvements, dans sa façon de communiquer et de penser. Son air pataud a disparu : il court, grimpe, patauge et s'agite dans tous les sens. On ne parvient pas à l'arracher au toboggan du square, et le chien du voisin est son meilleur ami. Les images l'attirent : celles de la télévision ou de l'ordinateur, celles qu'il réalise avec ses feutres. Il sait aussi qu'il existe des règles et des limites à ne pas dépasser. Et il redoute par-dessus tout d'entendre ses parents le gronder.

35 ans

W. et H. ont fondé une famille. Avec leurs deux enfants, dont un bébé, ils vivent dans la banlieue d'une grande ville où ils sont employés dans la même entreprise. La journée passe vite entre le travail, les transports, les petites activités quotidiennes. Ils se sentent bien dans leur corps, pratiquent tous deux régulièrement un sport malgré un emploi du temps serré, lisent beaucoup – et pas seulement le journal – et ne vont pas au cinéma aussi souvent qu'ils le voudraient. Ils ont de nombreux projets… mais doutent de pouvoir les réaliser tous. Leur vie n'est pas sans soucis : les responsabilités professionnelles et familiales, quelques problèmes matériels, les rumeurs de repli de leur entreprise…

LE SAVAIS-TU ?

Que faisaient-ils à 12 ans ?
Pascal redécouvrait seul certaines propositions d'Euclide avant d'avoir été initié à la géométrie. Mozart effectuait une de ses premières grandes tournées européennes. Il donnait des concerts et composait déjà depuis l'âge de 6 ans. Rimbaud publiait ses premiers textes et excellait par son savoir et son invention. Et Picasso peignait de très beaux portraits, dans un style académique témoignant de sa grande maîtrise du dessin.

65 ans

W. et H. se sentent jeunes dans leur tête et désirent faire des tas de choses. Ils ont "du temps libre" maintenant, puisqu'ils ne travaillent plus. De fait, H. fréquente assidûment un cycle de conférences sur les civilisations mésopotamiennes et W. soigne amoureusement sa collection d'orchidées. Leur rythme de vie est plus lent, ce qui ne les empêche pas de ressentir parfois une grande lassitude, et de récupérer lentement d'une fatigue physique ou intellectuelle. Leurs enfants vivent dans d'autres villes. Ils ne les voient pas souvent, alors ils les appellent au téléphone. Ils comptent les jours jusqu'aux prochaines vacances scolaires… qui leur amèneront leurs petits-enfants, aussi câlins que turbulents !

Au fil des générations

"De mon temps..." : les adultes le disent souvent et racontent combien la vie était agréable, avant toutes ces inventions qui n'existaient pas dans leur jeunesse. J'ai voulu en avoir le cœur net : j'ai interrogé, regardé chez les uns et les autres, fouillé dans les papiers et les photos. Peu à peu, j'ai rassemblé une quantité d'informations qui m'ont renseigné sur la vie de mes ancêtres, et sur ce dont ils avaient été les témoins directs.

Mon père, Henri H.

Né en 1947, il a vécu intensément la révolte étudiante de 1968 et a songé à élever des moutons avant de devenir ingénieur chimiste. Il s'est pris de passion pour l'exploration de la Terre, des océans et de l'espace. Il connaît toutes les dates et répète qu'il "a tout vécu" : la plongée au plus profond des océans (1960), la compréhension de la "dérive des continents" (1968) et l'exploration de la Lune (1969), la visite aux plus lointaines planètes (notamment Neptune, en 1989). Cet explorateur en chambre oublie de dire qu'il a surtout découvert le confort à base d'électronique et de semi-conducteurs. J'en ai la preuve à travers tout ce qui encombre l'appartement : radio, téléviseur, calculatrice, chaîne hi-fi, magnétoscope, CD, cassettes audio et vidéo… Il en est même à son troisième ordinateur !

Ma grand-mère, Juliette H.

Elle est née en 1925. Elle a enregistré sur le magnétophone de son fils le récit de quelques épisodes de sa vie. Elle était pharmacienne. « J'ai vendu mon premier flacon d'antibiotiques, de la pénicilline, en 1947 : un médicament miracle à l'époque, et qui coûtait très cher. Quelques années plus tard, ce fut le tour d'un anti-inflammatoire révolutionnaire, la cortisone. Nous faisions encore beaucoup de préparations : j'ai rempli de poudre des milliers de cachets avant que n'apparaisse la gélule. Mes enfants ont tous été vaccinés contre la poliomyélite, ce qui n'était pas possible dans ma jeunesse. C'est seulement pour mon dernier enfant, Jacques, que j'ai eu si tard

(c'était en 1970), que le médecin m'a fait passer une échographie ; et j'avais 48 ans quand les premiers scanners sont apparus. Les objets domestiques qui m'ont le plus marquée ? Je crois que c'est le crayon à bille, juste après la guerre. Et aussi la première paire de bas de Nylon dont mon mari m'a fait cadeau, en 1948 ! J'allais oublier, le réfrigérateur que nous avons acheté en 1952. »

Le père de ma grand-mère, Raymond L.

En 1900, il avait 5 ans. Il a laissé des tonnes de coupures de journaux et quantité de photos. L'aviation était sa passion. J'ai ainsi le récit de la traversée de la Manche par Blériot en 1909, celle de l'Atlantique par Lindbergh en 1927, l'atterrissage de Védrines sur le toit des Galeries Lafayette en 1919… Mais aussi le premier vol d'un avion à réaction, un Heinkel, en 1936, et celui d'un avion à turboréacteur en 1939. Ce qui m'a le plus étonné : les premiers voyages aériens "commerciaux" à partir de 1919 en Allemagne, en Hollande, en Angleterre, seize ans seulement après le premier vol des frères Wright !

En fait, je crois que Raymond L. n'est jamais monté dans un avion… Mais il a traversé la France en tandem avec sa femme pendant les premiers congés payés, en 1936.

Le grand-père de ma grand-mère, Edme G.

Cet esprit curieux a tenu son journal toute sa vie. En voici des extraits : « 6 juin 1889 : enfin l'éclairage au gaz dans toutes les pièces de l'appartement ; fini les lampes à pétrole ! 2 mai 1910 : passé une demi-heure à contempler la comète de Halley, je ne me lasse pas du spectacle. 18 avril 1912 : des détails parviennent peu à peu sur le drame du *Titanic*, survenu dans la nuit du 14 au 15. On parle de centaines de morts. Quand saura-t-on détecter les icebergs à distance ? 25 juillet 1919 : Joseph s'est fait renverser par une

voiture de livraison emmenée au trot par deux percherons ; les étonnants rayons X* de Monsieur Röntgen ont révélé quatre fractures aux jambes. 7 avril 1925 : lu dans le journal "23 millions d'automobiles dans le monde, dont 10 millions de Ford." 21 septembre 1927 : quand pourrai-je voir le premier film entièrement parlant que l'on projette actuellement à New York ? »

Ma bisaïeule, Clémence G.

D'elle, je n'ai qu'une photo prise vers 1875. Au dos, elle écrit à sa sœur : « Pour mes 25 ans, Alphonse a tenu à m'offrir mon portrait réalisé par un grand photographe parisien. Le train nous a emmenés à une vitesse que tu n'imagines pas : peut-être 60 km/h. J'ai très peur de ces locomotives et machines à vapeur que l'on voit peu à peu envahir nos villes. J'ai posé avec ma petite Émilie dans les bras. Elle se remet lentement d'une mauvaise fièvre. Le médecin a mesuré sa température avec un appareil tout nouveau. Nous avons profité de ce déplacement pour flâner longuement dans un grand magasin présentant des tissus et toute la mode sur trois étages : une merveille ! »

Rythmes du cosmos

En balayant des yeux la voûte étoilée, le spectacle, splendide, qui s'offre à toi semble tout de même bien statique. Et pourtant, tout ce que tu vois est en mouvement : on tourne sur soi-mêmes, on tourne autour des autres, entraîné dans un ballet dont les rythmes ne se révèlent qu'aux observateurs patients.

L'axe du monde

Un soir, repère la position de quelques étoiles par rapport à la silhouette des toits ou des arbres. Note l'heure et recommence ton observation une heure, puis deux heures plus tard. Les constellations se déplacent au fil des heures. Elles tournent dans le sens inverse des aiguilles d'une montre autour de l'étoile Polaire. Ce mouvement n'est qu'apparent : il est la conséquence de la rotation de la Terre sur elle-même autour d'un axe qui passe à peu près par l'étoile Polaire.
Une observation attentive te montrerait que les étoiles ne reviennent pas exactement à la même place au bout de 24 heures, mais au bout de 23 h 56 mn. Le ciel se décale peu à peu. Au fil des mois, certaines constellations disparaissent, alors que d'autres apparaissent à nos yeux, et ce cycle reprend chaque année : ainsi y a-t-il, au voisinage de l'horizon, des constellations d'hiver et des constellations d'été.

Pour ne pas perdre le nord

L'axe de la Terre (que l'on qualifie souvent d'axe du monde) n'est pas fixe. Il traverse la voûte céleste en un point situé pour l'instant au voisinage de l'étoile que nous appelons Polaire. Il en était bien éloigné il y a 2 000 ans, et nos descendants, dans 15 000 ans, devront viser Véga pour se diriger vers le nord. L'axe ne reviendra à sa position actuelle que dans 26 000 ans !

Éclipse de Soleil

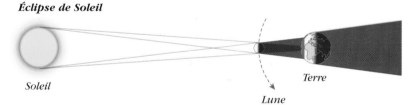

Soleil — Terre — Lune

Comédie à trois personnages

La Lune tourne autour de la Terre qui tourne autour du Soleil, et, chaque soir, ces trois astres nous jouent à peu près la même pièce. Plus rapide (il ne faut à la Lune que 29,5 jours pour faire le tour de la Terre, et 365 à la Terre pour faire le tour du Soleil), la Lune se trouve :
– tantôt entre la Terre et le Soleil, et nous la voyons à contre-jour, plus ou moins obscure : c'est la nouvelle Lune ;

Éclipse de Lune

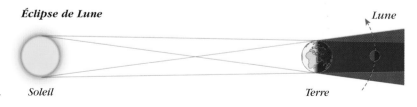

Soleil — Terre — Lune

– tantôt au-delà de la Terre par rapport au Soleil, et elle nous apparaît brillamment éclairée : c'est la pleine Lune.
Il arrive même que l'alignement des trois astres soit parfait, ou presque parfait. La Lune nous cache alors plus ou moins le Soleil : c'est une éclipse de Soleil. Ou bien la Terre cache le Soleil à la Lune, c'est une éclipse de Lune. Chacune de ces situations se produit deux ou trois fois par an.

LE SOLEIL LUI-MÊME…

En observant les taches qu'il porte en surface, on s'est rendu compte que le Soleil, notre étoile, tournait sur lui-même. En moyenne, il fait un tour en 27 jours. Mais c'est une boule de gaz qui se "tord" en tournant : sa région équatoriale fait un tour en 25 jours, les calottes polaires, un tour en 32 jours.

PULSAR OU GYROPHARE ?

Nous recevons des pulsars, étoiles à neutrons très denses, une brève bouffée d'ondes radio* avec une régularité absolue (par exemple 1,5 fois par seconde). Ce signal ne peut être dû qu'à une rotation de l'astre sur lui-même, comme l'éclair lumineux périodique produit par un gyrophare.

La place du Soleil dans la Galaxie

La grande roue de la Galaxie

La Terre suit le destin voyageur de son maître, le Soleil.
Celui-ci est logé au creux d'un bras de la Galaxie, cette gigantesque assemblée de 200 milliards d'étoiles dont la Voie lactée révèle l'existence. La Galaxie tourne sur elle-même à un rythme très sage ; mais, comme elle est immense, le Soleil fonce à 220 km/s pour suivre le mouvement. Depuis sa naissance, le Soleil a déjà accompli une quinzaine de tours, à raison de 300 millions d'années par tour. Quand il mourra, entraînant la Terre dans sa fin, il en aura effectué le double.

La comète est de retour

Une comète traverse le ciel. Ce peut être une vieille connaissance : elle est déjà passée, elle s'est fait remarquer par son éclat et sa traîne, et son découvreur lui a légué son nom. Les comètes périodiques viennent rendre visite au système solaire à un rythme propre à chacune d'elles (76 ans pour la comète de Halley, 3,3 ans pour celle de Encke…). Elles repassent parce qu'elles se déplacent sur des orbites fermées, des ellipses* extrêmement allongées, s'étendant des confins du système solaire jusqu'au voisinage du Soleil.

LE SAVAIS-TU ?

Marées
La Terre et son enveloppe océanique sont soumises à l'attraction gravitationnelle du Soleil et, surtout, de la Lune. Cela entraîne une déformation du globe terrestre et une oscillation quotidienne du niveau de la mer. L'amplitude de la marée océanique (entre haute et basse mers) varie dans le temps, suivant la position relative des deux astres. Elle dépend, ainsi que la période, de la forme du bassin. Elle atteint la valeur record de 19,6 m dans la baie de Fundy (Canada).

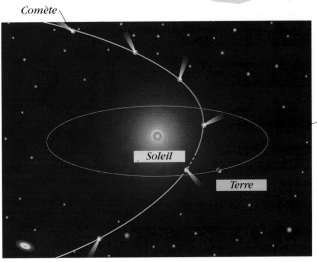

Passage de la comète de Halley en 1985-1986

Inventions de la matière

Celui-ci est transparent, facile à mouler et chimiquement stable… On en fera des bouteilles. Celui-là résiste à 800 °C, il est dur et inaltérable… Belles propriétés pour une assiette ! Et cet autre, isolant, aisé à recycler et bon marché… Voilà qui le destine à l'emballage. Chaque matériau présente des qualités déterminant son usage. En voici quelques-uns. À toi d'en chercher d'autres !

Des lumières et des couleurs

*Fin d'une belle journée d'été.
L'horizon passe à l'orange,
puis au pourpre. Le panorama
prend des teintes chaudes
qui flattent l'œil. Enfin, la ville
s'éclaire: rubans jaune d'or des
avenues bordées de lampadaires,
façades violemment teintées
de vert ou de rouge par les enseignes
lumineuses. Où sont passées
toutes les couleurs que nous révélait
la lumière du jour ?*

LA COULEUR DÉPEND DE LA LUMIÈRE

Il te faut :
- une boîte en carton (une boîte
de céréales par exemple),
- du papier blanc,
- des feutres ou des crayons
de couleurs,
- une lampe (lampe de bureau
ou lampe-torche),
- des morceaux de Cellophane
de diverses couleurs et épaisseurs.

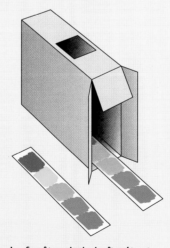

● Prépare la boîte selon la figure
ci-contre en découpant
une fenêtre de 4 x 4 cm environ
sur le dessus et en laissant la face
avant ouverte. Réalise deux
bandes test identiques en papier,
portant chacune une série
de carrés colorés, par exemple :
violet, bleu, vert, jaune et rouge.
● Glisses-en une dans l'ouverture
de la boîte et garde l'autre
à l'extérieur. Compare le rendu
des couleurs dans diverses
conditions d'éclairage :

– La fenêtre de la boîte étant
recouverte d'une Cellophane
colorée, éclaire simultanément
les deux bandes avec la lampe.
Essaie plusieurs couleurs et
plusieurs épaisseurs de Cellophane.
– Éclaire uniquement la bande
placée dans la boîte (avec et
sans Cellophane colorée),

l'autre bande étant éclairée
par la lumière du jour (place-toi
dans un endroit clair).
De nombreuses comparaisons
te permettront de réaliser
combien certaines couleurs sont
dénaturées lorsqu'on les observe
avec une lumière qui n'est pas
celle du jour.

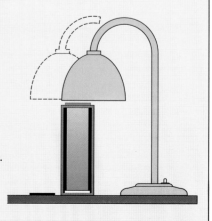

LE SAVAIS-TU ?

Rayons de Lune

La lumière du Soleil peut faire pâlir sensiblement des colorants utilisés en teinture, en imprimerie, ou éclaircir des surfaces naturelles comme le bois. Mais on dit parfois que la lumière de la Lune est beaucoup plus agressive que celle du Soleil. Légende ! La Lune n'émet pas d'autre lumière que celle qu'elle réfléchit et qui provient… du Soleil. C'est donc une lumière du jour appauvrie et très affaiblie qui nous parvient.

Vision crépusculaire

Un proverbe dit : « La nuit, tous les chats sont gris. » C'est vrai ! La rétine, qui tapisse le fond de notre œil, est faite de deux types de cellules : les bâtonnets et les cônes. Seuls les cônes contiennent les pigments qui permettent la vision des couleurs. Mais, pour réagir, ils demandent un niveau d'intensité lumineuse beaucoup plus élevé que les bâtonnets. C'est pour cette raison que, dès le crépuscule, on ne voit plus les couleurs.

À chaque type de lampe sa lumière

La lumière du jour qui nous vient du Soleil est la "lumière blanche". Tu sais qu'elle est composée de toutes les couleurs de l'arc-en-ciel. Les lumières artificielles qu'émettent les différentes

sources d'éclairage que nous employons sont moins riches en couleurs, ou déséquilibrées, certaines couleurs étant mieux représentées que d'autres.
Les **lampes à incandescence** sont faites d'un filament de métal (du tungstène) en spirale, placé sous vide et porté à haute température par le passage du courant électrique.
La **lampe à incandescence ordinaire** émet plus d'orangé et de rouge que de bleu et de violet. Son filament, porté à 2 700 °C, s'évapore lentement et l'ampoule noircit peu à peu.
Les **lampes à halogène** fonctionnent à température plus élevée (3 200 °C) et durent davantage sans noircir grâce à la présence d'atomes d'halogène (brome ou iode). L'émission de lumière bleue est plus importante et le rendu des couleurs bien meilleur.
Les **tubes fluorescents** n'ont pas de filament. Cinquante fois par seconde, une décharge électrique traverse le gaz qu'ils renferment (vapeur de mercure ou de sodium). Avec le mercure, l'émission de lumière se fait dans

l'ultraviolet*, une zone de la lumière invisible pour notre œil. Mais, l'intérieur du tube étant recouvert d'une couche de matériau fluorescent, celle-ci s'illumine sous l'ultraviolet en émettant des rayonnements rouge, vert et bleu. Mélangés, ces rayonnements donnent une impression de lumière blanche tirant plus ou moins sur le bleu ou le rouge, et la restitution des couleurs varie en conséquence.

Les **lampes à arc à vapeur métallique à haute pression** fonctionnent sur le même principe, mais sans couche fluorescente. Dans la rue, tu peux faire l'expérience de la lumière qu'elles émettent : sous les lampes à mercure (lumière bleutée), les passants ont très mauvaise mine ; sous les lampes au sodium (lumière jaune), ils apparaissent franchement bronzés !

Le ciel est rouge

La lumière du jour varie avec l'heure de la journée : dominante rouge le matin et le soir, dominante bleue à midi, ou plus rouge en hiver qu'en été.
Le matin, ou en hiver, le Soleil étant plus bas sur l'horizon, sa lumière traverse une couche plus épaisse d'atmosphère avant de nous parvenir. Des phénomènes optiques complexes de "diffusion" de la lumière par les molécules de l'air montrent que celle-ci s'appauvrit en bleu, et donc s'enrichit relativement en rouge.

Avec seulement quatre couleurs...

Prêt à imprimer un livre illustré de photographies aux teintes infiniment variées, l'imprimeur se trouve devant un problème à première vue insoluble.

Il ne dispose que de trois couleurs, plus le noir, et il ne peut les mélanger.

Sa machine, comportant quatre rouleaux, ne dépose les encres sur le papier que l'une après l'autre.

Peux-tu l'aider ?

Westminster, *Londres, 1906 ; André Derain (1880-1954)*

Laisse le noir de côté pour l'instant. Tu vas vérifier que trois couleurs de base permettent, par simple superposition, d'obtenir d'autres couleurs.

SEPT DE TROIS

Il te faut :
- une feuille de papier blanc,
- une série de feutres "surligneurs" (type Stabilo Boss®, Staedler®, Conté®...) de couleur jaune, bleu clair, rouge-rosé et vert clair.

• Avec les trois premiers feutres, réalise sept combinaisons de couleurs différentes : les trois couleurs pures (J, B, R), trois superpositions de deux couleurs (J + B, J + R, B + R), une superposition des trois couleurs (J + B + R). Colorie, par exemple, des carrés de 2 x 2 cm.

Note sous chacun d'eux sa composition. Seule précaution : attends qu'une couleur soit bien sèche (presse un papier absorbant) avant de superposer la couleur suivante.

• Réalise une autre série en remplaçant le jaune par du vert.

Tu as résolu en partie le problème de l'imprimeur en créant de nouvelles couleurs à partir des trois premières. Tu remarqueras que la série à base de vert est moins riche en teintes que celle à base de jaune.

Pourquoi la tache jaune est-elle jaune ?

La lumière blanche est composée des couleurs de l'arc-en-ciel dans lesquelles on distingue, en gros, sept bandes (violet, indigo, bleu, vert, jaune, orangé, rouge). Il suffit de retirer l'une de ces bandes pour transformer la lumière blanche en lumière de couleur. C'est ce qui se passe lorsque, sous la lumière blanche, un objet t'apparaît coloré : la matière "soustrait" (absorbe) une partie du rayonnement. Ce que tu vois, c'est ce qui n'est pas absorbé. L'encre jaune de la tache sur ton papier absorbe toutes les couleurs de la lumière blanche sauf le jaune, et c'est la seule que tu perçois. L'encre bleue que tu as ajoutée sur l'une des taches absorbe de même toutes les couleurs sauf le bleu. La lumière qui te parvient est alors composée de jaune et de bleu. La sensation qu'elle te procure est verte. Tu as réalisé la **synthèse soustractive** du vert.

Trois couleurs plus une

De nombreuses expériences ont montré que trois couleurs judicieusement choisies, le jaune, le magenta (un rouge particulier) et le cyan (un bleu particulier), suffisent pour reconstituer, avec le maximum de fidélité, la plus grande partie des teintes dont on a besoin. On les appelle les **couleurs primaires**. Combinées 2 par 2 en proportions "égales", elles donnent les **couleurs secondaires** :
• magenta + cyan = bleu–violet,
• jaune + magenta = rouge–orangé
• cyan + jaune = vert
Leur action soustractive totale (jaune + magenta + cyan) devrait absorber totalement la lumière blanche et donner du noir. En fait, et tu l'as vérifié avec tes feutres, on obtient une sorte de brun noirâtre. C'est pourquoi l'imprimeur fait passer sa feuille de papier sous un quatrième rouleau qui ajoute du noir, donnant plus de netteté, de profondeur et de contraste à l'image imprimée en trois couleurs. C'est le "noir squelette". Il sert également à imprimer le texte quand il y en a. L'imprimeur a ainsi réalisé une **quadrichromie**.

ÉCRIS LE MOT COULEUR

Le matériel est le même que dans la manipulation précédente.

Dessine au crayon les contours des lettres du mot COULEUR en caractères de 3 cm de haut. Fais comme l'imprimeur : imprime COULEUR en trois passages sous presse. Les lettres devront être, du C au R : violet, bleu, vert, jaune, orange, rouge et brun. Commence par imprimer le jaune partout où c'est nécessaire, puis le bleu et enfin le rouge.

COULEUR

Drôle de trame

Pour moduler la proportion de lumières cyan et jaune, ce qui nuancera la teinte (vert plus ou moins jaune, ou vert plus ou moins bleu dans l'exemple ci-dessus), l'imprimeur doit adapter la proportion des encres colorées. Il emploie pour cela un artifice très astucieux. Il utilise une "trame", qui lui permet d'imprimer des surfaces sous forme de très petits points juxtaposés ou superposés, indiscernables à l'œil nu. Un mélange de points jaunes et cyan de même taille donnera l'impression d'un vert. Des points cyan plus gros que les points jaunes donneront un bleu-canard. Regarde à la loupe les photos de ce livre, celles d'un journal, ou observe de près (sans loupe) une grande affiche publicitaire : tu découvriras sans peine des myriades de points aux trois couleurs primaires.

LE SAVAIS-TU ?

Combien de couleurs ?
La division de l'arc-en-ciel en sept couleurs date de 1670 environ. C'est le grand physicien anglais Newton qui l'a proposée, sans doute par analogie avec la gamme musicale de sept tons et demi-tons. Elle sert de repérage grossier, mais ne correspond à rien dans la perception des couleurs. On peut discerner des centaines, sinon des milliers de tons intermédiaires : il manque simplement des mots pour les désigner.

De terre, d'eau et de feu

Le potier pose un bloc d'argile humide sur le plateau du tour et dans ses mains une forme se creuse, s'allonge et s'arrondit. Magie de ce matériau si simple et si souple qui, lorsque le feu aura fait son travail, deviendra un objet culinaire ou décoratif.

De terre et d'eau

Au microscope, les argiles ressemblent à des piles de feuillets séparés par des interstices étroits où l'eau peut s'introduire par capillarité*. L'eau maintient les feuillets liés entre eux, tout en leur permettant de glisser les uns contre les autres. C'est pourquoi l'argile mouillée est très plastique et se prête à toutes les mises en forme qu'exige la poterie. Après cuisson, l'argile devient solide, inaltérable et capable de résister à des températures élevées. Son seul défaut est d'être fragile et de mal résister aux chocs…
Selon l'usage, la composition et la température de cuisson de l'argile, on distingue les terres à brique, à faïence, à vaisselle blanche, à grès et à porcelaine.

Passage au feu

Chauffées à une température suffisante, les particules d'argile se soudent les unes aux autres, fondent en partie et forment une masse dure comme du roc. Si la température de cuisson n'est pas trop élevée, les argiles cuites restent poreuses. Au contraire, quand la chauffe est trop poussée, leur structure est détruite et la poterie s'effondre sous son propre poids. Les argiles qui contiennent du calcaire (on les appelle les marnes) ne supportent pas des températures très élevées : cuites à 800 °C, elles s'effritent ; à plus de 1 000 °C, elles se déforment, se cloquent et fondent. Au contraire, les argiles réfractaires (les chamottes) supportent des températures d'au moins 1 580 °C.

114

La brique

Née il y a 3 000 ans en Mésopotamie, la brique cuite est utilisée pour construire des maisons dans tous les pays dépourvus de carrières de pierres. C'est un produit industriel fabriqué par des usines à grand débit. La pâte d'argile est étirée en un boudin continu qu'une sectionneuse coupe à la longueur voulue. Séchage et cuisson viennent ensuite.

Le pot vernissé

Une glaçure – moyen employé en général pour pallier la porosité – souvent colorée, rend cette poterie traditionnelle imperméable. Le même procédé est utilisé pour les tuiles vernissées.

L'assiette de faïence blanche

C'est une poterie à terre fortement calcaire, légèrement teintée et recouverte d'un émail blanc. Son nom vient de la ville de Faenza, important centre de production en Italie vers 1400. Elle cuit à une température comprise entre 1 100 et 1 350 °C.

GLAÇURES ET ÉMAUX

Sans traitement spécial, une céramique* reste poreuse. Les glaçures, qui pallient la porosité, apportent en même temps un décor sous forme d'émail. Ce sont des sortes d'enduits vitrifiés réalisés à partir des mêmes constituants de base que le verre (silice, chaux, potasse, borax et oxydes de plomb). On les broie en poudre fine et on les mélange à de l'eau pour en couvrir la poterie (presque totalement sèche) avant cuisson.

C'est ainsi que l'on fabrique également les carreaux des carrelages des cuisines et des salles de bains.

La tasse de porcelaine

Au XVIIIᵉ siècle, un jésuite français découvrit le secret de fabrication des porcelaines dures chinoises : le kaolin, du chinois *kaoling* (haute crête de montagne d'où on l'extrayait), une matière blanche, très tendre, qui conserve sa couleur à la cuisson et résiste au feu. Après cuisson, la porcelaine n'est plus poreuse, l'acier ne peut la rayer et elle est translucide : tu peux facilement le vérifier en passant tes doigts derrière une soucoupe éclairée par derrière. La première manufacture européenne fut créée à Meissen (en Allemagne) en 1709. Un "biscuit" est une porcelaine non émaillée cuite une seule fois.

LE SAVAIS-TU ?

On ne fait pas que de la vaisselle

De nouveaux composés sont apparus dans l'industrie de la céramique, conduisant à de nouvelles applications. Les navettes spatiales américaines portent une carapace de 32 000 tuiles de céramique (à base de fluorure de magnésium) qui résiste aux très hautes températures (1 460 °C) engendrées par le frottement de l'air à la rentrée dans l'atmosphère. On réalise des couteaux à lame céramique inusable… mais résistant mal aux chocs. Des céramiques biocompatibles constituent d'excellentes prothèses osseuses.

Fausses perles et vrais diamants

Tout ce qui brille n'est pas or... Les chimistes ont mis au point des techniques pour imiter les matières rares, donc précieuses. Quelle différence y a-t-il entre nos bijoux précieux et nos bijoux fantaisie? Du diamant à volonté, est-ce possible?

L'or et l'argent

L'or pur (fin) est un métal très malléable : 1 g d'or peut être étiré en un fil de 1 km de long. En bijouterie, il est mélangé à d'autres métaux pour améliorer sa dureté : 25 % d'argent et de cuivre pour l'or jaune, 25 % de nickel et de platine pour l'or blanc. Quant à l'argent, il est lui-même allié à 10 ou 20 % de cuivre.

Le diamant

C'est le plus dur des minéraux : il ne peut être rayé que par un autre diamant. Ce cristal* transparent est constitué de couches extrêmement compactes d'atomes de carbone. Comment l'imiter ?
Il existe beaucoup de faux diamants, à commencer par le simple verre taillé, le strass (un verre additionné de plomb qui améliore son reflet sous la lumière), le quartz, l'oxyde de zirconium ou d'aluminium. Tous peuvent remplacer le diamant en bijouterie fantaisie ou semi-précieuse*, mais aucun n'égalera jamais sa dureté ni son reflet. On sait aujourd'hui fabriquer du diamant, mais à un coût si élevé que les pierres synthétiques ne sont pas près de concurrencer les diamants naturels en bijouterie.

Le rubis et le saphir

Ce sont tous deux des cristaux à base de corindon, un minéral transparent formé d'oxyde d'aluminium. Ils ne diffèrent que par la présence d'impuretés : un peu de chrome pour donner au rubis sa couleur rouge et du fer ou du titane pour donner au saphir sa couleur bleue. On les imite avec des verres colorés. On sait aussi fabriquer industriellement, selon des procédés assez complexes, des pierres synthétiques d'excellente qualité. Les ingrédients nécessaires sont des minéraux naturels communs.

Les bijoux fantaisie utilisent largement des alliages de cuivre, aux reflets dorés, ou d'aluminium, aux reflets argentés. Ils peuvent aussi être "plaqués" : une très mince couche d'or ou d'argent est déposée par électrolyse* sur un métal bon marché.

FABRIQUE TES BIJOUX FANTAISIE EN MATIÈRE PLASTIQUE

Fabrique de la galalithe, un matériau largement utilisé dans les années 1920 pour créer toutes sortes d'objets décoratifs.

Il te faut :

- 1/2 litre de lait entier,
- du vinaigre,
- une casserole,
- une cuillère à dessert,
- un entonnoir,
- un filtre en tissu
(par exemple, un collant en double épaisseur).

- Fais chauffer le lait entier. Avant ébullition, ajoute trois cuillères à dessert de vinaigre.
- Dépose le mélange solide obtenu dans le filtre placé dans l'entonnoir, et lave-le plusieurs fois. Laisse-le s'égoutter, essore-le sur un chiffon, pétris-le, donne-lui la forme que tu désires et mets-le à sécher sur une feuille de papier pendant 2 jours.
- Ensuite, passe-le une demi-heure au four (60 °C, position 4).
- Tu peux t'amuser à le colorer avec quelques gouttes d'encre.

LE SAVAIS-TU ?

Richesses des profondeurs
Les diamants extraits des mines d'Afrique du Sud se sont formés sous les formidables pressions régnant à 200 km de profondeur. Suite aux mouvements de l'écorce terrestre, ils ont été entraînés à la surface de la Terre avec des roches expulsées comme des obus, atteignant parfois 2 km de diamètre.

Une parure hors de prix
L'or est utilisé pour recouvrir les satellites parce qu'il permet de réfléchir parfaitement les radiations* du cosmos*. Il assure ainsi la stabilité en température du satellite et sa protection contre les ondes électromagnétiques* pouvant perturber les appareils.

Les perles
Les perles fines sont produites accidentellement par certaines huîtres à la suite d'une irritation : un petit corps étranger s'introduit dans l'huître et provoque une sécrétion de nacre qui enrobe l'intrus.
Les perles de culture (ci-dessus) n'en diffèrent que par l'introduction intentionnelle d'un petit morceau de nacre dans l'huître. Les fausses perles sont des boules de verre remplies de cire et recouvertes d'un vernis nacré à base d'écailles de poisson.

Le temps du plastique
L'extrême variété des matières plastiques (consistance, couleur, transparence, mise en forme…) permet d'imiter de nombreux matériaux naturels. C'est le cas, par exemple, de l'ivoire, le constituant des défenses d'éléphants, et de l'ambre, une résine fossile* de conifère largement utilisée depuis l'Antiquité. Le corail, habitat calcaire de minuscules animaux marins, de plus en plus rare, peut également être imité par de la porcelaine.

De la planche au ski

L'usage de planches en bois recouvertes de peaux d'animaux pour se déplacer sur la neige est très ancien, mais le ski en tant que sport date seulement du XIXᵉ siècle. Depuis moins de cinquante ans, fibres de verre, de carbone ou de métal, formes paraboliques... entretiennent une révolution permanente: les performances le prouvent !

La glisse, mais non sans frottement

Le frottement est cette force qui contrarie le mouvement : action de l'air sur le corps d'un skieur ou d'un véliplanchiste, de la neige sous la semelle des skis, de l'eau sous la planche du surfeur. La recherche d'une position correcte et aérodynamique est essentielle pour diminuer la force de frottement et aller plus vite. Mais, à skis, sans frottement, pas de contrôle des mouvements. En faisant porter ton poids sur telle ou telle partie du ski, tu augmentes la pression et donc le frottement de cette partie avec la neige. Cette force contraint alors les skis à suivre la courbure d'un virage et te déporte vers l'intérieur.

Plus complexe qu'une planche

En général, les skis se composent de trois parties. La surface supérieure qui accueille les fixations est rigide, faite de plastique et de résine. La surface inférieure, ou semelle, est en polyuréthane, et les carres qui bordent les côtés sont en acier. Ces carres permettent, en mordant la neige, de glisser en prenant appui sur la tranche. Le cœur (ou noyau) est en bois laminé, en mousse de polyuréthane, ou bien constitué d'une "boîte de torsion" ménageant un espace vide dans le matériau. Les skis sont plus ou moins paraboliques, c'est-à-dire que leurs extrémités – spatule et talon – sont élargies pour faciliter la prise de virage. Un ski d'adulte mesure entre 1,70 m et 1,95 m et peut peser entre 1 et 1,9 kg. Plus le ski est court, plus il est facile à manœuvrer.

Le fart : magique ou catastrophique

Un fartage appliqué sur la semelle doit répondre à des contraintes a priori contradictoires : améliorer l'adhésion, tout en permettant de pousser sans reculer ensuite et de glisser plus rapidement. Il y a trois zones de fartage sur un ski. À l'avant et à l'arrière, on applique un fart qui favorise la glisse. Au centre, là où la pression est maximale, on applique un fart qui empêche le ski de glisser en arrière dans les montées et qui permet la poussée. Chaque fart est adapté à une température extérieure et à la "granulation" de la neige. Le fart est appliqué à chaud sur la semelle. Il est composé d'hydrocarbures, de silicones et d'un durcisseur en graphite. Il s'use, se raye au contact des cailloux, et doit être souvent renouvelé.

Neige, eau, frottement et glisse

La neige pénètre plus ou moins profondément dans le fart des semelles du ski. Sous l'action du frottement, l'énergie libérée sous forme de chaleur fait fondre la neige. C'est donc, en réalité,

sur une couche d'eau que tes skis glissent. À la montagne, son épaisseur varie avec la température : elle est "couche" au-dessus de 0 °C, pellicule autour de 0 °C, micropellicule au-dessous de 0 °C.

Les différentes neiges

La neige, mélange composé d'eau liquide, de cristaux de glace et de vapeur d'eau,

se comporte comme un fluide visqueux. On l'observe très bien lors d'une coulée de neige. On distingue sept types de granulations : de la neige poudreuse et très sèche à la neige mouillée. La neige est poudreuse et dure quand il est impossible d'en faire une boule ferme. Elle est mouillée si l'eau coule lorsque tu la serres pour en faire une boule.

SUR QUEL PIED GLISSER ?

Soixante-cinq pour cent des surfeurs des neiges sont des "regular" : ils glissent avec le pied droit devant ; les autres, les "goofy", avec le pied gauche. Voici un petit test pour déterminer ton pied avant : debout, les bras le long du corps, demande à un ami de te pousser par derrière sans te prévenir. Pour garder l'équilibre, l'un de tes pieds part en avant : c'est celui-là. Ou bien repère ton pied arrière : c'est généralement celui que tu utilises comme pied d'appel quand tu sautes en hauteur. Alors, "goofy" ou "regular" ?

Balles et ballons

De forme identique et plutôt banale – sphérique, sauf au rugby – balles et ballons ont fait perdre la boule à plus d'un joueur au cours d'un match !
Il n'est pas étonnant que des objets aussi lourds d'enjeux connaissent une évolution technique permanente pour améliorer leurs qualités.

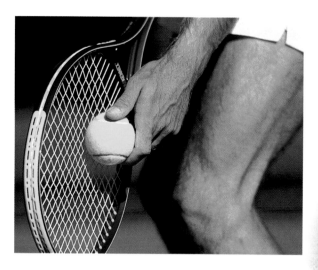

La balle de tennis
Le noyau de caoutchouc (nécessaire au rebond) est recouvert d'une couche de feutre en Nylon longue durée. Ce revêtement imperméable et antistatique évite l'accumulation de poussière. La balle s'adapte aux conditions très différentes des surfaces : terre battue, dur et herbe. C'est la reine des effets !

La balle de golf
Au centre, un noyau à haute compression. Autour, une coque de caoutchouc. À l'extérieur, une couverture en Nylon ou en balata, un produit d'origine végétale. Les alvéoles hexagonales en surface (de 200 à 500) permettent à la balle de voyager quatre fois plus vite que si elle était lisse. La vitesse au départ d'un "drive" peut atteindre 250 km/h.

La balle de ping-pong
Deux demi-sphères en Celluloïd compact sont moulées et assemblées par soudure. Les bras des grands champions peuvent se déplacer à la vitesse de 50 km/h, la tête de raquette atteindre la vitesse de 70 km/h au moment de l'impact et les balles dépasser 170 km/h en bout de course.

Le ballon de hand

Une vessie en latex est recouverte d'une triple couche de polyester coton pour maintenir la forme du ballon. Par-dessus, une couche d'élastomère améliore sa souplesse. Enfin, l'enveloppe extérieure en cuir pleine fleur chromé assure un excellent toucher.

Le ballon de football

Une vessie en latex naturel doit être réglementairement gonflée sous 0,6 à 1,1 atmosphère. Une première enveloppe (textile et latex) maintient la forme sphérique du ballon. L'enveloppe externe (22 hexagones et 10 pentagones assemblés par couture) est en caoutchouc vulcanisé (amélioré par traitement au soufre), recouvert de matériaux plastiques. Dans le modèle dernier cri, qui fut utilisé au cours du Mondial 1998, l'enveloppe est en "mousse syntactique" : de multiples bulles de gaz sont enrobées dans un liant polymère*. Un athlète comme le joueur serbe Sinisa Mihajlovic est capable d'expédier le ballon à 160 km/h.

Le ballon de rugby

La vessie en latex est gonflée sous 0,67 à 0,70 atmosphère. L'enveloppe, en cuir ou en matière synthétique, est composée de quatre panneaux cousus. Sa forme permet de pointer le ballon lors des drops ou des transformations d'essais : le joueur peut frapper par en dessous pour mieux lever le ballon et passer entre les poteaux.

Le ballon de basket

Deux couches de butyle étanche (sorte de caoutchouc) forment la vessie gonflée sous 0,7 à 0,9 atmosphère. Un enroulement de 900 à 3 200 m de fil de Nylon garantit la stabilité de la forme sphérique. Puis, une carcasse en matériau élastique apporte un maximum de souplesse. L'enveloppe extérieure est en polyuréthane pour un jeu sur parquet, ou en caoutchouc synthétique pour les terrains extérieurs. C'est elle qui donne au ballon les qualités de toucher, d'accroche et de rebond.

MESURES RÉGLEMENTAIRES DES BALLES ET BALLONS

Type de balle	Diamètre (en cm)	Masse (en g)
Tennis	6,35 - 6,67	56,7 - 58,5
Ping-pong	3,72 - 3,82	2,3 - 2,65
Golf	4,12 - 4,27	45,9
Volley-ball	20,7 - 21,3	260 - 280
Football	21,6 - 22,6	410 - 453
Basket-ball (senior hommes)	23,9 - 24,8	600 - 650
Handball (hommes)	18,3 - 18,8	425 - 475
Handball (femmes)	17,3 - 17,8	325 - 475
Rugby	Grand périmètre 76 - 79 Petit périmètre 58 - 62	400 - 440

Ballon vole

Balles et ballons entretiennent avec l'air des rapports très subtils, dont savent profiter les bons sportifs. Il n'y a pas de magie dans leurs curieuses trajectoires, mais quelques phénomènes dus à leurs matériaux constituants et aux lois de la mécanique.

Effets de balles

La circulation de l'air autour d'une balle a des conséquences sur son mouvement ; tous ceux qui pratiquent des sports de balle ou de ballon les mettent à profit. Suppose qu'il fasse un temps magnifique, sans un souffle de vent. L'air est cependant en mouvement au voisinage de la balle que tu viens de lancer, pour deux raisons :
- la balle doit se frayer un chemin dans l'atmosphère qu'elle traverse,
- tu as mis en rotation la balle sur elle-même : dans ce mouvement, elle fait tourner l'air qui l'enveloppe. La conséquence du seul premier déplacement est de freiner la balle : la trajectoire, au lieu d'être une belle parabole symétrique, est plus "tombante" du côté du retour vers le sol. C'est très visible au football sur un dégagement au pied du gardien de but.

UNE BALLE DANS LE VENT

Il te faut :
- deux balles de ping-pong,
- 50 cm de fil de couture,
- une paille,
- de la colle forte,
- une baguette ou une règle.

● Fixe un fil de 20 cm sur chacune des balles avec une goutte de colle. Suspends-les sous la même baguette, à 1 ou 2 cm l'une de l'autre.

● Avec une paille, place-toi à 3 ou 4 cm des balles et souffle entre les deux. En réglant la direction et la force de ton souffle, tu constateras qu'au lieu de s'écarter, les balles se rapprochent et se collent même l'une à l'autre.

L'air qui circule entre les balles est, en raison d'un phénomène décrit au XVIIIe siècle par le physicien Daniel Bernouilli, sous une pression plus faible que l'air immobile qui les entoure : quand l'air est en mouvement, sa pression baisse.

Plus il va vite, plus cette baisse de pression est importante. En conséquence, la pression de l'air qui entoure les balles les pousse dans la zone où la pression est moindre, les rapprochant l'une de l'autre. Avec de l'adresse et assez de patience pour trouver les bons réglages, tu peux faire cette expérience avec une seule balle et une paille : tu promèneras latéralement la balle avec la paille, un peu comme si elle était prisonnière du souffle.

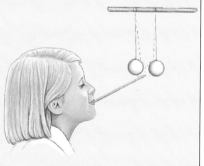

La combinaison du déplacement et de la rotation crée une force supplémentaire qui modifie la trajectoire de la balle : c'est l'"effet Magnus", responsable des curieuses trajectoires des balles à effet. On ne frappe pas la balle en direction de son centre, mais franchement au-dessus, au-dessous ou sur le côté. On la "brosse", ce qui la fait tourner sur elle-même, quelquefois très rapidement (150 tr/s au ping-pong). Au tennis ou au ping-pong, lors d'une frappe liftée, la trajectoire est allongée, tendue. Lors d'une frappe coupée, elle est arrondie et raccourcie. Le service slicé, lui, dévie la trajectoire de la balle : le rebond sur le côté surprend le relanceur. En "brossant" le ballon sur le côté, et non plus au-dessus ou au-dessous, le footballeur peut incurver considérablement la trajectoire du ballon latéralement, et contourner ainsi un obstacle grâce à l'effet Magnus. Il peut "rentrer" un corner directement dans les buts. Ainsi fut tiré le célèbre coup franc de Michel Platini au cours du match France-Hollande en 1981, qui fit le tour du "mur" interposé entre le joueur et le but (on a calculé que le ballon tournait sur lui-même à 48 tr/s !). Au golf, une frappe équivalente permet de contourner des buissons.

Le rebond surprise

Tu as peut-être déjà lancé une roue de vélo devant toi, tout en lui imprimant une rotation sur elle-même, comme si tu la retenais. La roue touche le sol, patine un peu, puis revient vers toi. De même, le rebond des balles de tennis ou de ping-pong est affecté par leur rotation. Une balle liftée est accélérée vers l'avant, sa trajectoire s'allonge. Au contraire, la balle coupée est "retenue", sa trajectoire raccourcie, et il arrive même qu'un joueur adroit la fasse revenir vers le filet.

LE REBOND

Un ballon arrive au sol avec une certaine vitesse. Il s'écrase sous le choc et s'arrête. Son énergie cinétique (que lui donnent sa masse et sa vitesse) se transforme au cours du choc en "énergie potentielle" (l'"énergie élastique" emmagasinée par le matériau du ballon et par l'air qui s'est comprimé, puisque son volume a diminué). Puis, en une fraction de seconde, le ballon reprend sa forme ronde.

L'énergie élastique se transforme en énergie cinétique : le ballon acquiert une nouvelle vitesse.

CONTACT !

La durée du contact entre le lanceur et sa balle peut être extraordinairement brève : 1/500 de seconde au ping-pong (et la raquette n'accompagne la balle que sur moins d'un centimètre) ; quelques millièmes de seconde au football pour un tir au but.

L'ARRÊT DU BALLON

Les gardiens de but ne jouent plus à mains nues, la surface en matériau synthétique des ballons modernes étant plus glissante que le cuir d'autrefois. Ils portent des gants équipés d'une paume en mousse de latex qui amortit le choc. Humide, elle est encore plus efficace ! Quoi de plus normal, alors, que le gardien crache dans ses mains !

VTT et Cie

Il existe de nombreuses façons de faire du vélo. On débute bien avant 7 ans et l'on peut poursuivre au-delà de 77 ans. Entre-temps, on aura passé des heures à jouer, à se déplacer, à se balader, à pratiquer telle ou telle variante de sport cycliste. Tout cela sur une machine animée par le plus économique des moteurs...

Le cadre, c'est la base

De prime abord, le cadre du vélo est tout simple. On lui demande juste de porter le cycliste, de maintenir les roues à bonne distance l'une de l'autre, de récupérer la force d'appui sur les pédales pour la transmettre aux roues, et d'autoriser le pivotement de la fourche pour guider le vélo. Cependant, le moindre changement opéré dans la géométrie du cadre afin d'améliorer une fonction a des retentissements sur les autres fonctions. Par exemple, plus le cadre est souple, plus il se montre confortable. En revanche, son rendement sera inférieur : il "répondra" moins efficacement à la pression des pieds. Un bon cadre coûte cher : dans un vélo haut de gamme, il représente la moitié du prix.

Le choix du matériau

L'acier est toujours très utilisé, même s'il reste le métal le plus lourd. L'aluminium ou le duralumin (un alliage d'aluminium et de divers métaux) peuvent le remplacer, mais ils se "fatiguent" à l'usage et, à la longue, peuvent casser. Les tubes sont surdimensionnés (5 cm de diamètre au lieu de 2,5 cm pour l'acier) pour éviter le fléchissement. Même ainsi, le cadre en aluminium est plus léger que celui en acier. Les cadres en titane sont très performants… mais aussi très chers (quinze fois plus que ceux en acier). Ils ont un bon comportement aux chocs. Ils n'ont pas besoin d'être peints et leur longévité est excellente.

Aujourd'hui, une autre catégorie de matériaux autorise une conception tout à fait différente de la géométrie du cadre. Fini le losange de base : place à la recherche libre (et assistée par ordinateur) de la forme, véritable sculpture répondant à un certain usage du vélo ou à la morphologie et aux manières de pédaler de son utilisateur. Les "composites" (constitués de fibres maintenues par un liant tel qu'un polyester) et la "fibre de carbone" conduisent aux monocoques. On les rencontre essentiellement dans les épreuves visant à battre un record (par exemple, le record de l'heure) ou dans les courses sur piste.

La chaîne et les pignons

En 1885, le pédalier quitte la roue avant de la bicyclette pour s'installer sur le cadre : on passe de la "traction avant" à la roue arrière motrice. Les mouvements du cycliste sont transmis par

BRAQUET ET DÉVELOPPEMENT

Retourne ta bicyclette sur la selle et le guidon. Repère un point du pneu arrière par un trait de craie. Pour chaque "braquet" (chaque combinaison plateau / pignon arrière, par exemple 54 dents / 27 dents), mesure le nombre de tours de roue pour un tour de pédalier. Tu devras noter les tours et les quarts de tours.

Calcule le développement dans chaque cas : il suffit de multiplier le nombre de tours par la circonférence de la roue, pneu compris (diamètre x π). En imaginant que tu "moulines" à la cadence raisonnable de 60 tours de pédalier par minute, calcule la distance que tu parcours en une heure.

la position de la selle détermine la longueur optimale de la jambe au cours de l'effort, entre une extension et une contraction excessives de certains muscles. À distances parcourues égales, le cycliste dépense cinq fois moins d'énergie que le marcheur.

une chaîne passant sur deux roues dentées ou "pignons". On a vite compris l'intérêt d'adopter un rapport de nombre de dents qui tienne compte des capacités du "moteur" humain. Cependant, beaucoup de cyclistes ont dû s'essouffler dans les côtes avant que ne soit adopté le changement de vitesse. Ce dernier permet de modifier le développement du vélo (distance parcourue à chaque tour de pédalier), tout en conservant dans des limites raisonnables la puissance (le débit d'énergie) exigée du promeneur ou du sportif.

Le moindre effort

Bien rouler en utilisant au mieux ses ressources, c'est d'abord rouler régulièrement :

le changement de vitesse bien employé révèle alors toute son utilité. Pour conserver une cadence régulière (55 à 70 tr/mn), il faut que l'écart entre deux braquets (*voir encadré*) soit le plus faible possible. D'où le triple plateau du pédalier et la pyramide de pignons (jusqu'à 9 !) sur la roue libre, soit, en théorie, 27 vitesses. Mais bien d'autres facteurs interviennent : par exemple,

LE SAVAIS-TU ?

La percée du dérailleur

Inventé dans les années 1920, le dérailleur fit une première apparition dans le Tour de France en 1934. Puis il disparut, chassé par le règlement. Selon l'esprit sportif de l'époque, il brisait la vigueur authentique, l'alliance de la souffrance et de l'effort brutal. Les esprits évoluèrent pourtant, puisqu'il fut adopté définitivement en 1937.

En tirant sur la corde

Rien de plus simple qu'un fil ou une fibre. La nature en fournit, d'origine végétale ou animale. Les hommes en fabriquent, métalliques ou synthétiques. Au-delà de la ficelle qui noue le paquet, et des énormes câbles du pont suspendu, ils se révèlent utiles dans bien des domaines.

Composites

On attend de tous les câbles, cordages, haubans, etc., qu'ils résistent à la traction. Croisons les fibres, fabriquons un tissu, et de nouvelles applications surgissent : par exemple, une toile deviendra chapiteau de cirque. Mais ces structures tendues perdent leur rigidité dès que l'on relâche l'effort. Obtenir une structure rigide, en profitant des qualités des fibres, nécessite l'emploi de matériaux "composites".

Le matériau fibreux est englobé dans une "résine" (une matière plastique), liquide à la fabrication, qui durcit en quelques minutes ou en quelques heures. On peut donner un aspect quelconque à l'ensemble fibre + résine en utilisant un moule. La résine donne sa forme et sa cohésion au matériau, elle résiste aux efforts de compression, et les fibres travaillent en répondant aux efforts de traction. D'innombrables objets sont réalisés en composites dans lesquels entrent des fibres de verre, de carbone, de Kevlar (une fibre synthétique à très haute résistance).

Dans le domaine du sport, les composites ont totalement renouvelé le matériel : de la canne à pêche à la raquette de tennis, du ski au vélo, du deltaplane au canoë, du casque pour moto à la perche à sauter… toutes les industries profitent de leur légèreté, de leur souplesse, de leur rigidité ou de leur élasticité. Car les bons choix de la résine et de la fibre permettent de concevoir des objets "sur mesure", dont la forme et les propriétés sont adaptées à la fonction.

Le benji

Cette discipline est née sur l'île de la Pentecôte, où des adolescents s'attachent les chevilles avec des lianes et sautent du haut de falaises de 25 m. Importée en Occident, elle se pratique depuis des hauteurs de 35 à 249 m. Les câbles, de 5 à 30 m de longueur au repos, sont en général constitués de 800 à 2 000 fils de latex solidarisés par une gaine, elle-même élastique. Avant un saut, les moniteurs mesurent ton poids puis, connaissant la hauteur de chute et la loi d'allongement élastique du latex, ils choisissent le "benji" (la longueur de câble au repos).

À la fin de ta chute libre, tu t'arrêtes juste au ras de l'eau d'une piscine, placée en dessous de la passerelle de plongeon !

Cordes vibrantes

Le pianiste enfonce une touche, et le marteau frappe la corde. Fixée à ses extrémités sur la "table d'harmonie", vigoureusement tendue, la corde en acier élastique se déforme sous le choc et s'allonge un peu. Elle revient ensuite vers sa position initiale et entame un mouvement d'aller-retour qu'elle poursuit F fois par seconde ; elle vibre en émettant un son. Plus la tension de la corde est grande, plus le son émis est aigu (plus la "fréquence" F est grande). Ainsi peut-on accorder tous les instruments à cordes, à commencer par la guitare ou le violon. On peut aussi jouer sur la longueur : le piano compte de multiples cordes de différentes longueurs et le guitariste modifie la longueur utile de ses cordes avec sa main gauche. On peut enfin alourdir la corde : celles produisant les sons les plus graves sont plus grosses ou "filées" (entourées d'un fil métallique).

ÉLASTIQUE… JUSQU'À UN CERTAIN POINT

À la fin du XVIIe siècle, le savant anglais Robert Hooke a montré que l'allongement d'un fil élastique était proportionnel à la force de traction à laquelle on le soumettait : s'il s'allonge de 1 cm pour une force F, il s'allonge de 2 cm pour une force 2 F, de 3 cm pour 3 F, etc. Cette loi permet de caractériser l'élasticité du matériau par un nombre que l'on appelle le module de Young. Au-delà d'un certain allongement, le fil ne reprend pas sa dimension initiale lorsqu'on relâche l'effort : il a atteint sa "limite d'élasticité".

LE SAVAIS-TU ?

L'araignée et son fil
Le fil que l'araignée produit pour tisser ses pièges a de quoi rendre jaloux les ingénieurs. À diamètre égal, il est plus résistant que le fil d'acier, et son élasticité représente plusieurs fois celle du Kevlar. Comment ne pas rêver de l'utiliser ? Des milliers d'années de patiente sélection ont conduit au ver à soie capable de sécréter son propre poids de fil en trois jours. Et si on l'obligeait à produire du fil d'araignée plutôt que de la soie ? Des chercheurs sont à l'œuvre pour modifier génétiquement des vers à soie dans ce sens…

Boîtes à énergie

Le succès des piles, générateurs électriques autonomes utilisés par centaines de millions, se justifie par tous ces petits appareils électroniques qui ne nous quittent guère, de la montre au baladeur, de l'appareil photo à la calculatrice. Leur principe de fonctionnement est toujours le même : la performance réside dans le choix des matériaux qui les constituent.

La pile voltaïque

Alessandro Volta réalisa en 1800, avec 24 groupes de rondelles (de zinc et d'argent) comme ci-dessous, la première pile : il obtint 24 V qu'il détecta en mettant sa langue au contact des deux fils. Il constata ainsi que la pile de rondelles produisait une réaction chimique qui créait un courant électrique. Bonaparte, à qui Volta présenta sa pile en 1801, en offrit une à l'École polytechnique.

RÉALISE UNE PILE

Il te faut :
- 5 pièces de monnaie en alliage de cuivre (de couleur jaune),
- du papier d'aluminium alimentaire,
- du papier épais ou du carton,
- un verre d'eau salée,
- deux fils électriques de 10 cm aux extrémités dénudées,
- du ruban adhésif.

• Découpe dans l'aluminium cinq rondelles de même diamètre que tes pièces ; dans le papier, découpe cinq rondelles, d'un diamètre un peu supérieur aux pièces de monnaie, que tu imbibes d'eau salée. Superpose une pièce de cuivre, une rondelle de papier humide et une rondelle d'aluminium, puis empile les cinq étages.
• Fixe avec un morceau de ruban adhésif l'extrémité d'un fil dénudé sur la rondelle du haut

en aluminium, et l'autre fil sur la pièce de cuivre du bas. Saisis ta pile de rondelles entre le pouce et l'index et pose les deux extrémités libres des fils sur ta langue. Tu vas ressentir un léger picotement provenant d'un des fils, signe que ta pile fonctionne : elle produit un petit courant

électrique. La différence de potentiel (le voltage) à ses bornes est d'environ 3 V (volts). Avec un empilement de dix étages, tu peux même allumer faiblement une petite LED (diode électroluminescente rouge ou verte).

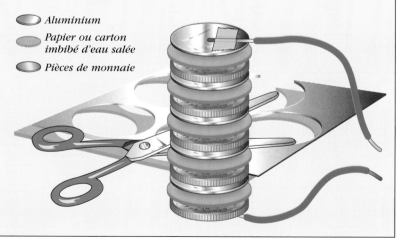

Aluminium

Papier ou carton imbibé d'eau salée

Pièces de monnaie

Elle était constituée de 600 empilements. La tension aux bornes atteignait environ 500 V. Malheureusement, elle débitait un courant de très faible intensité et sa durée de vie était très limitée.

Le fonctionnement d'une pile

Les pièces de cuivre (électrode positive), bonnes conductrices, perdent leurs électrons* au profit de l'eau salée, elle-même bonne conductrice, qui les transmet à l'aluminium (électrode négative).
Le mouvement d'ensemble de ces électrons constitue le **courant électrique**.
Une pile est toujours composée de deux **conducteurs** différents (ici, le cuivre des pièces et l'aluminium) en contact avec une solution conductrice ou **électrolyte** (ici, l'eau salée).
La capacité d'une pile correspond à la quantité d'électricité que la pile peut débiter, c'est-à-dire le produit de l'intensité* du courant débité par la durée de fonctionnement

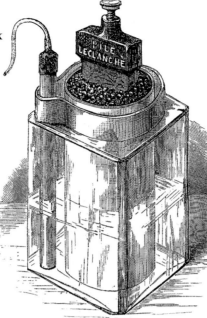

de la pile. Elle s'exprime en ampère-heure (Ah).

La pile ronde de Leclanché

Dans cette pile, inventée par Georges Leclanché en 1877, le graphite (variété de charbon conducteur) constitue la borne positive et le zinc la borne négative.

L'électrolyte est le chlorure d'ammonium contenu dans une pâte gélatineuse. La réaction se fait en milieu acide*.

Les piles boutons

Ces piles miniatures (moins de 1 cm de diamètre pour certaines d'entre elles), dont l'étanchéité est excellente, présentent une différence de potentiel très stable pendant leur utilisation. Certaines contiennent du mercure, ce qui améliore leurs performances, mais entraîne des risques sérieux de pollution ; c'est la raison pour laquelle il ne faut jamais les jeter mais les rapporter au vendeur. La borne positive est constituée de poudre de graphite et la borne négative de poudre de zinc. L'électrolyte est une solution de potasse. On les appelle des piles alcalines parce que la réaction se fait en milieu basique*. Pour le même encombrement qu'une pile Leclanché, elles durent cinq fois plus longtemps.

PILES EMPILÉES

Ce sont en général des piles de 1,5 V qui équipent ton baladeur. Lorsque tu les changes, tu dois les assembler de telle façon que la borne positive de l'une touche l'extrémité négative de l'autre. Ainsi montées en série (à la manière de la pile que tu as réalisée), elles additionnent leur "voltage" (par exemple 4,5 V avec trois piles). Si, en revanche, tu connectes les bornes positives entre elles et les bornes négatives entre elles, elles sont montées en parallèle, la tension est toujours de 1,5 V (mais la quantité de courant disponible sous 1,5 V a triplé puisque tu as trois piles) et ton baladeur ne fonctionne pas.

Textile sous toutes les coutures

Sous-vêtements en textiles antibactériens et antiodeurs ? Cela existe déjà. Tissus émettant un parfum, chemises changeant de couleur en fonction de la température ? C'est à l'étude. L'industrie des fibres synthétiques déborde d'idées pour améliorer notre confort ou réaliser nos rêves.

Pour identifier exactement une fibre, on a recours à toutes sortes de caractéristiques : sa longueur, son diamètre, sa résistance à la tension, son élasticité, sa capacité d'absorption de l'eau… On évalue aussi son comportement à la combustion, lorsqu'on l'approche de la flamme, lorsqu'elle est dans la flamme et à la sortie de la flamme. C'est un test de reconnaissance rapide, simple et très efficace.

LE TEST DE LA FLAMME

Il te faut :
- une bougie sur son support,
- une cuvette avec un fond d'eau,
- une pince à linge en bois,
- des échantillons de textiles divers : laine, coton, Nylon… Quelques brins de plusieurs centimètres de long suffisent.

(Présence d'un adulte recommandée)
Allume la bougie placée au centre de la cuvette. Son support doit dépasser de l'eau. Présente tes échantillons avec la pince sans mettre celle-ci dans la flamme. Observe les effets de la flamme et les cendres récupérées.

• À l'approche de la flamme, les fibres s'éloignent ; dans la flamme, elles fondent, puis brûlent ; au sortir, elles gardent difficilement la flamme et grésillent. L'odeur est celle de plumes ou de cheveux brûlés.

Les cendres sont noires, friables, fragiles… ce sont des **fibres animales** : de la laine, de la soie ①, des poils.

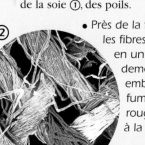

• Près de la flamme, les fibres brûlent en un éclair, demeurent embrasées, fument et rougeoient à la sortie.

Les cendres sont grises, légères et molles : il s'agit de **fibres végétales** : coton ②, lin, jute, ramie…

• Les fibres fondent, s'enflamment avant d'atteindre la flamme ; à la sortie, elles crépitent et brûlent encore aisément. Une odeur de viande grillée, des cendres dures, noires et irrégulières…

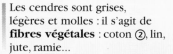

Ce comportement est typique des **fibres de la famille des acryliques** ③ (synthétisées à partir de produits issus du pétrole), comme le Dralon.

Fabriquer des fibres

La soie

Lorsqu'elle passe au stade de chrysalide, la chenille du papillon *Bombyx mori* (qui ne vit que sur le mûrier blanc) s'entoure d'un cocon de fil de soie (ci-dessous). Ce fil est une sécrétion liquide qui, à l'air, durcit en restant souple. L'expulsion s'effectue par un orifice, appelé filière, situé à l'extrémité de la tête de la chenille.

Les cocons produits dans les élevages de vers à soie sont séchés à l'air chaud pour tuer les chrysalides. Ils sont ensuite placés dans de l'eau à 90 °C qui les ramollit et qui permet de dégager et de saisir l'extrémité du fil extérieur de chaque cocon. Les fils de plusieurs cocons sont dévidés, rassemblés et tordus ensemble en un fil suffisamment gros pour être tissé.

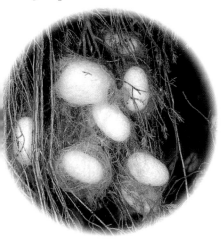

Le coton

Les graines du cotonnier (une plante tropicale) sont revêtues de poils longs de 25 à 32 mm en moyenne. Égrenées, démêlées, nettoyées, les touffes que l'on récolte sont transformées en un ruban continu de fibres parallèles. Ce "ruban de carde" est régularisé et amené à la largeur qui définira la grosseur du fil. La cohésion entre les fibres est assurée par simple contact avant d'être augmentée par torsion : on obtient une "mèche", que des étirements et des torsions vont transformer en "fil".

Les synthétiques

On fabrique du Nylon selon le principe qu'utilise le ver à soie : le polymère* chauffé est poussé sous la forme d'un fluide visqueux à travers les minuscules orifices d'une filière multiple. À la sortie, il est immédiatement refroidi par un courant d'air. Il durcit et il est aussitôt enroulé à grande vitesse (6 km/mn) sur des cylindres. Cette opération l'étire jusqu'à quatre fois sa longueur tout en l'amincissant.

Les nouvelles fibres

Les filières à fibres synthétiques ont fait des progrès : la taille des orifices a été réduite et l'on fabrique de la fibre de polyamide (le Nylon fait partie de cette famille) d'environ 10 millièmes de millimètre de diamètre. Les tissus de "microfibres" évacuent mieux l'humidité de la transpiration et ont un toucher très doux rappelant la peau de chamois. Certaines filières fabriquent des fibres tubulaires, dont on fait des tissus particulièrement isolants.

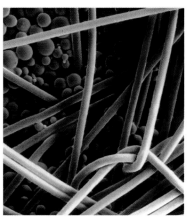

Fibres et micro-capsules *permettant d'emprisonner un parfum, un insecticide…*

DU DENIER AU TEX

On pourrait dire d'un fil qu'il fait, par exemple, 0, 03 mm de diamètre. Mais une fibre n'est pas un cylindre parfait, et le diamètre ne renseigne pas immédiatement sur ce que l'on peut réaliser avec la bobine que l'on achète. Traditionnellement, on utilise le "denier" : cette mesure indique la masse en gramme de 9 km de fil. L'industrie contemporaine a remplacé le denier par le "tex", masse en gramme de 1 km de fil.

La teinture à l'eau

Sur les portants du magasin de vêtements, les couleurs à la mode se déclinent en une multitude de nuances rendant notre choix à la fois plus difficile et plus excitant; situation récente que nous devons au génie des chimistes. L'art subtil de la teinture s'est libéré des quelques tons que les extraits végétaux et animaux lui offraient.

LA TEINTURE À L'OIGNON

Il te faut :
- deux carrés de coton blanc, propres, de 10 cm de côté environ (vieux draps, torchons…),
- des carrés de tissus synthétiques blancs,
- deux petites pelotes de laine blanche,
- une casserole contenant 1/2 litre d'eau,
- environ 10 g de pelures d'oignons (soit 1/2 kg d'oignons),
- une passoire,
- une cuillère en bois,
- du papier absorbant.

(Présence d'un adulte conseillée)

• Coupe les pelures d'oignons en petits morceaux, jette-les dans l'eau et porte le tout à ébullition pendant 30 mn (place un couvercle et réduis le feu). Élimine les pelures avec la passoire. Plonge une série d'échantillons (coton, tissu synthétique, laine) dans la casserole et laisse mijoter à feu doux pendant 10 mn en remuant avec la cuillère. Retire les tissus avec la cuillère et mets-les à sécher sur le papier. Observe les couleurs des uns et des autres.

• Lorsque ton bain a refroidi, plonge une autre série d'échantillons dans la casserole. Retire-les au bout de 10 mn, sèche-les et compare-les aux premiers.

• Prélève un fragment sur chaque échantillon (la moitié, par exemple), repère-le au crayon à bille ("teint à chaud", "teint à froid") et lave-le à l'eau froide pendant 15 mn en l'agitant. Sèche-le et compare sa couleur à la moitié non lavée.

Peu de plantes peuvent teindre directement comme l'oignon. Les pelures d'oignons ont coloré en jaune ou en orange tes différents échantillons avec une efficacité qui dépend de la fibre textile. En fait, chaque textile se comporte de façon particulière vis-à-vis des colorants. La laine est la matière qui convient le mieux aux teintures végétales. Le chauffage favorise l'opération.

Les trois phases d'une teinture

Le colorant se fixe d'abord à la surface de la fibre par **adsorption***, grâce à de simples liaisons attractives. Puis, par **diffusion**, il migre dans la fibre. Enfin, au cours de la **fixation**, le colorant se combine aux groupes chimiques de la fibre qui ont de l'affinité pour lui. Ces trois étapes indispensables sont plus ou moins bien remplies selon le couple colorant-fibre que l'on désire réaliser. De leur réussite dépend la coloration obtenue, mais aussi sa résistance à la lumière, à l'eau de lavage et aux frottements qu'entraîne l'usage du textile. Dans ton expérience, si tu remplaces l'oignon par du chou rouge, tu constateras que la belle couleur obtenue disparaît dans l'eau de lavage.

Pour agir sur la laine, certains colorants ont besoin d'un intermédiaire chimique entre eux et la fibre. On dit que celle-ci doit être **mordancée**. Le mordant (à base d'alun, un composé d'aluminium et de potassium) provoque au sein même de la fibre un dépôt d'alumine sur lequel la teinture vient se fixer. Le complexe mordant-colorant qui en découle donne un résultat extrêmement résistant.

La concentration du colorant dans le bain, la montée en température, la durée d'action, la qualité de l'eau et l'addition d'agents de mouillage jouent sur la qualité de la teinture. Le métier de teinturier est très complexe et chaque cas à traiter bien spécifique !

Les plantes, les animaux… et l'art du chimiste

Jusqu'au milieu du XIXe siècle, les quelques dizaines de colorants connus étaient d'origine végétale ou animale. La gaude et le safran (pour les teintes jaunes), le pastel et l'indigo (pour les bleus), la garance (pour le rouge) sont des plantes.

Divers rouges provenaient d'insectes comme le kermès et la cochenille, ou d'un mollusque, le murex. Un chimiste anglais de 18 ans, William Perkin, bouleversa totalement l'économie de la teinture en réalisant, en 1856, le premier colorant de synthèse, la mauvéine. Un an plus tard, il la commercialisait. Depuis cette date, environ 8 000 colorants de synthèse ont été mis au point. Certains sont produits en énormes quantités, tel l'indigo qui fait le bleu des jeans.

LE SAVAIS-TU ?

Un rouge royal
L'origine de la teinture est légendaire. Le dieu phénicien Melkart se promenait sur la plage avec son chien. Ce dernier, en jouant à croquer un coquillage, le murex, eut la gueule barbouillée de pourpre. Pour plaire à son amie la nymphe Tyros, le dieu lui offrit une tunique qu'il trempa dans le liquide sécrété par le coquillage. Ainsi, le rouge pourpre devint la couleur des rois. L'expression "conférer la pourpre" signifiait déléguer le pouvoir.

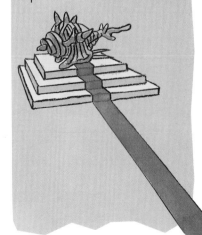

Tanneurs à Fes (Maroc)

LA TEINTURE AU SEL SUR LA SOIE

Pose trois gouttes de teinture sur un tissu de soie et observe ce qui se passe : c'est toute une aventure ! Les colorants s'étalent, se bousculent, se repoussent ou se mélangent. Si tu ajoutes quelques grains de sel, tout peut être remis en question…

Il te faut :
Pour réaliser le cadre
- une baguette de sapin de 2 m de long (section de 25 x 25 mm environ),
- du contreplaqué de 5 mm d'épaisseur : un rectangle d'environ 160 x 120 mm,
- une trentaine de clous de 20 ou 25 mm,
- de la colle à bois ou de la colle forte en tube,
- une scie à denture fine et un marteau,
- une équerre (à défaut, utilise une feuille de papier de cahier),
- une quarantaine de punaises.

Pour réaliser la teinture
- 1 m de "pongé de soie", vendu en 90 cm de largeur (qualité ordinaire),
- des flacons de teinture liquide pour soie. Prends des teintures à fixation à sec, par repassage, type Marabu®. Deux ou trois couleurs suffisent.
Évite les teintes claires.
- des pinceaux à aquarelle assez gros, un par couleur,
- un bol contenant deux ou trois cuillères à soupe de gros sel,
- des verres, des assiettes creuses, des bocaux (voir ci-contre),
- un chiffon ou du papier absorbant.

Construire le cadre et tendre la soie
(Présence d'un adulte recommandée)

- Scie la baguette en deux morceaux de 50 cm et deux autres de 45 cm.

- Découpe le contreplaqué en quatre rectangles de 80 x 60 mm. Assemble les quatre coins comme indiqué sur la figure ①. Encolle et cloue avec une première pointe le contreplaqué sur les baguettes. Vérifie l'équerrage de l'ensemble du cadre et rigidifie-le avec d'autres pointes.

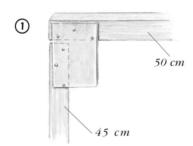

① 50 cm / 45 cm

- Place un coin de ta pièce de soie sur le cadre (figure ②). Enfonce les punaises dans l'ordre des numéros, en tendant la soie sans excès (tu n'es pas en train de préparer un tambour). Après les punaises 9 et 10, poursuis sur le même principe, en ajoutant encore une série de punaises entre 1 et 4, 4 et 3, etc. La tension doit être régulière, sans poches ni vagues. Coupe la soie qui dépasse du cadre.

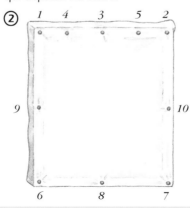

② 1 4 3 5 2 / 9 10 / 6 8 7

Installer l'atelier
- Choisis un endroit sans risques (la cuisine, par exemple). Installe-toi sur une table qui ne craint pas les taches et que tu peux laver à l'eau. Protège-la cependant avec un journal. Passe de vieux vêtements.

- Dilue les teintures dans de petits récipients en verre à col large (par exemple, des verres de petite taille ou des pots de yaourts) : deux cuillères à dessert de teinture et autant d'eau. Par sécurité, place ces pots dans des assiettes creuses. Garde à portée de main les pinceaux (poils en l'air, dans un bocal), le bocal d'eau de rinçage des pinceaux, le papier ou le chiffon pour les essuyer (ne les laisse jamais sécher sans les avoir soigneusement lavés) et le bol de sel.

Premiers essais
Il te faudra sacrifier sans regret au moins un carré de soie pour découvrir les techniques de base. Les teintures diffusent dans les fibres à partir de l'endroit où on les dépose. Cette diffusion est plus large si l'on applique plus de teinture, ou si la soie a été auparavant humidifiée avec une éponge. Une fois la teinture sèche, on ne peut plus intervenir dessus. N'aie pas peur de travailler avec un pinceau bien chargé de teinture. Le sel, posé grain par grain, par pincées ou par traînées, sur la teinture humide, perturbe le phénomène de diffusion de manière complexe et presque imprévisible… c'est ce qui en fait l'intérêt !

En général, l'eau salée "transporte" la couleur en diffusant largement dans la soie ; les effets sont à la fois presque immédiats et… très longs. Il faut laisser le sel en place jusqu'au séchage de la teinture. On peut alors l'enlever avec un bout de carton ou une brosse. Note soigneusement les conditions de réalisation et le résultat de tes essais : c'est la clé du progrès. Tu pourras ensuite teindre un carré de soie entier en sachant vers quoi tu t'orientes. Quelques règles simples : utilise peu de couleurs ; vois "large", sans timidité ; les effets doivent être peu nombreux ; n'essaie pas de copier la nature. Et vive l'audace !

Fixation de la teinture

Les teintures du type Marabu® se fixent au fer à repasser et résistent alors au rinçage et même au nettoyage. Repasse sur l'envers pendant 2 mn, la soie étant posée sur un tissu propre et le fer réglé sur "coton" sans vapeur.

Petit film d'un exemple

Les photos montrent ce qui peut se passer à travers une série d'opérations très simples : on pose l'une après l'autre trois gouttes de teinture et on ajoute quelques grains de sel.

1. Une grosse goutte de jaune déposée au pinceau est étalée légèrement. La teinture diffuse dans le tissu.

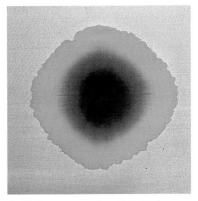

2. Quinze secondes plus tard, quand le jaune est encore très humide, une goutte de brun est déposée avec un autre pinceau.

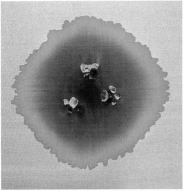

3. Trente secondes plus tard, trois petits groupes de grains de sel sont placés sur le brun encore très humide, puis une goutte de rouge est déposée avec un troisième pinceau.

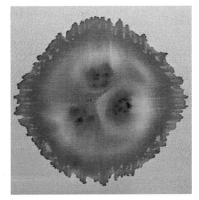

4. Une demi-heure plus tard, la soie est sèche. Le sel a fait son effet sur le déplacement du rouge entre les fibres de la soie.

Exemples de réalisation de teinture au sel

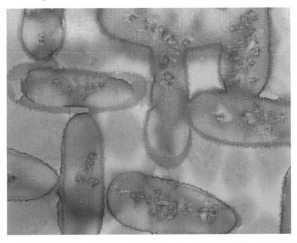

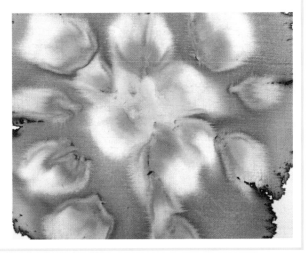

Des peintures qui ne coulent pas

Solide ou liquide, le yaourt? Plutôt solide à l'ouverture du pot, plutôt liquide après l'avoir remué à la petite cuillère… Il en est ainsi d'autres matériaux. On a mis à profit cette propriété pour réaliser, par exemple, des peintures très pratiques d'emploi : l'action du pinceau ou du rouleau les liquéfie et, sitôt appliquées, elles redeviennent solides. Finies les coulures et la peinture dans la manche!

EN AGITANT LA MAÏZENA

Il te faut :
- un petit bocal (pot à confiture…),
- des cuillères,
- de la Maïzena,
- de l'eau.

• Mets trois grandes cuillères à soupe d'eau dans le bocal. Ajoute de la Maïzena avec une cuillère à dessert, et remue avec une autre petite cuillère. Recommence l'opération jusqu'à ce que tu obtiennes une crème très liquide.

• Fais maintenant très attention à l'effort qu'il te faut produire en remuant le mélange tantôt lentement, tantôt rapidement. Pour une proportion déterminée d'eau et de Maïzena (à toi de la trouver !), tu sentiras que, suivant la vitesse de ton geste, tu remues un liquide ou une pâte.

Liquide ou solide?

Les mélanges comme celui réalisé à partir de la Maïzena sont **rhéoépaississants**, et ceux fabriqués à partir d'autres matériaux (l'argile, par exemple) sont **rhéofluidifiants** : ces deux matériaux ont la capacité d'emprisonner l'eau comme une éponge, tout en restant fluides. Ces transformations peuvent être provoquées par d'autres actions que l'agitation mécanique, par exemple par un champ magnétique* ou électrique. Le fluide constitué d'un mélange de limaille (poudre) de fer très fine (150 millièmes de millimètre de diamètre) et d'huile de silicone, soumis à l'action d'un aimant, change de consistance et devient solide. On dit qu'il est **magnétorhéologique**.
Dans le film *Terminator 2* de James Cameron, le robot T 1000 est constitué de matériaux **électrorhéologiques**.
Soumis à une tension électrique, le robot peut se liquéfier pour ensuite reprendre sa forme, ce qui le rend indestructible.

Rhéologie et viscosité

La **rhéologie** s'intéresse à la manière dont se déforment et s'écoulent des solides malléables et des fluides visqueux (épais et gluants) : un glacier, du mastic, du miel, de la peinture, etc. Suivant l'énergie dissipée par frottement au sein du fluide, celui-ci devient plus ou moins visqueux.

La **viscosité** (résistance que met un liquide à couler) est une grandeur qui le caractérise suivant les conditions dans lesquelles ce liquide est placé, en particulier la température, puisque la **viscosité** diminue quand la température augmente.

Les peintures thixotropiques ne coulent pas!

On connaît deux principaux types de peintures solidifiées : les peintures compactes (crèmes) prêtes à l'emploi et applicables sous la forme semi-solide, et les peintures thixotropiques souvent qualifiées de gels. Pour augmenter la viscosité des peintures afin qu'elles ne coulent pas lorsque le pinceau a la tête en haut, les fabricants ajoutent un additif, un gel, qui leur donne une structure **thixotrope**. Ces peintures présentent une consistance plus épaisse et les risques de coulures sont éliminés. Elles s'étalent cependant aussi facilement qu'un liquide. Ces peintures, très pratiques pour peindre les plafonds, ne doivent pas être brassées avant emploi : elles perdraient leur propriété de thixotropie.

Ils sont partout…

Les gels sont utilisés dans les produits cosmétiques (crèmes de beauté), les mousses à raser,

les crèmes solaires et les dentifrices. Dans l'alimentation, on extrait d'une algue transparente séchée l'agar-agar. Mélangé avec du lait et du sucre puis bouilli, il donne des entremets solides qui, une fois brassés avec un fouet ou une cuillère, deviennent des crèmes liquides…

LE SAVAIS-TU ?

Léger et fort comme du gel
Certains gels issus de la recherche ont des propriétés étonnantes : le "seagel" est le premier solide plus léger que l'air et l'"aérogel", constitué de fibres de silice, peut porter cent fois son poids. Tous les deux sont, de plus, des isolants thermiques remarquables.

Colles et adhésifs

Colles végétales pour assemblages de bois ou de pierres dans l'ancienne Égypte, colles à base de poisson ou d'os entre pièces de bois chez les Romains et les Phéniciens: l'usage des colles est une vieille histoire. Les adhésifs modernes permettent d'assembler les métaux, le verre, le béton... On peut tout coller, mais pas n'importe quoi avec n'importe quoi.

COLLER AVEC DE L'EAU

Il te faut:
- une plaque de verre (empruntée à un petit sous-verre, un miroir sans cadre...),
- une éponge,
- de l'eau,
- la table de la cuisine.

• Pose la plaque de verre sèche sur la table.
Essaie ensuite de la détacher. Elle résiste et présente une petite adhérence qu'il te faut surmonter.
• Recommence l'expérience en humidifiant un peu la table avec l'éponge avant de poser ta plaque. Tu dois augmenter fortement ton effort pour la décoller. L'eau agit comme un adhésif.
• Effectue de nouveau l'expérience en versant une bonne quantité d'eau sur la table.

La plaque se détache plus facilement qu'avec une couche d'eau très mince.

Que se passe-t-il ?
– Dans la première expérience, tu observerais, à l'échelle microscopique, qu'il n'y a que quelques points de contact entre le verre et la table (les deux surfaces présentent des aspérités, elles ne sont pas parfaitement lisses). C'est une adhérence purement mécanique, et les forces d'attraction entre atomes et molécules du verre et de la table décroissent rapidement avec la distance.

– Dans la deuxième expérience, l'eau remplit les vides entre les deux surfaces, créant entre elles un contact plus intime. Quand la couche d'eau est suffisamment mince, il te faut surmonter l'**adhésion** (force d'attraction entre des matériaux différents) au contact eau/verre et l'adhésion au contact eau/table pour détacher ta plaque de verre.

– Dans la troisième expérience, l'épaisseur du film d'eau est bien supérieure à la dimension d'une molécule. Au moment de la séparation, il ne faut plus surmonter que les forces internes d'attraction entre les molécules d'eau. Cette force, qui maintient l'unité des diverses parties d'un même corps, s'appelle la **cohésion.** Dans le cas de l'eau – et plus généralement dans celui des solutions aqueuses* – les forces de cohésion sont plus faibles que les forces d'adhésion (entre l'eau et le verre, et entre l'eau et le revêtement de la table).

LE SAVAIS-TU?

Le Post-it

Le docteur Silver, de la société américaine 3M, mit au point un adhésif qui collait, se décollait et se recollait à volonté.
Son collègue Arthur Frye, chanteur dans une chorale, eut l'idée d'en enduire les marque-pages volants de ses partitions. C'était en 1980, il venait d'inventer le Post-it !

Ces adhésifs se présentent sous la forme de deux résines séparées qui durcissent lorsqu'on les mélange. Ils permettent des assemblages à haute résistance mécanique.
Les derniers-nés dans le domaine des adhésifs se nomment les polyimines. Ces colles résistent à des températures de plus de 350 °C en continu. La "super glue" (cyanoacrylate) est vraiment la championne : une seule goutte posée entre deux surfaces permet de résister à une force de traction de 200 kg/cm² !

Un peu de théorie

Pour les physiciens, l'adhésion est l'ensemble des interactions qui se manifestent entre les faces (les "interfaces") de deux solides mis en contact.
Lors d'un assemblage par adhésif, les éléments à assembler ne sont pas modifiés. La résistance finale dépend de celle des éléments à coller, de l'adhésif et des interfaces. La résistance globale de l'assemblage est déterminée par la plus faible des trois.

Les super colles

Les colles modernes sont des produits de synthèse. Dans l'aéronautique, pour les satellites, on utilise les résines époxydes, le polyuréthane et l'acétate pour coller les métaux.

Composition d'un adhésif

Les matières plastiques (ou polymères*) sont à la base de la fabrication des colles et des adhésifs. On y ajoute différents additifs : des matériaux qui augmentent la tenue à la chaleur ou la conductibilité, des fibres broyées qui améliorent la résistance mécanique, des flexibilisants qui favorisent la souplesse, des stabilisants qui luttent contre le vieillissement, des produits mouillants, des agents anti-UV, des éléments qui augmentent le pouvoir collant…

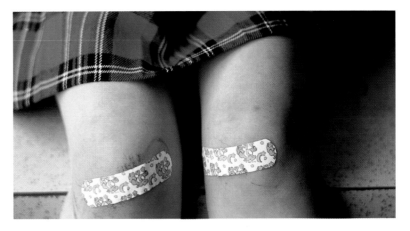

Coca en stock

Les années 1950 ont vu apparaître les premières boîtes de métal contenant de la bière, destinées à l'armée américaine. Aujourd'hui, il s'en produit 130 milliards par an dans le monde, contenant toutes sortes de boissons : une production industrielle qui combine des techniques de pointe insoupçonnées.

Avec ses 13,6 g pour 11,7 cm de haut, la boîte est un poids plume, mais elle est costaude ! Pleine, elle résiste à une pression de 6,3 kg/cm^2, soit trois fois celle des pneus d'une voiture. Elle peut donc supporter verticalement 133 kg ! Pourtant, sa paroi est plus mince que deux pages de ce livre. C'est la pression interne du liquide qui lui donne sa forme bombée.

TESTE TES BOÎTES

Il te faut :
- des boîtes-boissons pleines et vides de différents contenus (sodas, eaux…) et de diverses marques,
- un aimant suffisamment puissant.

• Avec l'aimant, sépare les boîtes d'acier et de fer blanc de celles en aluminium (l'aluminium n'est pas attiré par l'aimant).

• Dispose par terre, verticalement, deux boîtes en acier. Délicatement, pose un pied sur une boîte pleine, puis le deuxième sur l'autre. Ça tient !

• Place ensuite une boîte vide au sol entre deux chaises sur lesquelles tu vas prendre appui. Avec beaucoup plus de précautions, monte maintenant sur la boîte. Elle résiste encore, mais si tu appuies un peu sur le côté, elle s'écrasera.

• Si tu es "risque-tout", fais de même avec une boîte vide en aluminium : dès que tu seras monté dessus, elle s'écrabouillera…

Légère et performante

La boîte-boisson est constituée de deux parties : le corps et le couvercle. Le haut du corps est rétréci par un col présentant une collerette sur laquelle s'adapte le couvercle. Celui-ci comporte un rivet intégré sur lequel vient se fixer un anneau. Le couvercle, plus épais que le corps, représente 25 % du poids de la boîte.

De plus en plus légère

Les ingénieurs cherchent sans cesse à réduire les quantités de matière première utilisée sans sacrifier la cohésion de la structure. La boîte-boisson de 33 cl en acier pesait 35 g en 1980, 30 g en 1990 et 20 g en 1997 pour une épaisseur de 0,18 mm. Dans le même temps, la boîte d'aluminium passait de 20 à 16 g, puis à 13 g pour une épaisseur de 0,25 mm.

Un gramme d'aluminium en moins représente une économie de 20 millions de dollars par an. Par comparaison, la bouteille plastique de 150 cl en PET (téréphtalate de polyéthylène) est passée de 58 à 43 g puis à 35 g.

Fabrication

La première étape consiste à découper une tranche circulaire de 14 cm de diamètre, appelée **flanc** ou **pion**, dans une feuille d'acier ou d'aluminium (ci-dessus). Par emboutissage, le flanc devient un godet de 8,9 cm de diamètre. Trois opérations successives d'étirage (durant un cinquième de seconde chacune) amincissent et allongent les parois du godet en un cylindre de 6,5 cm de diamètre. On donne ensuite au fond une forme incurvée

pour qu'il résiste à la pression du liquide. La boîte sans couvercle est lavée, vernie à l'intérieur, cuite, imprimée puis laquée. Un col est formé pour y adapter le couvercle, d'un plus petit diamètre. Elle est prête pour le remplissage. Pour obtenir la pression interne indispensable, on injecte une goutte d'azote liquide pour les jus de fruits et autres thés, car ces boîtes ne peuvent conditionner que des boissons gazeuses (même faiblement), sinon elles ne résisteraient ni aux déformations ni aux chocs. Les bières sont pasteurisées* dans la boîte. Le couvercle est serti. Auparavant, il a été rainuré pour définir la zone de déchirure à l'ouverture : sous la rainure,

le métal n'a plus qu'un dixième de millimètre d'épaisseur. L'anneau restera fixé au rivet après l'ouverture pour éviter qu'on ne le retrouve dans la rue… ou que le consommateur ne l'avale.

LE SAVAIS-TU ?

Vers le "zéro défaut"

La qualité de l'aluminium d'une canette de bière est supérieure à celle exigée en aéronautique. Lors de l'emboutissage, le métal est déformé aussi vite que sous le choc d'un boulet de canon. En outre, pour que la bière ne prenne pas un mauvais goût, le vernis interne protecteur ne doit pas laisser une tête d'épingle de métal à nu. Et toutes ces performances sont réalisées à des cadences vertigineuses : une usine de boîtes peut produire 10 000 unités en 5 mn !

De haut en bas, différentes étapes de fabrication des boîtes-boissons

Bouchons malins

Boucher une bouteille ou un flacon paraît tout simple à première vue! Le vénérable bouchon de liège, après bien des siècles d'usage, a encore de beaux jours devant lui. Pourtant, on n'arrête pas d'inventer de nouveaux systèmes de fermeture: on ne leur demande plus seulement de boucher, mais aussi de rendre d'autres services.

Les produits conditionnés en flacons sont de plus en plus nombreux. Leur usage exige des gestes nouveaux ; certains d'entre eux doivent être manipulés avec précaution ; enfin, une présentation plus fonctionnelle peut séduire les clients. Autant d'enjeux qui impliquent de soigner les bouchons ! Regarde autour de toi, surtout dans la cuisine, la salle de bains, dans les magasins et les grandes surfaces. Tu vas découvrir toutes sortes de solutions pour boucher des flacons ou des bouteilles contenant des produits variés. Cherche celles qui te paraissent les plus astucieuses. Tu peux même constituer une petite collection - provisoire - de flacons utilisant des systèmes différents. Note les matériaux utilisés, le principe de fonctionnement, le geste pour ouvrir et refermer, le service supplémentaire rendu, et observe dans quelle mesure ils correspondent au contenu du flacon.

Voici quelques exemples de bouchages.

Le bocal de cornichons

Les cornichons ont des tailles différentes ; il faut pouvoir, sans peine, les faire pénétrer au remplissage et les retirer pour les déguster. Une seule solution : un couvercle de grand diamètre. Le col du bocal est moulé en forme de pas de vis. Le couvercle en acier porte des filets comme ceux d'un écrou. On visse l'un sur l'autre. Une rondelle de plastique s'écrase au serrage pour assurer l'étanchéité.

La boîte-boisson (ou cannette)

Elle a longtemps exigé de son utilisateur un outil pour percer les deux trous dans son couvercle, qui permettaient de boire. Aujourd'hui, elle intègre son propre système d'ouverture. Avant sa mise en place, le couvercle passe dans une machine qui creuse une rainure dans le métal à l'endroit où il devra se déchirer, et qui fixe l'anneau d'ouverture. Un effort sur l'anneau et le métal, déformé, se déchire.

La "bombe" à raser

Elle a changé les habitudes de millions d'hommes qui ont abandonné le blaireau et le savon à raser. Lorsque l'on appuie sur le bouchon, un gaz propulseur pousse le savon liquide vers l'extérieur. C'est immédiat, et la bombe est transportable n'importe où. Pour ceux qui ne se rasent pas, la bombe de crème Chantilly est conçue selon le même principe…

Le produit à vitres

Juché sur un escabeau, le chiffon dans une main, le flacon de produit dans l'autre : la situation est délicate. C'est pourquoi on a inventé le bouchon-vaporisateur. Trois pressions opérées sur la gâchette font monter le liquide dans le tube, qui l'amène jusqu'à la fine buse de projection.

La bouteille de produit dangereux

Son ouverture est interdite aux jeunes enfants ! Les fabricants ont inventé toutes sortes de procédés pour compliquer cette ouverture : il faut utiliser les deux mains ou posséder une certaine force et, de toute façon… connaître le truc. Il a également fallu trouver des systèmes qui remettent en place la sécurité chaque fois que l'on referme la bouteille.

Le tube dentifrice

Son bouchon à vis est tout simple. Il a pourtant été amélioré plusieurs fois. Il garantit que le tube est intact à l'achat, car c'est avec lui que l'on perce l'ouverture lors du premier usage. Les gros bouchons permettent en outre de maintenir le tube debout sur la tablette du lavabo.

La bouteille d'eau de table

Par souci de conservation et d'hygiène, on ne doit pas ouvrir la bouteille avant de remplir le premier verre. Une rondelle de sécurité, solidaire du bouchon vissé, se déchire ou se brise lors de la première ouverture.

Le vernis à ongle

Un pinceau est indispensable pour l'appliquer. Mais il doit rester souple et le vernis sèche tellement vite ! Une seule solution : maintenir le pinceau en permanence dans le produit quand on ne s'en sert pas. Bouchon et pinceau forment un seul objet, remplissant deux fonctions différentes.

Emballage

Un supermarché: musique d'ambiance, annonces promotionnelles, ballet de chariots. Tu fais tes courses. En arpentant les allées, tu repères et saisis au passage tel ou tel produit. Mais abandonne un instant ton caddie pour observer autour de toi...

À l'entrée "livraisons"

Le camion décharge une palette en provenance des entrepôts: un cube fait de cartons de tailles et de formes diverses, maintenus par un film plastique qui les enserre étroitement.

C'est la commande passée hier par le magasin. Cet emballage a permis de regrouper des marchandises variées, de les charger et de les décharger en bloc puis de les transporter sans casse. C'est le rôle de l'**emballage tertiaire**.

Au rayon laitages

Le chef de rayon ouvre une pile de cartons qu'un manutentionnaire a extraits de la chambre froide. Il en sort des yaourts qu'il place dans le rayon.
La plupart de ces cartons sont faits d'une seule feuille de carton ondulé, astucieusement

découpée, pliée et assemblée. Ils sont conçus pour être empilés, s'ouvrent sans outils et, une fois vides, se replient facilement. Ils seront mis en balles et enlevés par l'entreprise de recyclage. Faciliter le stockage et la distribution dans le magasin, tel est le rôle de l'**emballage secondaire**.

Dans la gondole

Les produits s'alignent dans un ordre impeccable sur les étagères des gondoles. De loin, les clients repèrent immédiatement les cafés, les céréales, les laits, etc. : ils ont tous un air de famille. En même temps, chaque produit cherche à affirmer sa personnalité, à se faire reconnaître ou à séduire. C'est l'un des rôles

de l'**emballage primaire** que le consommateur emportera chez lui. L'emballage est un "vendeur muet". Chaque produit fait l'objet d'une étude portant sur le matériau et la forme du contenant : flacon de verre ou boîte de carton, tube ou bombe, barquette transparente, sachet, bouteille, boîte métallique... La solution n'est pas simple, car l'emballage doit répondre à toutes sortes d'exigences.

FABRIQUER UN BERLINGOT

Réalise un berlingot "Tétrapack". Cet emballage, beaucoup utilisé pour conditionner le lait avant l'invention de la "brique" rectangulaire, s'emploie encore pour certaines boissons.

Il te faut :
- une feuille de papier ordinaire,
- des ciseaux,
- de la colle.

1 - Plie la feuille parallèlement au petit côté et colle les deux bords l'un sur l'autre.

2 - Ferme l'extrémité avec de la colle. Coupe de façon à obtenir une sorte de carré.

3 - Ouvre et remplis (par exemple avec des pâtes ou du riz, surtout pas avec un liquide !).

4 - Colle pour fermer cette ouverture de façon à obtenir une sorte de pyramide.

Le berlingot est livré au fabricant de boisson en épais rouleaux de carton plié et collé comme sur le premier dessin. Lors du remplissage, une machine effectue les autres opérations.

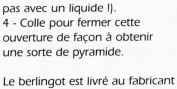

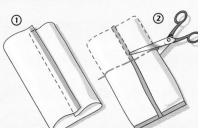
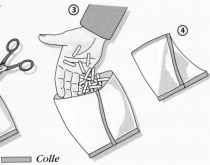

Colle

Au contact des aliments

Aucun emballage n'est neutre : enveloppe et contenu interagissent, qu'il soit de plastique, d'aluminium, de carton ou de verre. Des laboratoires pistent les molécules nuisibles pour la santé. Ainsi, l'intérieur des boîtes-boissons (cannettes) est recouvert d'un vernis, lui-même inattaquable, qui empêche l'altération de l'aluminium. Cartons et papiers ne doivent pas servir de niche à des bactéries pathogènes*. Et même si l'interaction est sans danger, un goût indésirable rendrait lui aussi le produit invendable.

Transporter, stocker, utiliser

L'emballage doit être adapté à la forme physique du produit, à son stockage et à son usage : on ne vend pas de riz en flacon de verre (ce qui serait pourtant possible) parce qu'il ne sera pas conservé longtemps chez le consommateur.
L'emballage doit permettre le transport du magasin à la cuisine, dans un sac où il sera au contact d'autres produits. Mais il doit être aussi léger que possible : ainsi a-t-on gagné 30 % sur le poids des bouteilles de verre.
Il doit également protéger le contenu pour une durée déterminée, conserver à l'abri de l'air, s'ouvrir sans difficulté, pouvoir se refermer, résister au froid du congélateur…

Changements de mœurs

L'emballage s'adapte à l'évolution de la consommation. La taille des familles diminue, les goûts dans une même famille varient : on a créé des conditionnements individuels (yaourts, crèmes…), puis des regroupements par 4 ou 6 unités.
Faire la cuisine, alors que l'on dispose de si peu de temps parfois, ou que des amis arrivent sans prévenir ? Vite, un plat préparé : son enveloppe soudée et sa boîte en carton ou en plastique lui ont conservé son goût et son parfum ainsi qu'une présentation soignée. Faire la vaisselle, alors qu'il y a un bon film ce soir ? On mangera, dans leur bol en plastique, des pâtes chinoises auxquelles il suffira d'ajouter de l'eau bouillante.

LE SAVAIS-TU ?

Emballages verts
La peau du saucisson est-elle un emballage ? En matière alimentaire, il est parfois difficile de faire la distinction entre produit et emballage. Le sakara-mochi, gâteau japonais à base de riz et de haricot, est enveloppé d'une feuille de cerisier qui se mange. Des films transparents et sans saveur faits de gluten, une protéine du blé, sont actuellement à l'étude pour enrober des aliments.

Une nouvelle vie pour les matériaux ?

Les temps où nous abandonnions à la pourriture ou à l'oxydation les déchets de nos poubelles sont révolus. Une autre mentalité prend peu à peu le dessus. Ces objets qui ont coûté tant de peine et d'énergie méritent un peu d'égards. Suffisamment ingénieux pour les fabriquer, nous devons l'être aussi pour leur ménager une nouvelle vie. Cela s'appelle "recycler".

De bouteille en bouteille

À première vue, le verre est simple à recycler : il suffit de le faire fondre et d'enchaîner ensuite les opérations habituelles qui mèneront à de nouveaux flacons. Pourtant, des conteneurs, où les consommateurs jettent le verre, aux bouteilles neuves, il se passe bien des choses. Le camion qui apporte à l'usine de traitement le chargement des conteneurs livre du verre, mais aussi toutes sortes de matériaux indésirables. Un premier tri manuel élimine les plus gros objets, comme les bouteilles de plastique déposées par erreur.

Le verre est réduit en morceaux (calcin) afin de pouvoir être utilisé à nouveau.

Le verre est concassé et tamisé de manière à ne conserver que des morceaux de 1 à 4 cm. Puis, lors d'un deuxième tri, un électroaimant retire tout ce qui est fer ou composé du fer (par exemple, les bouchons capsules). Au cours d'un troisième tri, les matériaux légers (papiers, débris plastiques, etc.) sont chassés par un ventilateur. Les métaux non ferreux sont extraits par un second procédé magnétique. Mais ce n'est pas fini, car il reste des débris lourds opaques (des céramiques, par exemple) qu'un système optique repère au milieu du verre transparent. On arrive enfin en bout de chaîne. Les bouteilles sont devenues du **calcin**, qui ne contient pas plus de 100 g d'impuretés par tonne. On l'ajoute, à raison de 15 à 50 %, à la pâte de verre neuve en fusion dans le four verrier.

Le cas de l'aluminium

En Europe, les boîtes-boissons (cannettes) sont fabriquées à parts égales en aluminium ou en acier. Comme dans le cas du verre, le recyclage s'effectue par refonte, mais la collecte est moins bien organisée parce que la masse rentable n'est pas atteinte (un Français consomme en moyenne 25 boîtes par an contre 411 pour un Américain). On sépare, par un procédé magnétique, l'acier de l'aluminium. Les Américains recyclent 54 % de leurs boîtes d'aluminium, et ce recyclage requiert seulement 5 % de l'électricité nécessaire pour produire les boîtes directement à partir du minerai, la bauxite. Les boîtes sont comprimées et revendues à l'industriel spécialisé en recyclage. Les boîtes en acier, moins précieuses, rejoignent simplement d'autres objets à la ferraille.

Du plastique au pull-over

Bouteilles, films d'emballage, récipients de produits frais ou sacs : nos poubelles sont encombrées de plastiques pour lesquels il n'existe pas de filière commune de réutilisation. Le PVC (polychlorure de vinyle), le PET (polytéréphtalate d'éthylène) et le polystyrène sont des produits dérivés du pétrole, aux compositions différentes. Beaucoup partent à la "valorisation thermique" : ils sont incinérés, les matières plastiques constituant de bons combustibles. La chaleur dégagée peut être récupérée dans les grandes villes pour le chauffage urbain. Mais le PVC, en brûlant, dégage du chlore, un dangereux polluant, et les incinérateurs doivent être équipés d'un système de traitement des fumées.

LE SAVAIS-TU ?

L'aéroport et le marché aux poissons

Le marché de Rungis, qui alimente la région parisienne, brûle les caisses de poisson en polystyrène expansé (matériau qui comprend 2 % de pétrole et 98 % d'air) pour fabriquer son électricité et chauffer l'aéroport d'Orly. Un kilogramme de polystyrène expansé brûlé produit autant d'énergie que 1,3 l de fioul. Il ne dégage aucun gaz toxique, uniquement du gaz carbonique et de l'eau. Mais en dehors de ce lieu de concentration, il est très difficile de récupérer ce matériau ultraléger et volumineux.

Petit à petit, la collecte sélective des plastiques s'organise. Elle est très onéreuse car, s'ils sont légers, ils sont volumineux et leur transport coûte cher. Le plastique usagé est broyé, réduit en granulés, puis refondu, extrudé et "revalorisé" en plastique de qualité inférieure. Le mélange PVC et PET est transformé en piquets de vigne et

RETOUR AUX ORIGINES

Dans des réacteurs chimiques, en Allemagne, on essaie de revenir des matières plastiques à la matière première, le pétrole. Des granules de plastique sont extraits du chlore, que l'on transforme en acide chlorhydrique, et du naphte qui, redistillé en bout de chaîne, donne 70 % de pétrole et 30 % de gaz. Ce procédé est pour l'instant extrêmement coûteux.

autres caisses à bouteilles. Avec le PVC, on fabrique des tuyaux d'évacuation et des gaines électriques. Avec le PET, on file des fibres pour le rembourrage des anoraks et pour tricoter des pull-overs.

Les plastiques comme le polyéthylène sont réduits en granules pour être recyclés.

Différents types de plastiques après l'opération permettant leur recyclage

Confort moderne

Appartement agréable en toute saison, lumières douces et bruits feutrés, vêtements souples et légers, lotions et crèmes bienfaisantes, entretien du linge sans soucis… Tout cela, c'est le confort ! Mais comment était-ce… avant ? Les progrès techniques se font si discrets que l'on oublie les problèmes qu'ils résolvent. Peut-être faudrait-il repartir à leur découverte ?

Ombre
et pénombre

*L'ombre qui se projette
au sol lorsque tu marches
avec le soleil dans le dos,
est une surface non éclairée parce que
ton corps s'interpose entre le soleil
et le sol. Il n'en est pas autrement
lors d'une éclipse de Lune:
la Terre vient se placer entre le Soleil
et la Lune, la privant de lumière.
Une ombre est toujours le résultat
de ce jeu à trois: une source,
un objet et un écran.*

Ombres multiples

Regarde les joueurs de football
ou les patineurs sur glace lors
d'une rencontre en nocturne.
Ils se déplacent le plus souvent
accompagnés de quatre ombres
qui forment une sorte de croix.
Elles sont produites par
les projecteurs placés aux quatre
coins du stade. Dans une pièce
éclairée par plusieurs lampes,
tu retrouveras, pour un même
objet, autant d'ombres
que de sources de lumière.

De la lumière…
mais pas d'ombre !

Le chirurgien, pour exécuter
le travail minutieux qui est le sien,
a besoin d'un éclairage régulier
sur toute la zone d'intervention.
Pour cela, il opère sous une lampe
inventée à cette intention:
le Scialytique. Elle est constituée
de plusieurs lampes et de miroirs
qui réalisent une source
de lumière puissante et très large.
Il n'y a plus d'ombres, mais
seulement une légère pénombre.

AU BORD DE L'OMBRE

Il te faut :
- une cuillère à soupe,
- une feuille de papier format cahier.

Observe l'ombre de la cuillère
sur le papier (placé à 10 ou
15 cm de la cuillère) en utilisant
diverses sources de lumière.
Avec le soleil, le bord est net.
Avec la lampe à abat-jour
qui éclaire le séjour, le contour
est flou. On distingue trois
zones : le cœur de l'ombre,
très obscur, l'extérieur de l'ombre,
éclairé, et, entre les deux,
une zone intermédiaire aux
contours flous, la pénombre.
La pénombre est d'autant plus
importante que la source
de lumière est étendue et proche :
chaque point de la source crée
une ombre dans une direction
un peu différente des autres.
Tout se passe comme si,

dans un seul coin du terrain
de football, il y avait des milliers
de projecteurs. Le cœur de l'ombre
est la zone où toutes les ombres
se superposent.
Recommence l'expérience
en te rapprochant de la source
de lumière : la zone de pénombre
devient de plus en plus
importante. Vue de la cuillère,
la source s'élargit.

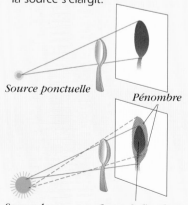

Source ponctuelle

Pénombre

Source large

Cœur de l'ombre

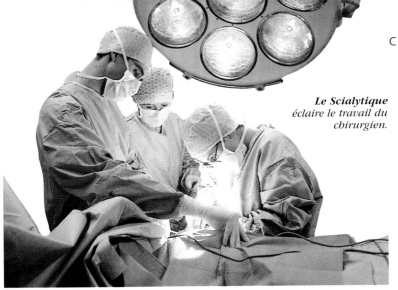

Le Scialytique *éclaire le travail du* *chirurgien.*

Ombres sur la Lune

Sans quitter la Terre, les astronomes ont déterminé la hauteur des montagnes de la Lune en observant la longueur de leurs ombres. Beaucoup plus tard, des astronautes ont foulé le sol lunaire et ont pris des photos : les scientifiques ont pu calculer la dimension des rochers ou des cailloux en appliquant la même méthode.

Observe ce qui se passe dans une pièce dont le plafond blanc est vivement éclairé (par exemple par un lampadaire à halogène). Le plafond devient alors la source de lumière, une source de très grande surface. Elle ne crée pas d'ombres : tu peux le vérifier avec la cuillère.

L'éclairage confortable

Ce n'est pas seulement une question d'intensité lumineuse. Pour que la vue ne se fatigue pas, il faut éviter les contrastes violents entre ombre et lumière. La bonne solution consiste à combiner un éclairage d'ambiance qui ne crée que peu d'ombre (c'est le rôle du lampadaire) et un éclairage rapproché de la zone de travail, réalisé avec une source assez large : une ampoule non pas nue, mais placée dans un diffuseur ou entourée d'un abat-jour.

Les théâtres d'ombres

De nombreux pays présentent diverses formes de théâtres d'ombres. Un manipulateur fait glisser des figurines découpées dans du carton ou du cuir derrière un écran translucide. On ne le voit pas, parce qu'il est assez loin de l'écran et que son ombre n'est... qu'une légère pénombre. De même, les personnages qu'il manie

ne deviennent visibles que lorsqu'ils sont plaqués contre l'écran. Tu peux vérifier tout cela avec la cuillère, à qui tu feras jouer tantôt le rôle de la figurine, tantôt celui du manipulateur.

MESURE LA HAUTEUR D'UN ARBRE EN UTILISANT SON OMBRE

La lumière se propage en ligne droite de la source au bord de l'ombre en effleurant le contour des objets. Ceci te permet de mesurer, par exemple, la hauteur d'un arbre de forme pointue en terrain plat, un jour de soleil. La hauteur H de l'arbre est égale à la longueur L de son ombre, multipliée par ta taille h et divisée par la longueur l de ton ombre (utilise les mêmes unités, des mètres par exemple) : $h/l = H/L$ ou $H = L(h/l)$.

La paix
entre voisins

La télévision du voisin me perturbe, les cris de son bébé me réveillent. Mais j'aime l'air de guitare qui pénètre par la fenêtre et je sors de mon lit quand j'entends les bols s'entrechoquer dans la cuisine... Les bruits me relient à la vie qui m'entoure.

Mes oreilles recueillent toutes sortes d'informations sonores que mes yeux ignorent parce qu'elles proviennent de sources lointaines ou masquées, ou parce que je dors. Beaucoup sont des signaux d'alerte : la sonnerie du téléphone me fait me lever, un sifflement dans la rue m'appelle à la fenêtre, le crissement des freins derrière moi me jette sur le côté.

Le ronflement de la circulation dans la rue ou les vibrations de la machinerie d'ascenseur perturbent ma lecture, parasitent la musique que j'écoute... Ils me fatiguent, m'empêchent de me concentrer et me gênent pour comprendre ce que l'on me dit.
Je désire me protéger de ces bruits plus commodément qu'en me bouchant les oreilles.

LE BRUIT DANS LA VILLE

Suivant leur largeur et la hauteur des bâtiments qui les bordent, les rues amplifient plus ou moins les sons. À trafic routier égal, une rue large est moins bruyante qu'une rue étroite.

Immeubles bas, rue large

Immeubles deux fois plus hauts : les habitants perçoivent le bruit plus fort de 3 dB (décibels).

Immeubles bas mais rue deux fois plus étroite : le bruit gagne 5 dB.

Immeubles deux fois plus hauts, rue deux fois plus étroite : le bruit augmente de 8 dB.

LA FOURCHETTE-CARILLON

Il te faut :
- une fourchette en acier ou en métal argenté,
- 60 cm de ficelle fine.

● Attache le manche au milieu de la ficelle. Attrape les extrémités de celle-ci et appuie-les du bout des index à l'intérieur de tes conduits auditifs. Laisse la fourchette se balancer librement tout en la faisant heurter doucement le bord de la table. Entends-tu cette musique céleste ?

● Les vibrations des dents de la fourchette sont transmises bien plus efficacement par la ficelle (un matériau solide) que par l'air (un matériau gazeux), moins conducteur. C'est une chose à savoir si tu veux te préserver efficacement du bruit ou ne pas gêner tes voisins.

La chasse au bruit

Isoler un logement consiste à repérer les sources de bruit, à connaître le cheminement des sons (par voie solide : sols, cloisons, tuyauteries, ou par voie aérienne : fenêtres, fentes…) et à agir en conséquence.

Rien de plus pénible que le chuintement de l'eau dans les canalisations. Dans l'appartement, toute la tuyauterie est fixée au mur par des "colliers amortisseurs".

Collier amortisseur

Tuyau

Pour éviter que le lave-linge ne fasse vibrer le sol, le plombier l'a posé sur des patins antivibratoires.

Les éclats de voix de nos voisins traversent la cloison. On a posé une double cloison : du Placoplâtre, un matelas de laine de verre, des fixations élastiques au plafond et au sol. Le résultat est assez efficace.

La porte de ma chambre fermée, j'entends ronfler mon grand frère. Il y a bien 5 mm de jour entre la porte et le sol : pour y remédier, je place un boudin de tissu de ma fabrication : ça marche !

Mes voisins du dessous se sont plaints d'entendre tous mes pas, et même la chute d'un crayon. On a posé une moquette, plus douce à mes pieds, et assez efficace pour amortir les chocs générateurs de bruits.

Le bruit de la circulation est abominable le jour et simplement insupportable la nuit ! Dans tout l'immeuble, les fenêtres ont été remplacées : double vitrage lourd (5 ou 6 mm) et joints souples de caoutchouc. Maintenant, mes nuits sont plus douces…

Placoplâtre

Joint souple

Mur

Matériau absorbant (laine de verre)

Dans le salon, le sol est une "dalle flottante" : sous le parquet, une couche faite d'un feutre amortisseur remonte le long des cloisons pour éviter la transmission des sons.

Dalle flottante

Matériau amortisseur

Sol

Le coffre du volet roulant laissait passer tous les bruits de la rue. Nous avons profité d'une réparation pour le recouvrir d'un matériau absorbant (laine de verre…).

Matériau absorbant

Intérieur

Extérieur

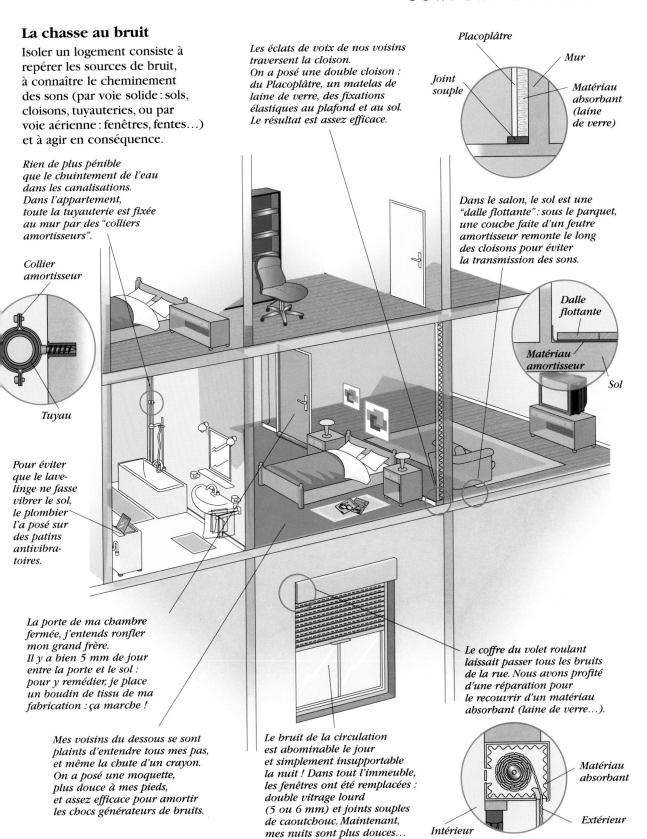

155

Passe donc un pull !

*Voici la saison froide.
Dehors il gèle.
Assis dos à la fenêtre, tu sens
nettement un courant d'air glacé
descendre sur tes épaules,
et tu frissonnes. Mais tu ouvres le robinet
du radiateur situé sous la fenêtre et voilà
qu'une couche d'air tiédi s'élève devant elle.
Ce mouvement de l'air qui réchauffe
bientôt toute la pièce est un phénomène
appelé convection.*

LE DÉTECTEUR DE CONVECTION

Il te faut :
- une fine feuille de papier,
- un crayon, de la pâte à modeler.

• Dessine par transparence une hélice en suivant le modèle ci-contre.
• Découpe-la. Plie-la légèrement en suivant les pointillés.
• Pose l'hélice sur la pointe d'un crayon (bille ou mine de plomb), sans percer le papier. La simple chaleur de ta main suffit à créer un courant de convection et à la faire tourner.

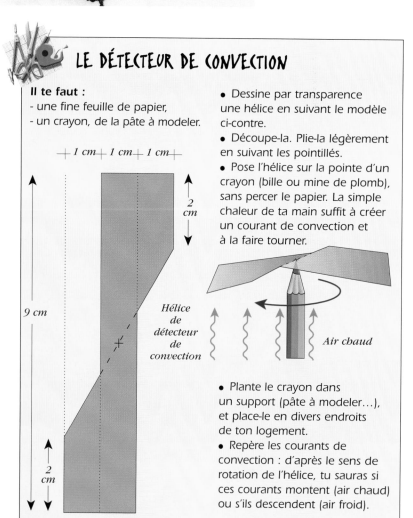

1 cm — 1 cm — 1 cm

2 cm

9 cm

2 cm

Hélice de détecteur de convection

Air chaud

• Plante le crayon dans un support (pâte à modeler...), et place-le en divers endroits de ton logement.
• Repère les courants de convection : d'après le sens de rotation de l'hélice, tu sauras si ces courants montent (air chaud) ou s'ils descendent (air froid).

L'air qui entoure le radiateur s'échauffe, se dilate, s'allège, monte vers le plafond et remplace l'air froid. Tu peux mettre en évidence la circulation qui en résulte en réalisant un détecteur de convection.

Le pull et la fourrure

L'air réchauffé par conduction au contact de ta peau nue s'élève rapidement dans la pièce. Il est remplacé par de l'air froid et... les frissons ne tardent pas. Tu enfiles un pull et le confort revient. Les vêtements paraissent chauds parce qu'ils maintiennent une couche d'air isolante au voisinage du corps. Ils n'apportent pas de chaleur par eux-mêmes. Le pull de laine est plus efficient que le sweat de coton parce que ses fibres enchevêtrées emprisonnent plus efficacement de très nombreuses bulles d'air. De même, la fourrure qui enveloppe certains animaux retient une couche d'air. Son efficacité se modifie au cours des saisons selon que cette fourrure s'épaissit ou s'éclaircit.

Et si on améliorait l'isolation ?

Beaucoup de fenêtres sont équipées de doubles vitrages : deux vitres de 3 ou 4 mm d'épaisseur, distantes de 10 mm.

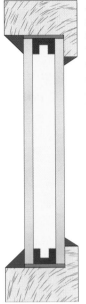

Au pouvoir isolant des vitres s'ajoute celui, très important, de la couche d'air qu'elles emprisonnent. Le double vitrage agit à la manière des vêtements. De même, les toits sont doublés (sous les tuiles, les ardoises, etc.) de matelas de laine de verre ou d'autres matériaux qui retiennent une couche d'air isolant.

Double vitrage

Conduction et convection

Les particules, atomes ou molécules, dont tout corps est composé, sont agitées en permanence d'un mouvement désordonné d'autant plus important que la température de ce corps est élevée. Lors de la **conduction**, la zone la plus chaude (celle où l'agitation est la plus grande) transmet son agitation à sa voisine, plus froide, et ainsi de proche en proche (et de plus en plus faiblement) jusqu'aux zones les plus éloignées.

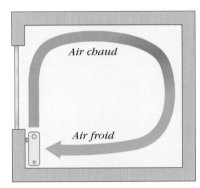

Air chaud

Air froid

Convection *dans une pièce équipée d'un radiateur*

Un objet chauffé en un point s'échauffe peu à peu dans toute sa masse. Il n'y a pas transport de matière. La conduction peut s'établir de la même manière entre deux objets en contact. Lors de la **convection**, c'est la matière chaude (l'air, par exemple) qui se transporte plus loin pour être remplacée par de la matière froide.

Ces deux mécanismes de propagation de la chaleur sont souvent présents simultanément : l'air s'échauffe par conduction au contact du radiateur, puis répand cette chaleur dans la pièce par convection.

Jours de canicule

C'est l'été. La météo annonce un ciel bleu pour ce jour qui commence. Il va faire encore très chaud dehors et tu voudrais bien maintenir un peu de fraîcheur dans l'appartement. En l'absence de climatiseur, comment tirer le meilleur parti des fenêtres, des volets, des stores et des rideaux?

Si tu te contentes de laisser les fenêtres fermées, le soleil entrera à flots dans l'appartement, et la température s'élèvera. Tirer les doubles rideaux? Les pièces s'assombriront, le soleil ne pénétrera plus jusqu'au fond. Et pourtant, la température montera exactement comme auparavant. Il vaudrait mieux arrêter les rayons du soleil avant qu'ils n'aient traversé les vitres. Ferme les volets, abaisse les stores roulants. Le soir, il ne fera peut-être pas frais dans l'appartement, mais tu constateras que la situation s'est nettement améliorée.

Effet de serre

En laissant les rayons du soleil entrer par les fenêtres fermées, tu réalises un chauffage très efficace par effet de serre.

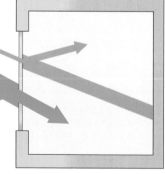

■ *Lumière visible*
■ *Lumière infrarouge*

Les vitres de verre sont transparentes au rayonnement visible du soleil qui les traverse sans peine. Tout ce qui se trouve de l'autre côté s'échauffe. À leur tour, murs, meubles et rideaux rayonnent, mais d'une lumière invisible, infrarouge*, que le verre ne laisse pas passer. L'énergie solaire est ainsi piégée par tout ce qui se trouve dans l'appartement.

La conduction

Ferme les volets, mais garde aussi la fenêtre fermée! Stores et volets s'échauffent au soleil. À leur contact, par conduction (*voir p. 154-155*), l'air qui les entoure s'échauffe à son tour. Si la fenêtre est ouverte, il va pénétrer dans la pièce. Pour que cet air chaud puisse circuler et s'échapper (il ne faut pas qu'il reste au contact des vitres), entrouvre alors légèrement les volets.

Tout rayonne autour de nous

Tout corps, quelle que soit la matière dont il est fait, rayonne de l'énergie, et ce d'autant plus que sa température est élevée. Tu t'en rendras compte en observant une tige de fer mise au feu. À moins de 500 °C, elle émet des infrarouges (d'où cette sensation de chaleur sur ta main placée à distance) ; plus chaude, elle commence à rayonner de la lumière rouge visible ; sa température continuant de croître, la tige devient jaune, puis blanche. Le rayonnement du soleil, dont la température de surface est de 5 700 °C, s'étend de l'infrarouge à l'ultraviolet*, avec un maximum d'énergie émise en lumière visible. Le corps humain, et tous les objets froids ou tièdes qui nous entourent, émettent dans l'infrarouge.

NOIR OU BRILLANT ?

Il te faut :
- trois gobelets identiques (en plastique, en verre ou en carton),
- du papier noir,
- du papier d'aluminium,
- un thermomètre,
- du carton.

● Remplis à moitié les trois gobelets avec de l'eau.
● Entoure soigneusement l'un de papier noir, l'autre de papier d'aluminium et laisse le troisième tel quel. Couvre-les d'un morceau de carton pour limiter l'évaporation, et expose-les en plein soleil.

● Note leur température toutes les 15 mn. Prends soin à chaque mesure de remuer l'eau pendant quelques secondes avec le thermomètre de façon à bien mélanger les zones chaudes et froides.
● Tu constateras, en comparant avec le verre neutre, que le papier noir facilite l'échauffement (il absorbe le rayonnement) alors que l'aluminium le ralentit (il réfléchit le rayonnement). L'échauffement des objets par absorption du rayonnement solaire s'effectue plus ou moins bien suivant la nature de leur surface.

LE SAVAIS-TU ?

Devant la cheminée
Grillés par devant, glacés dans le dos… telle est l'impression que ressentaient nos ancêtres installés devant l'âtre de la cheminée, si aucune autre source de chaleur ne venait tempérer l'air de la pièce. Les braises émettent un rayonnement parfaitement sensible, mais qui ne s'exerce, comme les rayons du soleil, que sur ce qui leur fait face. Cependant, le feu permettait en même temps de faire chauffer la marmite…

Couverture de survie
Les randonneurs emportent souvent une couverture de survie en haute montagne. Peu encombrante, c'est une très mince feuille de plastique métallisé. En cas de bivouac en altitude, ou en attendant les secours à la suite d'un accident, ils s'enveloppent de cette feuille. Celle-ci forme une sorte de capsule qui ralentit leur refroidissement, en réfléchissant vers l'intérieur le rayonnement de leur corps.

À l'abri dans mes habits

Si douces, souples et légères à porter, nos parures quotidiennes se feraient presque oublier. De l'équipement sportif à la tenue de soirée, le confort passe aussi par la mise en valeur de la silhouette. La technicité du vêtement augmente chaque jour dans un marché en perpétuelle recherche de nouveautés.

La tenue de soirée

Le vêtement d'apparat
Sa couleur chatoyante et sa matière soyeuse lui donnent noblesse et tenue. Son aspect "impeccable" est lié à l'organisation du textile.
Les fils croisés par tissage assurent régularité et solidité à l'étoffe.
Aujourd'hui, la surface des tissus délicats peut être recouverte d'une pellicule synthétique apportant une meilleure résistance aux taches grasses et à la salissure.

La robe
Bien ajustée au corps, elle combine confort des mouvements et douceur au toucher. Sa grande souplesse est obtenue grâce au tricot : les fils sont parallèles et forment des boucles enchevêtrées. Le tricot est ainsi très déformable dans le sens de la largeur. Des fibres élastiques mélangées au coton, à la laine ou à la fibre synthétique en augmentent la plasticité. La mise au point en 1984 de ces textiles stretch aux qualités durables a largement conquis le prêt-à-porter féminin.

Les collants
Ils habillent délicatement les jambes et les mettent en valeur. Ce tricot de matières synthétiques (Nylon) ou de soie permet une adaptation parfaite au galbe des jambes. Après les bas de soie que l'on reprisait à la main, les collants d'aujourd'hui sont devenus plus résistants grâce au compromis réalisé entre la finesse de la maille et la solidité du tricot. Dernière avancée technologique : des collants dont la fibre porte des microcapsules diffusant des produits cosmétiques (crèmes hydratantes…).

LE SAVAIS-TU ?

L'ère du prêt-à-porter
Jusqu'à la fin du XVIIIe siècle, les vêtements étaient confectionnés sur mesure. Les premières chemises d'homme fabriquées à la main en grand nombre furent produites en Westphalie (Allemagne). On ne proposait alors que deux tailles : une petite et une grande !

La tenue du sportif

La combinaison

Elle assure une complète liberté de mouvement tout en contribuant au maintien de la température corporelle par évacuation de la transpiration. L'humidité est diffusée en surface pour un séchage rapide. Le cuissard est renforcé par une triple épaisseur de mousse pour amortir les chocs. Il peut être traité par un produit antibactérien. Parfois, le haut des cuisses est couvert d'un tissu coupe-vent : sa structure microporeuse casse la force du vent et l'empêche de pénétrer.

Des bandes réfléchissantes renforcent la visibilité du cycliste : mesure de sécurité lorsqu'il roule de nuit sur la route ou qu'il traverse des zones sombres, comme une forêt.

Le casque de vélo

À l'intérieur du casque en plastique, un tricot épais de mailles rigidifiées en trois dimensions assure une grande aération de la tête tout en garantissant un bon maintien de la coque protectrice.

Les chaussures

Le cuir a l'avantage d'être robuste, mais il peut être remplacé par des toiles tissées très solides, ce qui confère aux chaussures une grande résistance dans le temps. La maille aérée permet une ventilation maximale. Les brides auto-agrippantes assurent la bonne tenue du pied et la semelle rigide est vissée aux pédales pour une efficacité optimale.

Les gants

La doublure est en matière synthétique non tissée : les fibres sont comprimées et forment une masse inextricable qui tient chaud. La couche de surface assure un minimum de déperdition de chaleur et peut protéger de la pluie quand les pores sont 1 000 à 20 000 fois plus petits qu'une goutte d'eau. Pour éviter les blessures, le gant est parfois renforcé de Kevlar ou de fibres de carbone.

LE SAVAIS-TU ?

Rayé !

La rayure est longtemps restée en Occident une marque d'exclusion ou de transgression. Le Moyen Âge voyait dans les tissus rayés des étoffes diaboliques. Et la société a continué d'en faire l'attribut vestimentaire des esclaves, des domestiques, des bagnards ou… des matelots.

Un pantalon venu de l'Ouest

Légende ou réalité ? On dit que le jean est né en 1853, année de la grande ruée vers l'or aux États-Unis. Deux hommes se rencontrent. L'un est un chercheur d'or anonyme. Il est en quête d'un pantalon capable de résister aux durs traitements qu'exige le métier. L'autre s'appelle Levi Strauss.

Ce colporteur d'origine allemande vient de débarquer à San Francisco. Dans ses caisses, il n'a que de la toile de tente brune. Après transformation, elle fait si bien l'affaire que la demande se développe. Quelques années plus tard, Levi Strauss remplace cette toile par du denim (un sergé de coton venu de Nîmes, en France) teint en bleu. En 1870, Jacob Davis ajoute des rivets de cuivre pour renforcer les poches. Enfin viendront les braguettes à boutons, les poches arrière, les passants de ceinture et les surpiqûres orange. D'abord utilisé comme vêtement de travail, le blue-jean (l'appellation date des années 1920) va s'imposer dans le monde entier et se porter en toutes circonstances et en tout lieu, y compris dans les salons. Un siècle et demi après sa naissance, ce vieillard se porte toujours bien.

13 minutes pour un jean

La fabrication d'un jean 501 (apparu pour la première fois en 1873) est rationalisée de manière extrêmement efficace. C'est un produit strictement défini, qui réclame des modes de fabrication industriels : distribution rigoureuse des tâches, ordre absolu dans leur succession, approvisionnement sans faille des postes de travail, contrôle sévère du produit aux différents stades de fabrication. La fabrication est répartie en trente-huit opérations. Elles sont brèves, puisqu'il faut 13 mn pour assembler un 501 à partir des dix pièces qui le composent. Mais elles s'échelonnent sur plusieurs jours.

❶ Le "matelasseur" déroule l'énorme rouleau de tissu sur une table de découpe en 60 couches soigneusement superposées.

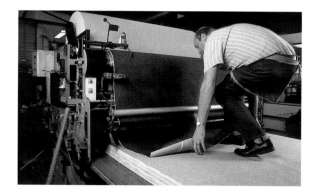

❷ Le patron est déposé sur le matelas. Il a été dessiné par un ordinateur qui a réparti les pièces de manière à perdre le moins de tissu possible et à simplifier la coupe.

❸ Armé d'une scie sauteuse, le coupeur taille des lots de 60 pièces parfaitement identiques.

4 Les morceaux sont répartis aux différents postes de travail à un rythme qui ne laisse jamais une ouvrière en panne de matériau.

6 Il faut une fraction de seconde pour poser chacun des six rivets (aux armes de Levi Strauss) qui viennent renforcer les "coins" des poches.

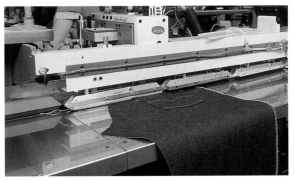

5 La couture s'effectue sur des machines spécialement conçues pour ce genre d'ouvrage.

7 Les poches arrière du pantalon portent une sorte de broderie à deux fils orange, piquée en une seule opération par une ouvrière à la main sûre.

À CHACUN SON JEAN

Jusqu'en 1959, seuls les particuliers s'intéressaient au délavage de leur jean qui permettait de le personnifier. Chacun avait sa recette. Puis les industriels ont fabriqué du délavé selon diverses techniques, jusqu'à l'invention du prélavage en tambour grâce à des morceaux de pierre ponce : le *stone-washed* était né. Mais les utilisateurs de cet étonnant vêtement ne se sont pas arrêtés là : ils l'ont déstructuré, surbrodé, lacéré, moulé à la stricte forme de leur corps en le portant pendant qu'il séchait, etc.

8 L'étiquette (les initiés disent le "patch") porte la signature Levi Strauss et les indications permettant au client de faire son choix : taille et longueur de jambes.

9 Avant d'être soigneusement pliés, les 501 passent entre les mains des "repasseurs". Coup de fer sur les coutures intérieures, retournement, coup de fer sur l'extérieur.

La salle d'eau

On ne s'intéresse en général à la plomberie que lorsque survient une fuite d'eau. La moindre interruption d'alimentation prend alors des allures de catastrophe. Les tuyaux dans lesquels l'eau circule, chaude ou froide, constituent un réseau à l'anatomie singulière.

Le système de plomberie

À partir de la canalisation principale sur laquelle est installé le compteur, l'eau est acheminée jusqu'aux différents appareils sanitaires à travers les tuyauteries. Faits de plomb (d'où le mot "plomberie") jusque dans les années 1950, les tuyaux sont aujourd'hui en cuivre ou en matières plastiques,

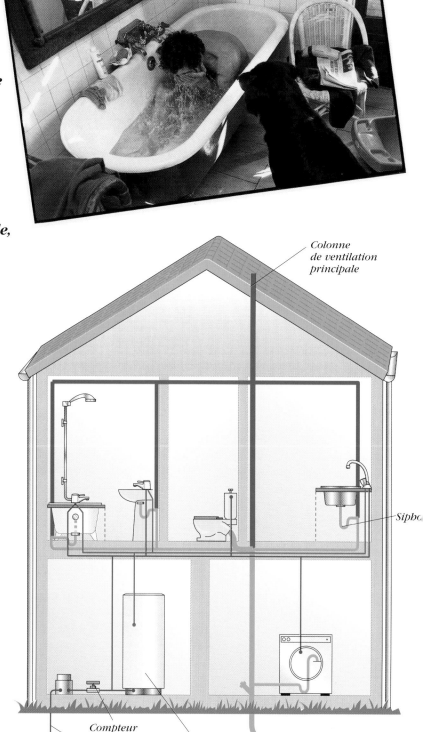

Colonne de ventilation principale

Siph[o]

Compteur

Canalisation de branchement

Chauffe-eau

Collecteur principal

DÉMONTE ET RÉPARE UN ROBINET À CLAPET

Il te faut :
- un tournevis,
- une clé à molette,
- un joint de robinet.

Coupe l'arrivée d'eau générale de l'installation.

● Enlève le bouchon d'identification (bleu ou rouge) du robinet avec un tournevis. Dévisse la vis de maintien de la poignée. Dégage la poignée en tirant vers le haut. Avec une clé à molette, desserre la tête du robinet. Dévisse-la.

● Repère le joint de clapet. C'est une rondelle en caoutchouc qui se détériore quand les robinets sont maniés avec brutalité ou quand ils restent longtemps inutilisés. Il est facile à remplacer par un joint identique. Remets en place la tête après avoir changé le joint de fibre qui assure l'étanchéité avec le corps du robinet. Revisse la poignée.

● Dévisse le mousseur à la sortie du robinet : c'est un petit tamis métallique qui oriente le jet d'eau. Une eau très calcaire peut l'encrasser : nettoie-le dans un verre de vinaigre et remets-le en place.

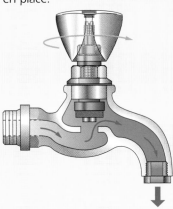

L'adoucisseur d'eau

Il remplace le calcium et le magnésium de l'eau par du sodium. L'eau pénètre dans une colonne de billes de résine sur lesquelles sont fixés des ions sodium. Le calcium et le magnésium de l'eau "dure" prennent la place du sodium. L'eau ainsi modifiée est plus douce, dépose moins de calcaire dans les canalisations et rend l'action des savons et des détergents plus efficace.

polychlorure de vinyle (PVC) ou polyéthylène. Le réseau comporte plusieurs types de tuyaux : pour l'eau froide (en bleu), pour l'eau chaude (en rouge), pour l'évacuation des eaux usées (en orange) et pour assurer l'aération des raccords aux égouts (en vert).

Le chauffe-eau

L'eau froide remplit le réservoir du chauffe-eau électrique par le bas. Elle est chauffée par des résistances électriques baignant dans le réservoir et protégées par un isolant. L'eau chaude, plus légère, remonte dans le ballon et sort sous l'effet de la pression d'eau froide entrant. Dans un chauffe-eau à gaz, l'eau froide circule dans des serpentins métalliques chauffés par des brûleurs à gaz placés au-dessous.

Le siphon

Il permet l'évacuation des eaux usées et empêche le retour des mauvaises odeurs : sa forme est étudiée pour conserver une certaine quantité d'eau qui joue le rôle de barrière aux remontées d'air vicié.

La chasse d'eau

Elle élimine les matières contenues dans les toilettes grâce à un important écoulement d'eau. Quand le réservoir d'eau est plein, le flotteur est en position haute et sa tige ferme l'arrivée d'eau. Quand tu actionnes la chasse, le clapet d'évacuation se soulève et l'eau s'écoule brutalement. Le flotteur descend, sa tige s'incline et ouvre le robinet d'eau. Celui-ci reste ouvert tant que le flotteur n'a pas retrouvé sa position initiale.

Savons et détergents

*Une tache sur mon T-shirt propre : vite, de l'eau !
Je frotte, et si cela ne suffit pas, il faudra du savon et, en dernier recours, un produit "miracle" : le détergent.
Mais au fait, pourquoi l'eau seule n'est-elle pas efficace ?
Comment agissent le savon et la lessive ?*

LA PEAU DE L'EAU

Il te faut :
- deux verres d'eau,
- un mouchoir en papier,
- une épingle,
- deux flacons à épices,
- un peu d'huile,
- de la lessive liquide,
- de l'eau distillée ou de l'eau de pluie.

● Remplis un verre d'eau et découpe un petit morceau de mouchoir en papier. Places-y l'épingle et dépose l'ensemble délicatement sur l'eau.

L'épingle flotte tandis que le papier s'imbibe d'eau et coule. Pourtant, la densité (*voir p. 252-253*) de l'aluminium est de 2,7. C'est grâce à la tension de surface (les forces unissant entre elles les molécules d'eau) que l'épingle ne coule pas. De même, tu peux remarquer que les araignées d'eau marchent sur l'eau en prenant appui grâce à des poils sur leurs pattes, qui sont autant de points de contact avec la pellicule d'eau.

Les actions des détergents
● Ajoute quelques gouttes de lessive liquide dans le même verre sans faire de vagues.

L'épingle va couler rapidement, car le détergent a désorganisé la couche de surface en se plaçant entre les molécules d'eau. La tension de surface diminue, l'épingle n'est plus soutenue. Toute sa surface entre en contact avec l'eau : le mouillage est alors intégral.
La molécule de détergent est composée de deux parties : la tête est hydrophile (elle attire l'eau) et la queue est hydrophobe (elle repousse l'eau).
Dans cette expérience, la tête s'est placée entre les molécules d'eau et a brisé leurs interactions.

Une molécule de détergent interagissant avec deux molécules d'eau

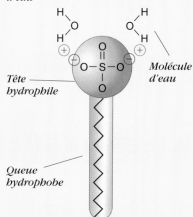

Tête hydrophile

Molécule d'eau

Queue hydrophobe

● Dans un autre verre d'eau, ajoute une goutte d'huile. Elle flotte. Ajoute ensuite un peu de détergent et agite le mélange. Tu remarqueras que l'huile reste en suspension sous forme de minuscules goutelettes.

Les lavandières d'autrefois ne nettoyaient le linge qu'à l'eau, en battant et en frottant les tissus. Cette technique mécanique permettait de forcer le passage de l'eau entre les fibres et de détacher en partie la salissure accrochée. Mais les taches de gras partaient difficilement et ce traitement violent usait prématurément les tissus.

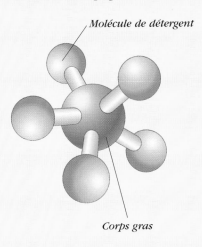

Les détachants

L'eau de Javel, l'eau oxygénée et les autres détachants n'ont pas du tout la même action que les détergents qui dissolvent les salissures dans l'eau. Les détachants décomposent les taches par une réaction chimique d'oxygénation*. La saleté est découpée en molécules simples incolores. Un tel traitement est, par ailleurs, agressif pour les fibres du tissu, alors attention à ne pas faire de trou...

Le détergent a capturé le corps gras sans le détruire. Ainsi, lors d'une lessive, les taches de graisse se détachent des tissus et restent dans l'eau de lessive qui sera évacuée en plusieurs rinçages. La goutte d'huile est maintenue par les queues hydrophobes du détergent, tandis que l'extérieur du globule est hydrophile. Les têtes extérieures du globule et les molécules de détergent restées dans le tissu sont chargées négativement : elles se repoussent donc, et la saleté ne se redépose pas sur le tissu.

● Remplis à demi les deux flacons à épices, l'un avec de l'eau distillée ou de l'eau de pluie, et l'autre avec de l'eau du robinet ou de l'eau minérale. Ajoute un peu de détergent dans chacun des flacons et agite pour faire de la mousse.

Globule de détergent entourant un corps gras

Molécule de détergent

Corps gras

L'eau qui mousse le plus est celle qui contient le moins d'éléments minéraux comme le calcium et le magnésium. Elle est moins "dure" que l'autre. Plus une eau est "dure", plus le mouillage est difficile. Les détergents contiennent donc des produits (les phosphates) qui capturent ces minéraux. Autrefois, on utilisait de la cendre comme lessive, car elle contient des phosphates. Aujourd'hui, les lessives se composent également de stabilisateurs de mousses, de produits azurants contre le jaunissement, et de parfums.

La pierre à savon

Cette argile, provenant de l'île de Milo en Grèce, était commercialisée pour dégraisser les tissus. Délayée dans l'eau, elle moussait comme du savon. Certaines plantes, comme les racines de saponaire d'Orient ou les bulbes d'arum, ont le même pouvoir.

Pour se sentir bien

À peine réveillé le matin, ou le soir avant de dormir, passage obligé dans la salle de bains : nettoyer, protéger, embellir son visage et ses cheveux chaque jour pour se sentir bien… Ces gestes quotidiens sont rendus plus agréables par des produits cosmétiques toujours plus performants.

Il est loin le temps des fards à base de… graisse de mouton plus ou moins parfumée qu'utilisaient nos aïeux. Soigner son aspect est resté un art qui s'appuie aujourd'hui sur une science : la cosmétologie. Qu'ils soient d'origine minérale, végétale ou animale, ou mixte, les produits ne sont plus lancés sur le marché sans que l'on sache précisément quelle action ils auront sur la peau, les ongles, les cheveux, leur facilité d'emploi, leur efficacité et leur nocivité éventuelle.

Shampooing

Avoir les cheveux collés sur la tête par cette pellicule grasse qui les protège pourtant des agressions extérieures est insupportable. Alors, comment faire pour enlever cette couche protectrice sans que le cheveu devienne cassant et électrique ? Les shampooings ne contiennent pas que des agents lavants. Ils "gainent" le cheveu en déposant un film protecteur qui le renforce et le fait briller. Pour éviter l'électricité statique, on y ajoute des agents qui captent les charges électriques et le calcaire de l'eau.

Crème hydratante

Faut-il nourrir sa peau comme on nourrit le cuir de ses chaussures ? Pas tout à fait… Il s'agit d'étendre sur la peau une fine couche de crème contenant des corps gras en suspension dans l'eau, qui la protégera du froid, du soleil, du vent et de la pollution, avec, parfois, des produits de soin destinés à pénétrer à l'intérieur de l'épiderme. Comme la peau est imperméable à l'eau, ces produits doivent être enfermés et véhiculés par des capsules grasses qui la traversent facilement, les liposomes.

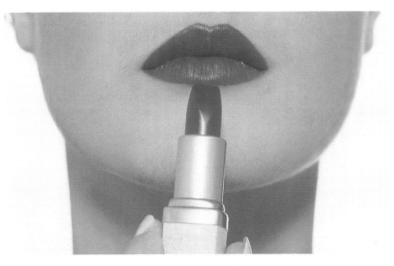

Rouge à lèvres

Pour renforcer la couleur naturelle des lèvres, les redessiner en modifiant leur tracé et leur volume, peut-on utiliser n'importe quel colorant ? Leur peau est très fragile et se dessèche rapidement. Les rouges à lèvres protègent les lèvres grâce à des corps gras onctueux. Leur couleur est obtenue par un mélange de pigments minéraux (en particulier des oxydes de fer), et ce sont des cires qui leur donnent leur dureté, leur brillant et leur effet "longue tenue".

LE SAVAIS-TU ?

Le maquillage, une histoire ancienne

Dès la préhistoire, les femmes appliquaient du rouge sur leur visage. En Égypte, hommes et femmes se coloraient les lèvres avec de l'ocre rouge, dessinaient leurs yeux avec de l'antimoine noir et déposaient de la malachite verte sur leurs paupières. Des poudres blanches couvrant le visage furent largement utilisées en Chine et à la cour des rois en Europe.

TESTER LE PRODUIT

Les laboratoires de recherche en cosmétologie regorgent d'appareils capables de mesurer telle ou telle propriété physique ou chimique d'un produit. Mais ils ne savent pas répondre à une question apparemment aussi simple que : « Cette crème est-elle douce, souple, onctueuse ? » De telles qualités s'apprécient à travers un système de perception où sont sollicités l'odorat, la vue, le contact avec la peau… Une seule solution : demander la réponse à un groupe d'utilisatrices entraînées à évaluer leurs sensations. De ces mesures individuelles, un statisticien déduit un **profil du produit** qui permet au concepteur d'apprécier la différence entre ce qu'il cherche à créer et la réalité.

Gel ou mousse de rasage ?

La mousse est formée de bulles de gaz séparées par de minces lames de liquide. Le gel, à base d'algues ou d'argiles, constitue un maillage qui emprisonne les liquides. Ces deux produits s'étalent différemment sur la peau, mais tous deux déposent un film protecteur qui la lubrifie et limite l'agression de la lame de rasoir. Ils mouillent aussi les poils et les assouplissent en supprimant le film de sébum* qui les entoure.

Parfums

Reconnaître un parfum ?
Pas facile. Identifier les
essences d'une eau de toilette ?
Encore faudrait-il les avoir
déjà respirées ailleurs :
dans l'assiette pour les odeurs
sucrées, fruitées ou épicées ;
dans la nature pour les senteurs
vertes, boisées ou fleuries.

L'eau de Cologne

Ce grand classique de
la parfumerie (dont l'origine
se situe à Cologne en Allemagne)
procure fraîcheur et bien-être.
Respire un flacon d'eau
de Cologne et essaie de deviner
les senteurs qui composent
ce parfum. Compare plusieurs
eaux de Cologne différentes et
tente d'en discerner les nuances.
Qu'est-ce qui donne cette
sensation de fraîcheur ? Sens-tu
du citron, de la menthe ?
L'effet fraîcheur sur la peau
est dû aux 95 % d'alcool que
contient l'eau de Cologne.
En s'évaporant, l'alcool rafraîchit
le corps en emportant
un peu de sa chaleur.
Toute eau de Cologne, quelle
que soit sa marque, contient
de l'alcool additionné d'**huiles
essentielles** de citron,
de lavande et de bergamote.
C'est l'association des agrumes
et de la lavande qui procure
cette note caractéristique.
Elle est complétée par des extraits
de fleur d'oranger, de romarin,
de clou de girofle et autres.

Question de concentration

Quelle différence existe-t-il entre
une eau de toilette, une eau
de parfum et un parfum ?
La teneur en huiles essentielles

odorantes est plus
élevée dans le parfum
(30 %). Puis viennent l'eau de
parfum (20 %) et l'eau de toilette
(10 %). Ceci explique que
les parfums soient bien
plus coûteux que
les eaux de toilette.
En revanche, ils s'évaporent
moins sur la peau et leur effet
dure donc plus longtemps.

Extraire une odeur

On extrait généralement les huiles
essentielles par distillation*
de matières premières brutes
(feuilles de menthe, fleurs de
lavande, pétales de rose, grains
de poivre, etc.). En fait, elles ne
contiennent pas d'huile ;
les premiers chimistes les ont
appelées ainsi parce qu'elles
sont solubles* dans les corps
gras. Les huiles essentielles
coûtent cher, car il faut
beaucoup de matières brutes
pour obtenir un peu d'extrait.
Par exemple, pour produire 1 kg
d'huile essentielle de rose, il faut
distiller 5 tonnes de pétales.

EXTRAIS DE L'HUILE ESSENTIELLE DE MENTHE

Il te faut :
- une casserole avec couvercle
contenant 1/3 de litre d'eau,
- des feuilles de menthe
(10 branches).

• Mets les feuilles dans
la casserole et place le couvercle.
• Fais chauffer à feu doux
pendant 15 à 30 mn : l'eau
s'évapore, passe à travers
les feuilles de menthe et entraîne
les composés odorants.

• Toutes les 2 mn, retourne
le couvercle et laisse couler
les gouttes condensées dans
un verre étroit : le liquide obtenu
est jaune et trouble.
• Laisse refroidir le mélange
qui se sépare en deux couches :
une couche transparente
d'eau de menthe et
une couche jaune d'huile
essentielle de menthe.

Aujourd'hui, les parfums sont à base de substances artificielles imitant les senteurs naturelles, mais synthétisées en laboratoire.

Composer une odeur

Le parfumeur travaille devant son "orgue" : une collection d'échantillons d'odeurs simples parmi lesquelles il choisit celles qui lui permettront d'obtenir le produit imaginé. Il doit tenir compte de l'évolution de sa composition. Les molécules les plus légères s'évaporent en premier ; elles donnent la première tonalité. Les plus lourdes resteront longtemps sur la peau. L'art du parfumeur est d'harmoniser ces phases olfactives*.

Le détecteur d'odeurs (ci-dessous) dresse la carte d'identité chimique d'un parfum ; cet appareil analyse les composants de l'arôme dégagé par une fleur par exemple, ce qui permet de recomposer facilement le mélange en laboratoire.

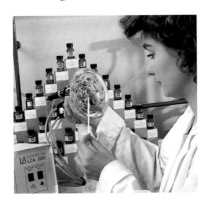

Le parfumeur et son orgue d'arômes

L'ENFLEURAGE

Les matières grasses fixent les odeurs : il suffit de placer du melon mûr près d'un peu de beurre pour s'en rendre compte, au goût que prend la tartine beurrée.
Les parfumeurs récupèrent parfois le parfum des fleurs en les étalant sur une clayette recouverte d'un corps gras. Ils renouvellent les pétales plusieurs fois, puis ils séparent par voie chimique les huiles essentielles qui se sont fait piéger : c'est la technique de l'enfleurage.

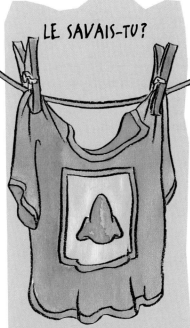

LE SAVAIS-TU ?

L'odeur du linge propre
En France, on place des sachets de lavande dans le linge depuis longtemps. En Grande-Bretagne, les armoires sentent le patchouli, une plante qui fleurit en Inde et que l'on mettait dans les étoffes voyageant des Indes vers l'Angleterre au temps des colonies. Ces deux senteurs sont aussi de bons antimites.

Du lavoir au lave-linge

La machine à laver le linge est devenue indispensable et pourtant, de l'époque du battoir à celle de la puce électronique, le principe du lavage est resté le même. Mais le temps consacré à cette opération et son efficacité ont considérablement évolué, bouleversant les habitudes des ménages.

Femmes au lavoir (XVIIIᵉ siècle)

Le linge est trempé dans un bain chaud de lessive à base de cendres ou de varech, riches en carbonates de chaux. Il est ensuite frotté, retourné et battu sur une planche au bord d'une rivière ou d'un lavoir. Ces actions forcent l'eau et la lessive à traverser les fibres et à détacher les salissures. Le lavoir était un lieu de rencontres et d'échanges, surtout au moment des "grandes buées", qui avaient lieu une à deux fois par an selon les régions.

La lessiveuse (fin du XIXᵉ siècle)

L'eau chargée de lessive monte dans le tuyau central sous l'effet de la chaleur et, après passage dans une pomme d'arrosage, retombe en pluie sur le linge.
Il reste alors à le sortir de la lessiveuse, à le battre et à le rincer au lavoir.

La baratte (XVIIIᵉ siècle)

Le linge mouillé est introduit dans la baratte. On y ajoute le bain de lessive chaude. Une manivelle met en rotation la cuve qui brasse et retourne le linge. On peut désormais faire la lessive dans la cour de la maison.

LE SAVAIS-TU ?

Des tonnes de linge !
Des blanchisseries industrielles assurent le service du linge pour de grands établissements comme les cliniques, les prisons, les hôtels… C'est par camions entiers que, chaque jour, le linge à traiter est livré : 110 tonnes pour les quatre blanchisseries de l'Assistance publique des Hôpitaux de Paris !

**L'auto-laveuse
(début du XXᵉ siècle)**
Sa cuve en tôle galvanisée (pour éviter la rouille) est chauffée par en dessous. Le tambour en laiton, entraîné par une manivelle, permet de laver et de rincer. Le linge est essoré entre deux rouleaux fixés sur la cuve.

Petit à petit, la machine s'équipe d'un moteur électrique, de chauffage au gaz de ville et de pompe de vidange. Adapté aux habitations modernes, le lave-linge continue néanmoins de mobiliser une pièce les jours de lessive. Non automatisé, il nécessite l'intervention de l'ouvrière ou de la maîtresse de maison pour enchaîner les différentes étapes : prélavage, lavage, rinçage et essorage.

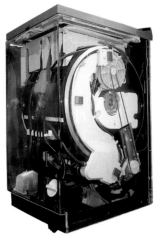

Le lave-linge (1950)
Révolution : la machine peut se passer d'un intermédiaire qualifié.
1968 : le programmateur à came enchaîne l'ensemble des opérations sélectionnées.
Le choix du programme adapte le lavage aux différents types de linge. Le chauffage électrique remplace le chauffage au gaz. Des capteurs contrôlent le niveau de remplissage et la température de l'eau.

**Une puce se charge de tout
(1990)**
Des éléments électroniques de régulation et d'automatisation sont introduits dans le mécanisme de la machine à laver. Les matériaux de synthèse (légers et résistants) prennent une place de plus en plus importante dans sa construction. Le séchage peut être intégré. Et demain ? Le lavage écologique : les machines pèseront le linge et ajusteront les consommations d'eau et d'électricité nécessaires. Lors du séchage, un circuit de condensation récupérera la vapeur d'eau pour la recycler. Le fabricant Daewoo a inventé le lavage sans lessive. Finis les phosphates rejetés dans la nature. On lavera à l'eau seule, par catalyse…

**Les premières machines à laver
(1930)**
La cuve et le tambour sont emboutis, galvanisés et fermés par des flasques étanches. Une trappe coulissante facilite l'ouverture de la cuve. La machine dispose d'une arrivée d'eau et d'un robinet de vidange. Un volant de fonte et des engrenages assurent la régulation et la démultiplication de l'effort. Le foyer en fonte accueille un feu de bois ou de charbon.

LES SYMBOLES INTERNATIONAUX D'ENTRETIEN DES VÊTEMENTS

 ①   ②   ③   ④

Le vêtement qui porte ces symboles sur son étiquette est lavable à 40 °C maximum par le programme 5 de la machine (sur une échelle de 1 à 9), avec un rinçage réduit ①. L'utilisation d'eau de Javel diluée à froid est possible ②. Le repassage est recommandé à faible température ③. En nettoyage à sec, tous les solvants sont utilisables sauf le trichloréthylène ④.

La poussière, toujours recommencée…

Une usine de puces électroniques. Par le hublot d'un laboratoire, on aperçoit quelques techniciens enveloppés de blanc des pieds à la tête: bottes, combinaison, cagoule. Ils ont quitté leurs vêtements pour passer cette tenue obligatoire. Non pas pour se protéger, mais pour ne pas introduire dans la salle l'ennemi numéro un: la poussière.

D'où vient-elle?

Du ciel! Si tu places un récipient dehors, tu récolteras, avec un peu de chance, quelques-uns des grains en provenance du cosmos*, qui tombent en permanence sur la Terre (plusieurs tonnes par jour). Mais tu recevras surtout ce que transporte le vent: particules arrachées au sol ou crachées par des volcans, parfois à des centaines de kilomètres de là, rejetées par des cheminées industrielles et domestiques,

par les voitures… Dans la maison, fenêtres fermées et en omettant ce que rapportent du dehors ses occupants, la poussière est principalement constituée de petits morceaux de peau et d'acariens morts.

Piéger la poussière

En soufflant? Cela ne marche pas, elle est bien accrochée! C'est par électricité statique que la poussière adhère aux objets. Vérifie-le en réalisant l'expérience ci-dessous.

SÉPARE LE SEL ET LE POIVRE

Il te faut:
- du sel de table et du poivre finement moulu,
- une feuille de papier,
- un peigne en plastique,
- un lainage.

• Mélange sur la feuille de papier un peu de sel et de poivre.
• Frotte le peigne sur le lainage et approche-le du mélange: le poivre se colle au peigne.

Le peigne a été électrisé: des charges électriques négatives, des électrons arrachés à la laine, se sont fixées sur la surface de plastique où elles se sont accumulées.

À l'approche du peigne, les charges négatives des grains de poivre sont repoussées: il ne reste que les charges positives face au plastique. En raison de l'attraction des charges de signes contraires, les grains de poivre viennent se coller sur le peigne. Les grains de sel, plus lourds, restent sur le papier.

Échantillon de poussière domestique comprenant quelques brins de toile d'araignée (fausses couleurs)

Que tu passes le balai ou le chiffon, la poussière est décollée, mais une grande partie s'envole pour se déposer ailleurs, à moins que le chiffon ne soit humide. Il existe bien des produits antistatiques*, pulvérisables, très utilisés pour protéger les composants électroniques sensibles aux charges électrostatiques. Mais leur coût en interdit un usage domestique. Le mélange d'air et de fines particules inflammables est un véritable explosif. Les accidents qu'il peut provoquer sont graves, tels les désastreux coups de poussière (à ne pas confondre avec les coups de grisou* dus à un gaz inflammable, le méthane) dans les mines de charbon. Mais puisqu'elle est si sensible aux effets électrostatiques, on peut sans doute piéger la poussière avec leur aide ? C'est ce que font les industries produisant de la farine : les surfaces des cuves sont chargées électriquement, et ce qui volette dans l'air finit par adhérer aux parois. De même, avant dispersion dans l'atmosphère, les fumées industrielles sont débarrassées de la majeure partie des particules solides qu'elles transportent, à l'intérieur d'une chambre de dépoussiérage.

Combien de grains de poussière ?

Pour certaines activités, des règles précises définissent le nombre de grains admissibles dans les locaux dépoussiérés. À l'hôpital, on tolère 4 000 particules inférieures à 0,5 micron par m^3 d'air dans la salle d'opération. L'industrie spatiale est plus exigeante : moins de 400 particules inférieures à 0,12 micron par m^3 d'air dans la salle blanche* d'assemblage d'un satellite (ci-dessous). Cette concentration est inadmissible dans les salles de production des puces informatiques ! D'énormes installations de nettoyage de l'air ramènent

la concentration à un maximum de 40 particules inférieures à 0,12 micron par m^3 d'air.

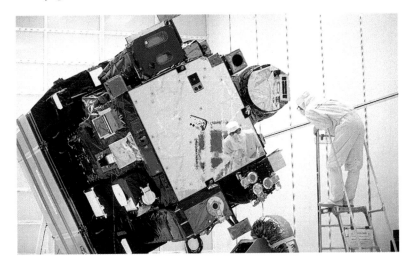

Avec l'aide de la fée électricité

Le "petit électroménager" a progressivement remplacé nombre d'outils traditionnels. Moins de fatigue, du temps de gagné et du travail mieux fait : ces appareils électriques qui nous facilitent la vie sont souvent d'ingénieuses inventions d'observateurs des gestes quotidiens.

Le robot de cuisine

Ce n'est plus la main qui agit, mais l'appareil. Pour cela, des opérations ont d'abord été réparties entre différentes machines effectuant chacune certaines étapes du travail rapidement et efficacement. Puis le "robot" a été inventé : plusieurs appareils en un seul. Le gain de temps, cependant, est-il toujours aussi important, si l'on considère qu'il faut monter, démonter l'appareil et le nettoyer ?

Comment ça marche ?

Un seul moteur, un seul mouvement de base : la rotation, et de multiples accessoires qui reprennent ou transforment ce mouvement pour couper, hacher, presser, centrifuger, écraser, moudre, etc.

Le fer à repasser

La chaleur défroisse le linge en détendant les fibres du tissu. Jusqu'au xxᵉ siècle, le fer porte bien son nom puisqu'il est simplement constitué d'une semelle de fer et d'une poignée. On le chauffe soit dans l'âtre, soit en le remplissant de braises. Aujourd'hui, le fer à vapeur permet de repasser sans risquer de brûler le linge et avec une grande efficacité.

Comment ça marche ?

Une résistance électrique disposée dans l'appareil chauffe la semelle. Un mécanisme libère de l'eau qui, au contact de la semelle, se transforme en vapeur et s'échappe par de multiples petits trous. L'eau limite la température, tout en rendant le repassage plus efficace car la chaleur est amenée au cœur du textile.

Le sèche-cheveux

Avant 1910, certaines femmes se séchaient déjà les cheveux à l'air chaud évacué par leur aspirateur, pourtant de création récente. Il fallut attendre la mise au point des moteurs miniatures pour voir le sèche-cheveux devenir un outil banal de mise en plis et de soin. L'évaporation est accélérée par la chaleur qu'apporte l'air, et le séchage est basé sur le remplacement de l'air humide par de l'air sec au voisinage des cheveux.

Comment ça marche ?

Une turbine jumelée à un moteur provoque un courant d'air froid qui se réchauffe en passant sur des résistances électriques. L'air sort de l'appareil à une température de 60 à 70 °C.

L'aspirateur

"Le nettoyage par le vide"... C'est au nom de l'hygiène que l'aspirateur a été inventé et qu'il est toujours employé. Le premier appareil a été construit en 1901 par un Anglais, Cecil Booth. L'engin était si gros qu'il était monté sur un chariot à quatre roues. La machine à aspirer était garée le long du trottoir et un tuyau de 250 m pénétrait par les fenêtres ! Elle mit à jour les tonnes de poussières cachées dans les tapis et que le balai ignorait. Depuis, l'appareil s'est quelque peu miniaturisé tout en gagnant en puissance.

Comment ça marche ?

Un moteur entraîne une turbine qui aspire l'air à travers un sac à paroi poreuse, et qui l'évacue vers l'extérieur. La dépression créée à l'extrémité du tube-balai est suffisante pour entraîner les poussières, qui restent prisonnières du sac jetable.

savon était le comble de l'inconfort. Pour réaliser un "rasoir à sec" inspiré de la tondeuse à barbe déjà inventée, il fallait concevoir un moteur électrique de très petite taille. Après cinq années de travail, le premier rasoir électrique fut commercialisé en 1931.

Comment ça marche ?

Le moteur, placé dans le corps de l'appareil, entraîne la vibration ou la rotation des lames. Une grille mince perforée protège la peau du contact des lames et redresse les poils pour faciliter la coupe.

La cafetière électrique

À l'origine, les grains de café moulus étaient simplement mis à bouillir dans de l'eau "jusqu'à ce que cela sente bon". En Occident, on "passait" ensuite le mélange dans un filtre textile. En 1880, le percolateur est inventé : l'eau, placée dans un compartiment, est chauffée sur le gaz, monte à travers le café moulu et arrive dans un troisième compartiment. Au début du XX⁰ siècle, une résistance électrique remplace le gaz.

Comment ça marche ?

À partir du réservoir, l'eau passe par petites doses successives sur la résistance électrique. Chauffée et partiellement vaporisée, elle monte sous l'effet de la pression jusqu'au-dessus du filtre qu'elle arrose.

Le rasoir électrique

Le rasoir de sûreté à lames jetables satisfaisait bien des hommes, mais pas l'Américain Jacob Schick. Alors qu'il était militaire sur une base en Alaska, il lui apparut que le rasage quotidien à l'eau glaciale et au

CUIRE SANS FEU

Il existe deux moyens de faire des économies d'énergie : soit s'adresser à une source que l'on qualifie d'inépuisable, et c'est évidemment au Soleil que l'on songe, soit utiliser une source traditionnelle en limitant strictement les pertes d'énergie. Pour cuire des aliments, ces deux approches sont réalisables dans le four solaire et dans la marmite norvégienne.

Il te faut :
- un carton ou une caisse d'environ 30 cm de côté et 20 cm de haut,
- un matériau isolant (plaques de polystyrène expansé de 2 ou 3 cm d'épaisseur, matelas de laine de verre, feuille d'emballage en plastique à bulles d'air, genre bull-pack®, ou plaques de carton ondulé superposées…),
- une plaque de verre suffisamment grande pour servir de couvercle à la caisse (verre à vitre, verre de cadre…),
- une feuille d'aluminium alimentaire,
- du papier noir,
- un récipient métallique cylindrique à parois minces (une boîte de conserve d'environ 10 cm de diamètre, par exemple) ; ce sera la "casserole".

(Attention, manipulation d'eau bouillante. Présence d'un adulte indispensable !)

Le four solaire

• Entoure la casserole de papier noir bien serré et maintenu par du ruban adhésif. Dispose l'isolant contre les parois et le fond de la caisse. Recouvre-le d'une feuille d'aluminium que tu n'es pas obligé de fixer.
• Le four est terminé ! Expose-le dans un endroit où il recevra la lumière solaire pendant plusieurs heures, si possible en fin de matinée ou en début d'après-midi.

Place la casserole et son contenu au centre. Recouvre-la d'un "couvercle" fait d'une rondelle de carton ou de plastique. Ferme le four avec la plaque de verre. L'aluminium renvoie le rayonnement solaire sur le récipient, le papier noir améliore son absorption, et la vitre permet à l'effet de serre de s'installer.
• À toi maintenant de décider de ce que tu veux faire cuire. Note les conditions dans lesquelles tu réalises tes expériences : dates et heures d'exposition au soleil ; qualité de l'ensoleillement (pureté du ciel, passage de nuages) ; poids de la casserole avec son contenu. Cela te servira pour maîtriser cette technique de cuisson.

Tu peux faire cuire un œuf ou du riz en remplissant la casserole d'eau jusqu'à mi-hauteur. La durée de cuisson est de l'ordre de 1 à 2 h. C'est plus rapide au mois d'août entre 11 et 16 h ! Tu peux aussi réaliser des mets plus élaborés (le riz au lait, par exemple !). En revanche, n'essaie pas de préparer des pâtes : leur cuisson doit être rapide, sinon elles sont immangeables. Fais attention en retirant la casserole du four : sa température peut atteindre 80 °C !

Plaque de verre

Feuille d'aluminium

Matériau isolant

Caisse

"Casserole" entourée de papier noir

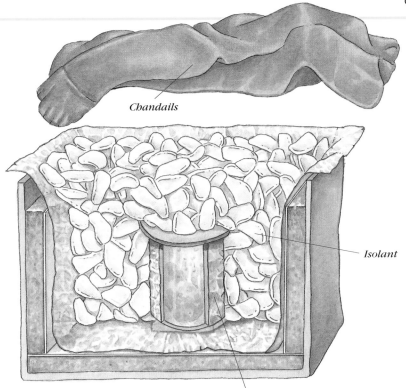

Chandails

Isolant

"Casserole" entourée de papier d'aluminium

La marmite norvégienne

On l'utilise lorsque l'on dispose de peu d'énergie pour cuire des aliments, ou que l'on veut réaliser des économies d'énergie.

● Reprends le four solaire et modifie-le. Remplace le papier noir autour de la casserole par du papier d'aluminium. Place la casserole au centre, posée sur un morceau de bois ou de matériau isolant. Remplis toute la caisse de matériau isolant jusqu'au niveau supérieur de la casserole : laine de verre, "chips" d'emballage, pelotes de laine, vieux chandails (sans tasser), etc.

● À part, fais débuter la cuisson de 150 g de pommes de terre par exemple. Mets-les dans l'eau et porte à ébullition pendant 8 mn pour les chauffer à cœur. Transvase l'eau et les pommes de terre rapidement dans la marmite norvégienne. Il faut remplir la casserole complètement avec l'eau bouillante. Couvre-la d'un couvercle de carton ou de plastique, ajoute encore quelques "chips" et dispose un ou deux chandails pour réaliser une fermeture isolante de la caisse. Place la marmite norvégienne sur le sol de la cuisine, par exemple.

● La cuisson va se poursuivre parce que la marmite norvégienne, très bien isolée, maintient longtemps une température élevée (elle est construite pour combattre la convection et la conduction – voir p. 156-157). Tes pommes de terre vont cuire en 1 h 30 sans apport d'énergie. Tu peux préparer toutes sortes de plats de cette manière, en particulier tout ce qui se mijote longuement.

LE CUISINIER ÉCONOME

● Il utilise le récipient le mieux adapté aux aliments et à la source de cuisson : une plaque de cuisson trop grande, ou la flamme d'un brûleur à gaz débordant du fond de la casserole, c'est de l'énergie dépensée à chauffer la cuisine… et non le plat !

● L'eau qui s'évapore (qui passe à l'état gazeux) se refroidit parce qu'elle consomme de l'énergie en changeant d'état. En outre, elle s'évapore lorsque l'air qui la surmonte est libre de circuler : il est remplacé par de l'air sec que l'eau s'empresse d'humidifier. On l'empêche de s'évaporer :
– en plaçant un couvercle sur la casserole : l'eau refroidira moins vite ; l'ébullition sera plus rapidement atteinte et plus facile à entretenir ;
– en limitant au maximum l'apport d'énergie, de façon à garder l'ébullition à son rythme le plus bas. Que l'eau boue à petits ou à gros bouillons, elle est toujours à 100 °C, et la vitesse de cuisson reste la même. Le surplus d'énergie ne sert qu'à vaporiser l'eau ou à agiter la préparation (mais c'est parfois utile !).

● Le cuisinier économe emploie un autocuiseur (une Cocotte minute). Ce récipient lourd demande au départ plus d'énergie qu'une casserole pour être porté à une centaine de degrés. Mais aucune énergie n'est perdue en vapeur d'eau répandue dans la cuisine. De plus, la température atteinte à l'intérieur du récipient dépasse largement 100 °C, accélère les transformations physico-chimiques et raccourcit considérablement le temps de cuisson.

Entre nous

Le peu d'expérience que l'animal acquiert au cours de sa vie disparaît avec lui. L'homme, lui, a inventé un langage, il décrit faits, gestes et sentiments, et il transmet son savoir. Ainsi progresse la connaissance. Précieuse communication ! Tu vis une époque extraordinaire : la Terre se couvre de réseaux et le monde entier s'offre à toi comme interlocuteur. Qu'attends-tu de lui et que vas-tu lui proposer en échange ?

L'œil écoute

Pour communiquer, tu n'uses pas seulement du "canal acoustique" (les sons que tu adresses et que tu reçois). Tu emploies largement le "canal visuel": ton œil saisit un flot d'informations et, inversement, tu émets divers signaux visuels, volontairement ou non, de manière permanente ou suivant la situation dans laquelle tu te trouves.

Les signaux "statiques" sont ceux que tu portes ou qui t'accompagnent, et qui te caractérisent : tes vêtements, ta coiffure, le sac dans lequel tu transportes tes livres… ou encore la manière dont ta chambre est aménagée et décorée, l'ordre ou le désordre qui y règnent. Ils sont aussi liés à ta posture : la façon de te tenir sur un canapé peut vouloir dire "laissez-moi tranquille". D'autres signaux sont des gestes ou des amorces de gestes : mouvements de la main, des bras ou de la tête, grimaces, sourires et expressions diverses.

Les mots et les gestes associés

Dans la conversation, c'est tout l'ensemble, parole et geste, qui porte le message. Le geste n'est pas un simple auxiliaire. Il apporte des informations que la parole peut difficilement exprimer : il en est une sorte d'illustration. Tu dis "regarde ça", et en même temps tu désignes l'objet du doigt, des yeux ou d'un coup de menton. Tu parles de l'escalier en colimaçon qui monte au grenier et tu dessines sa forme dans l'espace. Tu décris une recette de cuisine et tu mimes le mélange de la farine et du beurre. Tu expliques à quelle distance du poteau le ballon est passé et tu écartes les mains. Cette nécessité d'associer le geste et la parole est si forte que, même au téléphone, peu de gens restent totalement immobiles ou impassibles.

Le geste sans la parole

À bien des occasions, un simple geste remplace le discours. Les réactions de ton interlocuteur à ce que tu lui racontes se lisent sur son visage : il n'y croit pas, s'en désintéresse ou cela l'amuse. Nous apprenons, sans trop y faire attention, tout un code de gestes très précis. Certains miment l'action exprimée de manière claire (j'ai sommeil, approche-toi…), d'autres symbolisent de manière conventionnelle une impression (ça m'ennuie, c'est cher…). Le geste est parfois tout à fait obscur (Mon œil! Il est fou!). Ce langage très expressif est pratique, mais attention : certains

gestes ont un sens très différent d'une culture à l'autre. Ainsi, croiser les bras sur la poitrine est un signe d'attention patiente en Occident, alors que cela suggère un message agressif en Indonésie, ou encore hocher la tête peut vouloir dire "oui" dans une culture et "non" dans une autre.

La langue des signes

Quelques gestes ne peuvent suffire dans une situation permanente de surdité. C'est pourquoi, un peu partout dans le monde, sont nées spontanément des langues entre des personnes sourdes ou malentendantes. Suivant les circonstances, ces langues se sont affinées, enrichies et unifiées au fur et à mesure que leur usage se transmettait et s'étendait à des groupes plus larges. Les langues des signes n'ont pas été créées par des personnes sachant lire et écrire et désirant traduire l'alphabet en signes. Les signes ne sont pas la traduction mot à mot ou lettre à lettre d'une langue parlée.

Une minorité linguistique

Langue gestuelle et langue vocale ont des caractéristiques différentes. L'œil reçoit, par exemple, plusieurs informations simultanées, ce qui n'est pas le cas de l'oreille. Un signe associant un geste de la main, un mouvement de la tête et un regard peut porter un sens qui, en langue vocale, nécessiterait une suite de mots parvenant à l'oreille les uns après les autres. Les signes sont articulés par une ou deux mains soit devant le corps, soit au voisinage précis d'une partie du corps. Outre les mains, la tête, les épaules, le visage (bouche, yeux) y participent. L'ordre dans lequel ces mouvements se déroulent fait partie de la syntaxe. Le modifier change le sens. De même que l'on peut reconnaître un peuple par la langue qu'il parle, on peut caractériser la communauté des sourds et malentendants par la langue qu'ils ont construite : à l'intérieur d'une société d'entendants, ils forment une minorité linguistique.

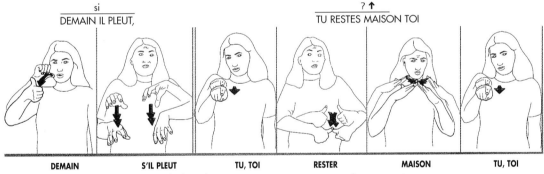

S'il pleut demain, est-ce que tu resteras à la maison ?

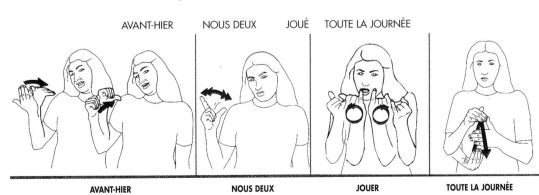

Avant-hier, nous avons joué tous les deux toute la journée.

Mieux qu'un long discours

Quel langage permet de dire le maximum de choses dans un minimum de place et d'être immédiatement compris ? L'image. Allant à l'essentiel, traits et couleurs peuvent traduire un message complexe avec la plus grande économie de moyens. Si nous ne savons pas tous "parler en dessins", nous comprenons tous quelques dialectes d'images.

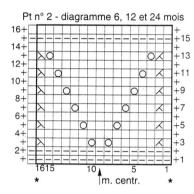

Guider pas à pas

Une grille de tricot à la main : des gestes simples, à enchaîner dans un certain ordre, pour produire un motif. Sans repères, on se perd ! Un code visuel tout simple indique, rang par rang, les types de mailles à réaliser et dans quel ordre : 2 mailles ensemble à l'endroit, 2 mailles à l'endroit, 1 jeté…

Langage international

Saisi d'un coup d'œil, quelle que soit la langue pratiquée par l'automobiliste, le panneau routier doit déclencher un réflexe. Une règle internationale s'est peu à peu mise en place. Triangulaire, pointe vers le haut, bordé de rouge : attention, danger ! Le dessin central décrit le risque en question.

Comment s'y prendre ?

Lit-on un mode d'emploi ? Les enquêtes répondent par la négative. C'est pourtant parfois indispensable, comme dans la manipulation de ce médicament. Mais "c'est écrit petit", "je n'ai pas mes lunettes", ou "je suis étranger". Le fabricant décompose alors les opérations à effectuer et les recompose en un petit "film" muet.

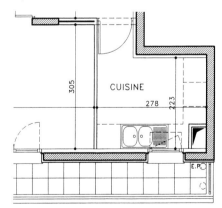

Choisir sans y toucher

Plan d'un objet, d'une construction, d'une ville : autant de documents qui permettent de se déplacer par la pensée dans l'espace. Le plan de l'appartement établi par l'architecte remplace une première visite, suscite des interrogations, matérialise des rêves. Il est aussi un engagement des professionnels envers leur client : "Ce que vous achetez sera ainsi."

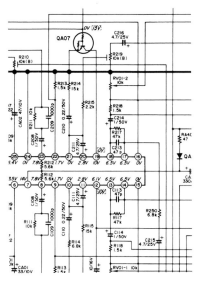

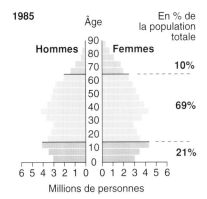

Panse   Petit intestin   Grand intestin

Bonnet

Feuillet

Caillette

Comment ça marche ?

En situation pédagogique, il s'agit d'expliquer en ne retenant que l'indispensable. Et même le peu que l'on garde demande à être décrit de manière à renforcer la démonstration. Ce double choix rend l'art du schéma bien difficile.

Entre initiés

Pour le profane, le schéma de câblage d'un appareil électronique reste le plus mystérieux des documents. Pour l'initié, celui qui a appris les codes, c'est une source inépuisable d'informations précises. Sans ce plan, pas de dépannage possible.
C'est moins la position des pièces que l'on y trouve que leur identité, les liens qui les unissent et les caractéristiques mesurables que l'on peut y relever.

vite 'ASPRO'

C'est comme si…

Il y a des situations que les mots sont impuissants à décrire. On passe alors par une image : "C'est comme si…" La publicité exploite souvent la capacité qu'ont les images à porter un message "global" dont l'analyse serait laborieuse : elle tente le choc, s'adresse directement à l'impression profonde.

1985   Âge   En % de la population totale

Hommes   Femmes

90 80 70 60 50 40 30 20 10 0

10%

69%

21%

6 5 4 3 2 1 0   0 1 2 3 4 5 6
Millions de personnes

Résumons-nous

Les données numériques s'accumulent dans les divers types de mémoires dont disposent chercheurs ou enquêteurs. Comment en présenter les grandes conclusions sinon en les traduisant dans des diagrammes ? La pyramide des âges, d'un coup d'œil, permet de se faire une idée de ce que l'on appelle une population.

Toute une histoire

En pleine page d'un quotidien, raconter une histoire est presque impossible : c'est trop de littérature !
Reste le dessin d'humour qui condense un propos en une seule image, ou le "strip" (la bande) qui accroche le lecteur pour l'emmener jusqu'au dénouement à la dernière case.

185

La voix

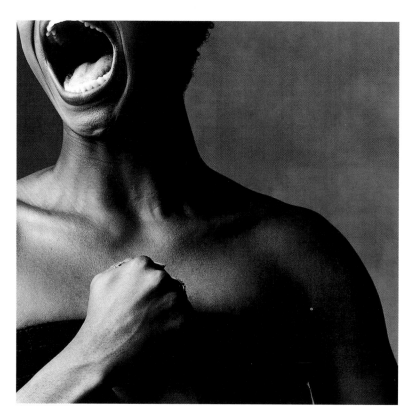

*Le téléphone sonne,
tu décroches.
Aux premiers sons
de sa voix, tu l'as
reconnue. C'est ton
amie Yola! Elle est
essoufflée, enrhumée,
de mauvaise humeur?
En une fraction
de seconde,
tu l'as "située".
La voix porte bien
autre chose
que des mots!*

La voix, c'est l'expression de toute la personne. Quelles que soient les phrases prononcées, sa musique raconte l'origine, l'âge, le sexe, l'éducation, l'humeur, l'état de santé et même la sincérité de celle ou de celui qui parle. Il est pratiquement impossible de masquer tout ce qui passe, à l'arrière-plan des mots, par la communication orale. C'est ce qui fait la subtilité de la conversation et l'attrait – ou le rejet – du téléphone. Ce caractère très personnel de la voix devient évident quand nous découvrons la nôtre, dans un enregistrement, telle que la perçoivent les autres "en direct". Rares sont les personnes qui trouvent immédiatement que leur voix leur "ressemble".

Le langage : des mots et des sons

Lorsque tu énonces une phrase, tu ordonnes des mots que tu puises dans un réservoir important, mais restreint : les mots de ta langue maternelle, ceux du dictionnaire. Pour les prononcer, tu emploies un nombre de sons strictement limité, moins de trente en général (correspondant à peu près à l'alphabet), les phonèmes, que l'on classe en voyelles et consonnes. Cette "double articulation" du langage en mots et en sons te donne un formidable pouvoir : celui d'exprimer (en principe) toutes les idées, tous les sentiments, des plus simples aux plus complexes. Il est très difficile de compter exactement les mots du dictionnaire (au moins plusieurs dizaines de milliers), car les limites d'une langue sont floues, et tu n'y puises que ce dont tu as besoin. En revanche, tu apprends les sons de ta langue très tôt. Au sortir de la petite enfance, tu les connais tous et tu ne les oublieras pas.

LE SAVAIS-TU?

Vils imitateurs

Les perroquets et les mainates se sont taillés une solide réputation d'imitateurs de la voix humaine. Mais ils ne sont pas les seuls. En Bavière, on apprend à d'insolents bouvreuils l'hymne national anglais *God save the Queen*. Certains geais se contentent d'imiter l'aboiement du chien ou le bêlement de l'agneau.

VOYELLES ET CONSONNES

Place-toi devant une glace et observe tes lèvres et tes joues, l'ouverture de ta bouche, la position de ta langue, quand tu chantes longuement :
un [a] comme dans "bas",
un [i] comme dans "scie",
un [ou] comme dans "cou".
Passe, sans cesser de chanter, du [a] au [ou] puis au [i] en notant les transformations que cet exercice nécessite. Les voyelles sont les éléments "colorés" de la voix, des sons que tu peux prononcer longuement, chanter. Pour émettre une voyelle,
tu donnes au conduit vocal une certaine forme : le pharynx plus ou moins étiré, la langue plus ou mois relevée ou avancée, les lèvres plus ou moins allongées vers l'avant ou étirées latéralement par les joues. Prononce maintenant les syllabes [la], [pa], [ta], [sa]. Chaque consonne exige un mouvement dans le conduit vocal : déplacement de la langue, pincement des lèvres, ouverture de la mâchoire, etc. Les consonnes sont des éléments de passage vers une voyelle. On ne peut pas les chanter isolément.

Ils n'évoluent pas au sens où tu perdrais la prononciation de tel phonème. Ce qui change, c'est tout ce qui accompagne le son sans en modifier la reconnaissance : cet "accent" qui s'atténue, cette façon de rouler les [r] qui s'amplifie, ce chevrotement que tu ne peux maîtriser…

Fabriquer de la voix

Il a fallu attendre la deuxième moitié du xxᵉ siècle pour fabriquer des voix de synthèse à l'aide de circuits électriques, mais on a dû longtemps se contenter de ces voix de robots impersonnelles "venues d'ailleurs" largement utilisées au cinéma. La difficulté, maintenant assez bien résolue, a été de les humaniser, de leur donner ces inflexions exprimant, au-delà des mots, des émotions ou un tempérament. Bien des messages sont maintenant prononcés par des circuits à puces, à commencer par l'horloge parlante.

De l'oral à l'écrit

河

Le langage articulé est fugitif.
L'écrire, lui donner une présence
permanente à travers des signes
matériels, des entailles, des dessins...
permet de fixer la pensée,
de la ressusciter à tout instant.
Mais comment faire? Deux grands
systèmes se sont mis en place,
selon que les hommes ont voulu dessiner
leurs idées, ou dessiner les sons de leur langue.

Hiéroglyphes égyptiens

Dessiner les idées

Des piétons arrivent
à un carrefour équipé de feux
de croisement. Un bref coup
d'œil sur le poteau en face d'eux
et ils s'arrêtent : la silhouette
rouge au garde-à-vous est
allumée. Ils ont "lu" Attendez
ainsi qu'on leur a appris.

N'importe quel piéton lit la même
chose, quelle que soit sa langue
maternelle. Ce dessin lumineux
est un idéogramme.
À lui seul, il exprime une idée.
Et quand il laisse la place
à la silhouette verte qui marche,
c'est une autre idée qui apparaît
à travers un nouvel idéogramme,
proche mais différent du
précédent, dont il connaît
également le sens.
Les idéogrammes forment la base
de l'écriture de nombreuses
langues. C'était le cas de
l'écriture égyptienne primitive
avec ses hiéroglyphes.

Elle a rapidement évolué vers
un système mixte, les signes
représentant tantôt des mots,
tantôt des sons.

L'écriture chinoise

Comme les Égyptiens,
les Chinois utilisent aujourd'hui
une écriture idéographique munie
de procédés limitant le nombre
de caractères. Malgré tout, il faut
connaître au minimum
2 000 signes pour lire des textes
courants. Ces caractères de base
représentent des objets
(et leur dessin évoque souvent
leur forme) ou des actions :

Dans une rue de Pékin

树 : L'arbre [planter des arbres ("木") avec les mains ("又") à règlement ("寸")]

门 : La porte [le châssis et le Linteau ("丨门") qui forment une sortie ("`")]

上 : Monter [la place ("卜") est en haut de l'horizon (" — ")]

下 : Descendre [la place ("卜") est en bas de l'horizon (" — ")]

Mais d'autres expriment une nouvelle idée simplement en réunissant deux caractères de base :

唱 : Chanter [louer ("日") le soleil ("日") avec la bouche ("口")]

Par ailleurs, le même caractère peut avoir plusieurs sens suivant la "clé" qui le précède :

河 : La rivière [permettre ("可") l'eau courante ("氵") à grande voie fluviale]

问 : Interroger [s'informer ("口") avant la porte ("门")]

On compte environ 200 clés qui ne se prononcent pas à la lecture.

Dessiner les sons

Revenons en ville, à un autre carrefour. Celui-là a conservé une ancienne signalisation. Un panneau s'allume alternativement : Attendez – Avancez. Comprendre ces mots nécessite de connaître la langue dans laquelle ils sont écrits. Les signes qui les composent n'ont pas de sens, ils expriment des sons : ils forment une écriture phonétique. Celui qui a appris à lire dans la langue du panneau peut prononcer le mot et le reconnaître. L'écriture phonétique ne demande en général que 20 à 30 signes (l'alphabet) pour transcrire tous les mots d'une langue. Les retenir n'exige pas une grande mémoire. La complication est ailleurs, dans l'orthographe… Car il faut bien distinguer les homonymes. Par exemple, en français, les mots "oh, au, aux, aulx, eau, eaux, haut, hauts" se prononcent tous de la même manière, mais leur dessin est différent. Quelquefois l'orthographe est la même, et seul le sens de la phrase permet de comprendre la signification du mot : des "fils de famille" ou des "fils à coudre" ?

Magasin à Moscou

D'autres alphabets

Les écritures alphabétiques sont nombreuses. L'alphabet latin est employé par de multiples langues, avec des différences cependant dans la prononciation de certains signes. C'est pourquoi un alphabet international a été inventé, que tu peux trouver dans certains dictionnaires, pour indiquer la prononciation correcte. L'alphabet arabe écrit essentiellement les consonnes et quelques voyelles longues. Les voyelles brèves sont absentes ou figurent sous forme de petits signes supplémentaires (accents ou points). Pour écrire les langues slaves (russe, bulgare, etc.), l'alphabet cyrillique, avec ses 33 signes, a été inventé au IXe siècle.

Matières à écrire

Sur cette feuille de papier, un matériau banal universellement répandu, chacun a sa façon de laisser une trace. Tu choisis un feutre, ce jeune Chinois emploie un pinceau trempé dans l'encre, ton voisin dessine au crayon et cet homme appose sa signature au stylo. Mais peut-être préférerais-tu passer par l'ordinateur et son imprimante ?

Comme toi, tous ceux qui t'ont précédé dans l'écriture ont eu à choisir un support - le papier n'en est qu'un exemple - et un outil adapté à ce support. Leur choix dépend des avancées techniques d'une civilisation, du type de message à enregistrer, de la volonté de le conserver plus ou moins longtemps, etc. D'une région à une autre, d'une époque à une autre, on trouve mille inventions en ce domaine. Par exemple, deux outils modernes, la peinture en bombe et le feutre marqueur, ont donné naissance au "tag", qui s'accommode de presque tous les supports.

prisonniers ont patiemment gratté la pierre à l'aide d'une simple pointe pour y laisser la trace de leur douleur ou de leur révolte.

L'argile
Ce fut le support préféré de la civilisation sumérienne (région de Mésopotamie correspondant à une partie de l'Irak actuel) 2000 à 3000 ans avant notre ère. Dans une boule d'argile mêlée d'eau, pétrie et aplatie en galette rectangulaire, les Sumériens traçaient les signes de leur écriture cunéiforme (en forme de coins). Ils enfonçaient encore molle l'extrémité d'un roseau taillé en pointe. La tablette était ensuite cuite au four pour la durcir, comme une banale poterie.

La pierre
Parce qu'elle garde longtemps les signes que l'on y grave (en creux ou en relief) à l'aide d'une pointe et d'un marteau, la pierre a toujours été le support privilégié des écritures monumentales. Murs et colonnes des temples égyptiens en sont souvent couverts de haut en bas. Mais c'est aussi le support de ceux qui n'ont pas le choix : nombreux sont les cachots, anciens et modernes, où les

Le bois
Le bois est refendu et poncé jusqu'à obtenir de minces plaquettes rigides. Dès l'Antiquité, les Romains les recouvraient de cire dans laquelle ils gravaient les caractères à l'aide d'une pointe dure. Pour effacer, rien de plus simple : il suffisait de refondre la cire. Bien d'autres civilisations ont préféré peindre et conserver leurs écrits sur des lattes de bois réunies en cahiers par des fils.

Le papyrus

D'invention égyptienne, il est fabriqué à partir de cette plante cultivée dans la vallée du Nil. Des lamelles de tiges disposées en deux couches croisées, martelées, se soudent au cours du séchage pour donner une feuille ressemblant à du papier. Les scribes y écrivaient à l'aide d'un calame, roseau taillé en pointe qu'ils trempaient dans l'encre. La plus longue feuille de papyrus, qui nous soit parvenue sous forme de rouleau, mesure 40 m de long !

Le parchemin

La peau d'animaux domestiques en constitue la matière première : mouton, chèvre, veau. De très nombreuses opérations de nettoyage, grattage, séchage et polissage sont nécessaires avant d'obtenir une feuille blanche, mince et lisse. Le pinceau et la plume d'oie ou de cygne chargés d'encre colorée, pourront y courir sans s'accrocher aux aspérités. Les moines du Moyen Âge y ont transcrit des textes sacrés magnifiquement enluminés. Mais le parchemin a aussi beaucoup servi pour des textes civils importants.

Le papier

Il est sans doute né en Chine, il y a 1000 ans. Oublié, il est réapparu en Europe au Moyen Âge. Le papier moderne à base de bois date du début du XVIIIᵉ siècle, les procédés de fabrication ne cessant d'évoluer. Une suspension aqueuse de fibres de cellulose (le matériau de soutien des cellules végétales) obtenue par des moyens physiques et chimiques est égouttée sur une toile, séchée, "calandrée". Il y a mille manières de laisser une trace sur le papier : déposer à l'aide d'une pointe ou d'un pinceau une encre à base végétale, animale ou minérale, imprimer à partir d'un relief (typographie), d'une surface plane (offset, reprographie), d'un creux (gravure), d'un jet d'encre (imprimante)… Et même, "imprimer" un relief comme dans l'écriture Braille.

L'ÉCRITURE BRAILLE

L'écriture utilisée par les aveugles du monde entier a été inventée vers 1825 par le Français Louis Braille. Aveugle lui-même, il mit au point un système de 63 combinaisons de 1 à 6 points donnant les signes de l'alphabet, de la ponctuation, des mathématiques et de la musique. Ces points, inscrits en relief dans du papier à l'aide d'un poinçon, sont déchiffrés du bout des doigts.

L'écriture mécanique

Révolution ! Ce n'est plus la main, le bras, tout le corps même, longuement éduqués à l'école, qui tracent les caractères. Les doigts pressent les touches et la machine, imperturbable, forme toujours des "a, b, c" parfaits. La machine à écrire laisse directement sa trace sur le papier. L'ordinateur la fait apparaître sur l'écran sous forme lumineuse et la conserve dans une mémoire sous forme numérique. Il la transmettra à l'imprimante si on le lui ordonne.

Dans la boîte aux lettres

Parmi les prospectus, une lettre.
L'écriture d'un ami. Déchirer
l'enveloppe, déplier le papier
familier, déchiffrer les lignes
qui se bousculent, mettre la lettre
de côté pour la relire plus tard…
Cet objet, qui a franchi l'espace en
un voyage à plusieurs étapes, est comme
une visite de l'expéditeur au destinataire.

Le codage

La plupart des pays ont adopté un système de codage des adresses pour faciliter le tri et l'acheminement du courrier. En France, le code postal est composé de cinq chiffres : les deux premiers correspondent au numéro du département et les trois autres à la commune hébergeant le bureau de poste. Pour le courrier destiné à l'étranger, on ajoute en tête du code une ou deux lettres : D (Allemagne), CH (Suisse), etc.

L'affranchissement

La valeur du timbre, que les particuliers collent habituellement en haut à droite de l'enveloppe, dépend du poids de la lettre et de sa destination : c'est l'affranchissement. Mais aujourd'hui, les affranchissements par timbre ne représentent plus qu'un quart du courrier. Les entreprises ou les administrations utilisent des machines à affranchir et à oblitérer qui enregistrent les sommes qu'il faudra reverser à la poste, ou bien distribuent des enveloppes à retourner en port payé (marquées T), etc.

L'oblitération

De la machine à oblitérer, les lettres ressortent tatouées d'un cachet indiquant le lieu, la date et l'heure du départ. Ainsi, le timbre ne pourra être utilisé qu'une seule fois. Cette marque apporte la preuve que l'enveloppe a été postée en temps et en heure, "le cachet de la poste faisant foi". Souvent, le cachet est accompagné d'une "flamme" : un petit dessin assorti d'un message publicitaire pour la région ou l'organisme expéditeur.

Le tri

Le courrier récolté dans les différents bureaux de poste est acheminé vers le centre de tri le plus proche. Une machine à lecture optique traduit l'adresse en code-barre, cette suite de bâtonnets orange

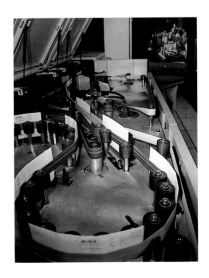

L'INVENTION DU TIMBRE-POSTE

Il était d'usage, jusqu'au XIXᵉ siècle, que le port d'une lettre soit payé par le destinataire. En 1840, Rowland Hill, directeur des postes de Sa Majesté la reine Victoria d'Angleterre vit un jour une personne refuser, après avoir examiné une lettre sur ses deux faces, de payer la taxe que lui demandait le facteur. La demoiselle lui fit une confidence : les signes qu'elle avait lus sur l'extérieur de la missive lui suffisaient. Hill imagina aussitôt une

parade : il fallait faire payer le port par l'expéditeur selon un tarif uniforme et clairement indiqué sur la lettre : le timbre collé était la solution.
Le premier timbre de couleur noire – le black penny – portait le profil de la reine. Le succès fut immédiat... et Hill fut décoré.

imprimés au bas de l'enveloppe. Cette opération, l'indexation, est destinée à automatiser le tri du courrier qui s'effectue selon sa destination, et au rythme de 35 000 lettres par heure !

La distribution

Selon la distance à parcourir, la lettre poursuivra ensuite son voyage en camion, en train ou en avion, jusqu'au bureau distributeur. Lorsqu'elle arrive, il est en général entre 4 et 5 h 30 du matin, et les facteurs sont déjà à pied d'œuvre.
Leur journée commence par le "coupage" : ils se répartissent les lettres en fonction de

la commune, du nom de la rue ou du destinataire. Chaque facteur commence alors sa tournée.

Rivalités ?

Avec le fax, il est maintenant possible d'envoyer une lettre en un temps record, en utilisant le réseau du téléphone.
Une fois passée dans la machine et adressée au bon numéro, la lettre est transmise quasi instantanément à son destinataire en tout point de la planète.
Mais pour toute démarche à caractère officiel ou pour être

certain que le courrier arrive à bon port, il est préférable d'envoyer une lettre recommandée. Celle-ci sera toujours remise en mains propres à son destinataire. Dans les grandes villes, on peut aussi faire appel à un coursier privé, rapidité garantie !

LE SAVAIS-TU ?

Un courrier n'est jamais perdu
Chinois, arabe, grec... toutes les lettres dont les adresses sont rédigées dans un alphabet différent du nôtre sont transmises à un bureau spécial à Paris, où des traducteurs se chargent de les réécrire en français.

Monsieur le Président...
Pour écrire au président de la République, pas besoin de timbre. En effet, l'affranchissement n'est pas nécessaire pour tout courrier en provenance ou à destination de l'Élysée, mais c'est la seule exception !

Voyager carte en main

Les cartes qui permettent de circuler à pied, à vélo ou en voiture, celles qui assurent la sécurité de la navigation, ont mille choses à dire. Pour en tirer parti, on doit y déchiffrer bien plus que le nom des villes ou des ports. Encore faut-il comprendre leur langage et, en particulier, savoir lire la légende, ce dictionnaire de tous les symboles qui y figurent.

© Michelin, d'après carte n° 80-28, édition 98/99. Autorisation n° 9 902 08.

Un voyage imaginaire

Procure-toi une carte routière détaillée de ta région (échelle 1/250 000 à 1/100 000), fixe-toi un itinéraire et suis-le sur la carte en relevant les détails que tu rencontres en chemin. N'hésite pas à sortir de la route pour t'éloigner de quelques kilomètres. Grâce à la légende placée dans un coin de la feuille, reconstitue par la pensée les paysages et les agglomérations traversés. Pour t'aider, voici l'exemple d'une toute petite région de France (située en Aveyron), un rectangle de 30 km sur 10 km.

Échelle 1/200 000. Cela signifie : 1 cm représente 200 000 cm, soit 2 km.

• **Sévérac-le-Château** *Chef-lieu de canton (lettre C), les trains s'y arrêtent, mais le pont sur lequel passe la voie ferrée limite à 4,2 m la hauteur des camions à la sortie ouest de la ville. Tu peux te baigner dans la piscine (rectangle bleu) et, un peu plus loin, aller voir la chapelle (un rond surmonté d'une croix).*

• **Le col d'Engayresque** *(888 m d'altitude) : un établissement hospitalier y a été installé. Tu quittes l'autoroute (en construction) pour emprunter la nationale 9 (N 9).*

• **Sur 4 km,** *la N 9 descend et les chaussées sont séparées. La route longe la voie ferrée qui passe sous de nombreux tunnels.*

La carte marine

Tu navigues sur l'océan Atlantique et, ce soir, tu t'abriteras dans un petit port de plaisance que tu as repéré sur la carte. De loin déjà, tu t'es orienté grâce à la maison au toit rouge et au blockhaus perchés sur la côte. La nuit tombe, mais les phares et les balises vont te guider. Tu passes près d'un **f**eu à **é**clats **l**ongs de **10 s** porté par une bouée en pylône (F. él/10 s). Maintenant, tu suis strictement la route qu'indique la carte :

tu gouvernes pour conserver dans le même alignement les deux **f**eux **v**erts **s**cintillants (F. sc. v.) marquant l'entrée du port. Tu sais que tu ne risques rien, le fond rocheux (R) restant, même aux plus basses marées et jusqu'au chenal du port, à plus de 2 m de la surface (les pointillés définissent les lignes de niveau à 2, 5, 10 et 15 m de fond). Dans le chenal, tu respectes le balisage international.
(Échelle : 1 cm pour 0,7 km)

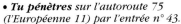

Extrait de la carte du SHOM n° 6522.
Autorisation de reproduction n° 416/99.

• **Tu pénètres** sur l'autoroute 75 (l'Européenne 11) par l'entrée n° 43.

• **Des zigzags**, la région est montagneuse et pittoresque : la bordure verte signale un beau paysage. D'ailleurs, voici la route départementale 153 qui mène à Verrières où tu trouves un "point de vue" (des pentes en gris, des forêts en vert, des rivières). De part et d'autre de la route, les montagnes culminent à 872 et 879 m.

• **14,5 km** (entre petites balises rouges) après le col, voici Aguessac. Le village dispose de ressources hôtelières (souligné en rouge). Le cimetière (une croix dans un rectangle) est à l'écart sur la départementale 907. Tu aperçois le château en ruine de Compeyre (trois petits ronds). Pour aller à Paulhe, il faut traverser une rivière, le Tarn, sur un pont qui n'admet pas les véhicules de plus de 6 tonnes et de plus de 3,1 m de haut.

• **Un poste téléphonique** de secours a été installé au bord de la route. Mais tu n'en as pas besoin et tu continues ta route vers Millau.

LE SAVAIS-TU ?

Habillage mnémotechnique
Dans toute l'Europe, en arrivant au port, tu enfiles "un tricot vert et deux bas si rouges".
Cela signifie :
UN - TRI - COt - VERT
(tu laisses à tribord des balises coniques vertes portant des numéros impairs) ;
DEUX - BAs - SI - ROUGE
(tu laisses à bâbord des balises cylindriques rouges portant des numéros pairs).

REPRÉSENTER LE RELIEF

La façon la plus précise consiste à dessiner des "lignes de niveau". On réunit par un trait (en brun ou en rouge clair) tous les points du terrain de même altitude, par exemple, 100 m. On recommence en se déplaçant chaque fois en altitude de 20 m par exemple. Ainsi, une colline apparaîtra nettement par une série de lignes plus ou moins circulaires emboîtées de la base au sommet, représentant les niveaux 100 m, 120 m, 140 m, etc. Sur les cartes plus simples, les lignes de niveau sont remplacées par un "ombrage". Le dessinateur fait comme si les reliefs étaient éclairés par une lumière venant du coin en haut à gauche de la carte, et colorie en brun ce qui serait à l'ombre sur les pentes des montagnes ou des vallées.

Des cartes pour tout apprendre

On reporte sur des cartes tout ce qui se passe, tout ce que l'on produit, tout ce qui circule... C'est un moyen de communication du savoir extrêmement puissant parce qu'il résume en une image une quantité de connaissances.

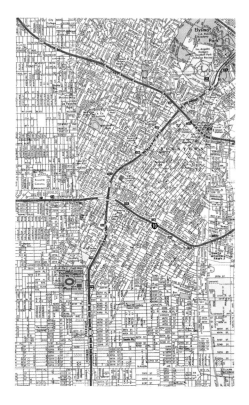

La plupart des cartes portent des informations écrites ou dessinées sur un tracé qui est une sorte de vue à vol d'oiseau de la région intéressante. On y trouve les repères naturels essentiels : tracé des côtes, rivières et lacs et, moins souvent, des indications sur le relief : montagnes, vallées, sommets. Sur ce "fond de carte topographique" apparaissent des informations très différentes, tout à fait spécialisées, destinées à tel ou tel public.

Los Angeles (États-Unis)
La carte (ci-contre) indique juste le nécessaire pour passer de l'autoroute à l'avenue et à la rue dans laquelle on se rend. Les avenues étant très longues, on a ajouté en rouge quelques numéros de maisons.

La Grande-Bretagne en quatre cartes
De gauche à droite : les précipitations, le relief, la structure géologique et l'utilisation du sol. D'un coup d'œil, on découvre le contraste entre les hautes terres de l'Ouest et les basses terres de l'Est. Un trait concrétise la frontière entre les deux zones.

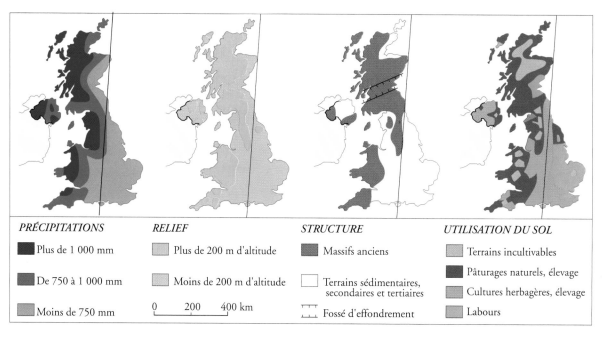

PRÉCIPITATIONS

- Plus de 1 000 mm
- De 750 à 1 000 mm
- Moins de 750 mm

RELIEF

- Plus de 200 m d'altitude
- Moins de 200 m d'altitude

0   200   400 km

STRUCTURE

- Massifs anciens
- Terrains sédimentaires, secondaires et tertiaires
- Fossé d'effondrement

UTILISATION DU SOL

- Terrains incultivables
- Pâturages naturels, élevage
- Cultures herbagères, élevage
- Labours

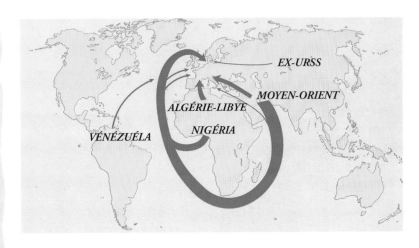

L'approvisionnement de l'Europe en pétrole

L'économie européenne fonctionne en majorité grâce au pétrole. La carte (ci-dessus) explique de manière immédiate qui sont les fournisseurs, quels parcours le pétrole doit accomplir pour arriver jusqu'à ses consommateurs. Elle aide à comprendre les conséquences pour la planète d'une "crise pétrolière au Moyen-Orient".

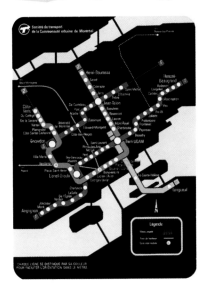

Le métro de Montréal

Il s'agit de guider le voyageur, non de lui apprendre la géographie. Les distances et les formes ne sont pas rigoureusement respectées. Les repères de lignes (numéros, gares terminales, couleurs) sont, en revanche, bien lisibles, et l'on distingue clairement les stations ordinaires des correspondances.

L'Ile au trésor, un pays imaginaire

Le romancier britannique Robert Stevenson (1850-1894) avait dessiné la carte de l'île avant d'écrire son célèbre roman, *L'Ile au trésor*, paru en 1883. Du coup, le récit paraît extraordinairement réel, et le lecteur ne peut s'empêcher de se reporter de temps à autre à la carte (ci-contre).

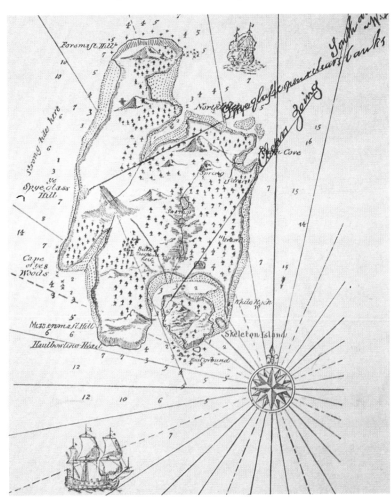

Messagerie secrète

Les messages secrets ne sont pas réservés aux armées, aux services de renseignement et autres héros de romans d'espionnage. Bien des échanges d'informations, économiques par exemple, s'effectuent dans la plus grande discrétion, et c'est à l'informatique que l'on demande aujourd'hui de "crypter" ou de "décrypter" des messages.

Code et chiffre

Un livre de "code" est une sorte de répertoire où, en face de chaque mot à coder, figure un autre mot ou un signe. Après substitution, le message devient incompréhensible. Un "chiffre", en revanche, opère une transformation sur chacun des caractères, chiffres, signes de ponctuation que contient le message. Avec un chiffre, on dit ce que l'on veut, alors qu'avec un code, on ne peut transmettre que des messages dont les mots proviennent du répertoire.

Le code Chappe

Sous la Révolution française, les frères Chappe inventèrent un système de transmission rapide d'informations (militaires au début) sur de très grandes distances. Le message était envoyé de proche en proche grâce à un réseau de sémaphores construits sur des points élevés du pays. Les bras des sémaphores pouvaient prendre 196 positions ou "signaux" différents correspondant à un code secret.

Un message codé était composé de groupes de deux signaux. Le premier signal indiquait la page du livre de code à consulter (92 pages), le deuxième la ligne dans la page (92 lignes). À raison d'un mot par ligne, on pouvait transmettre 92 x 92 = 8 464 mots différents. Le système permettait des performances extraordinaires tout en garantissant une discrétion absolue.

Les systèmes classiques de chiffrement

La substitution alphabétique consiste à remplacer l'alphabet usuel par un autre alphabet qui lui correspond lettre par lettre. L'exemple le plus connu est celui de l'alphabet inversé dans lequel A = Z, B = Y, C = X, etc. C'est très facile à utiliser… mais aussi à déchiffrer !

Dans une passionnante nouvelle, *Le Scarabée d'or*, l'écrivain américain Edgar A. Poe (1809-1849) raconte comment son héros déchiffre un document codé par substitution en se basant sur la fréquence d'apparition des lettres de l'alphabet dans la langue anglaise. Un autre procédé consiste à brouiller l'ordre des lettres du message selon un procédé connu des seuls correspondants.

RÉALISE TON PROPRE CODE SECRET

● Prépare une grille de cinq colonnes et de cinq rangées. Écris dans les cases et dans un ordre quelconque les lettres de l'alphabet (en français, tu retires le W).

● Pour coder ton message, remplace chaque lettre par un nombre de deux chiffres désignant la case, le premier correspondant à la colonne, le second à la rangée horizontale. Ainsi, par exemple, la lettre V s'écrira 32, et la lettre P, 25. Les chiffres peuvent être écrits à la suite l'un de l'autre : seul le correspondant (qui possède évidemment la même grille) sait que, pour déchiffrer, il faut les séparer par groupes de deux.

● Tu peux compliquer considérablement le problème : sur une grille de 81 cases (9 x 9), ajoute à l'alphabet des syllabes courantes, des sigles particuliers, des mots entiers qui seront inclus dans les messages. Ce système, très difficile à déchiffrer, est utilisé dans l'armée. Mais il ne faut pas que l'ennemi s'empare de la grille !

	1	2	3	4	5
1	M	B	S	J	R
2	O	A	V	F	K
3	G	T	R	U	Q
4	L	H	X	I	C
5	N	P	D	T	E

F   L   E   U   R   U   S
↓   ↓   ↓   ↓   ↓   ↓   ↓
42   14   55   43   33   43   31

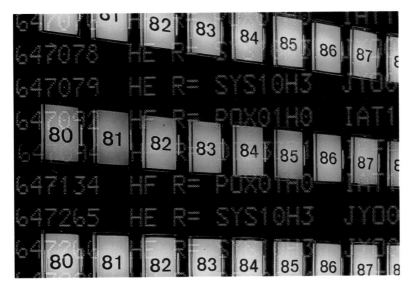

Dans l'Antiquité grecque, le message était inscrit sur une bandelette de papier enroulée sur un bâton. Une fois déroulé, le texte était illisible. Il fallait que le destinataire possède un bâton de diamètre identique pour enrouler de nouveau la bandelette et accéder au message.

Le cryptage informatique

Si l'on te parle du produit de deux nombres premiers (ces nombres qui ne sont divisibles que par eux-mêmes et par 1) et que l'on te dit 35, tu répondras immédiatement 5 x 7 ! Mais si l'on te dit 10 379, tu auras sans doute quelque peine à découvrir qu'il s'agit du produit de 97 par 107. Il est évident que la difficulté croît très vite avec la grandeur des nombres premiers utilisés. C'est sur cette idée que sont basées les clés permettant de "crypter" les informations circulant sur les réseaux d'ordinateurs. Le message est transformé par des opérations où intervient la clé. Des moyens informatiques énormes sont nécessaires pour effectuer les opérations inverses.

Ondes

Un éclair illumine ta chambre… Tu te mets à compter: 1, 2, 3, 4, 5, jusqu'au fracas du tonnerre. Tu multiplies par 300 et tu te dis: un orage à 1,5 km d'ici ! Deux types d'ondes t'ont signalé le même événement. Elles se sont propagées à des vitesses très différentes, et tu les as détectées par deux systèmes perceptifs spécialisés: la vue et l'ouïe.

Ondes élastiques

Un chuchotement, quelques notes de musique nous parviennent à travers les airs. La tête enfoncée dans l'eau de la baignoire, nous percevons sans peine le moindre choc sur sa paroi. Quant aux solides, ils nous transmettent le raclement des pieds du fauteuil du voisin. Toutes ces vibrations sont de même nature. Il s'agit d'ondes "élastiques", résultat d'une perturbation (compression, déformation transversale…) d'un milieu gazeux, liquide ou solide. Il en est tout autrement dans le vide: pas de matière, donc pas d'onde élastique ! La vitesse de propagation dans l'air est de 340 m/s (environ 1 200 km/h). Elle est plus élevée dans les liquides et atteint 5 000 m/s dans un métal comme l'acier.

Ondes électromagnétiques

Une image colorée, la chaleur dégagée par les braises d'un foyer, sont autant de signaux que véhiculent des ondes d'une tout autre nature que les précédentes et appelées ondes électromagnétiques*. La radio, les micro-ondes en font partie. Elles se propagent dans tous les milieux, avec plus ou moins de succès. N'ayant pas de "support" matériel, elles traversent parfaitement le vide. Le verre est transparent aux ondes visibles et à une partie des infrarouges* (c'est-à-dire qu'il les laisse passer), opaque aux ultraviolets* (tu ne peux pas bronzer à travers une vitre), transparent aux ondes radio*. Le béton est opaque à tous les rayonnements visibles, transparent à certaines ondes radio, etc. Dans le vide, la vitesse des ondes électromagnétiques est proche de 300 000 km/s; dans la matière, elle est toujours moins élevée.

Des oreilles…

Nos oreilles sont des capteurs d'ondes élastiques. Le domaine des fréquences audibles s'étend, au mieux, de 20 à 20 000 Hz. Le téléphone n'assure pratiquement qu'une "bande passante" limitée (100 à 3 000 Hz) suffisante pour les conversations. Beaucoup d'animaux perçoivent des fréquences très élevées situées dans le domaine ultrasonore: 80 000 Hz pour certaines races de chiens.

… et des yeux

Nos yeux ne sont sensibles qu'aux fréquences de l'étroit domaine "visible" des ondes électromagnétiques. On l'exprime plus volontiers en longueurs d'ondes : elles vont de 400 nm (1 nanomètre [nm] = 1 milliardième de mètre) à 800 nm, que nous percevons sous l'aspect de couleurs, du violet au rouge. Notre peau est sensible au proche infrarouge, mais rien ne nous révèle les ultraviolets, sauf les dégâts qu'ils peuvent commettre à plus ou moins long terme. D'autres rayonnements électromagnétiques ne sont pas sans danger et leur usage est très contrôlé : les rayons X* par exemple (0,01 nm à 5 nm de longueur d'onde) ou les "microndes" (30 cm environ de longueur d'onde).

Photo infrarouge du rayonnement *émis par une maison chauffée. La chaleur fuit par les fenêtres et le toit.*

CARACTÉRISER UNE ONDE

Une pierre jetée dans l'eau : une onde se forme et se propage en cercles qui s'élargissent, puis disparaissent. On remarque immédiatement ce qui la caractérise :
- Son amplitude : la hauteur qui sépare la crête du creux de l'onde. Elle diminue au fur et à mesure que l'onde s'amortit.
- Sa longueur d'onde : la distance qui sépare deux crêtes. On l'exprime en unités de longueur : mètre, multiples et sous-multiples du mètre.
- Sa fréquence F : le nombre de crêtes qui passent, par seconde, devant un repère. On l'exprime en Hertz (symbole Hz).
- Sa vitesse de propagation V, exprimée en m/s.
Ces trois dernières grandeurs sont reliées par une loi très simple : $L = V/F$.
Les mêmes grandeurs caractérisent une onde élastique et une onde électromagnétique.

Mais à chaque fois, arrivés à destination, ces signaux doivent reprendre les seules formes acceptables par nos sens : des sons audibles et des signes lumineux visibles.

LE SAVAIS-TU ?

Bavards comme des siffleurs
Un doigt dans la bouche, ce berger de Gomera, île des Canaries, siffle un message à un ami qui l'écoute 6 km plus loin dans la vallée. Il ne s'agit pas d'un code simple de quelques signaux, mais d'une véritable langue, avec son vocabulaire et sa grammaire. Les derniers siffleurs de Gomera disparaissent, comme se sont éteints ceux de la vallée d'Ossau dans les Pyrénées françaises. Mais les langues sifflées des Mazathèques au Mexique et des habitants de la région de Kusköy en Turquie sont bien vivantes.

Avatars

Le son est rapidement amorti, des obstacles arrêtent la lumière… Pour communiquer sur de longues distances, il a fallu exploiter des ondes et leurs interactions avec la matière. Les sons sont transformés en vibrations électriques, qui modulent des ondes radio empruntant les relais hertziens ou le câble ; des images sont traduites en nombres pour être portées par un rayon lumineux cheminant dans une fibre optique, etc.

Multimédia

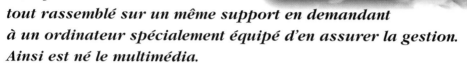

Il y avait le livre, avec son texte et ses images, le disque ou la cassette audio, le cinéma et la vidéo... Puis l'ordinateur personnel est arrivé, autorisant le traitement de ces données, pour peu qu'elles soient numérisées, c'est-à-dire transcrites sous forme de 0 et de 1. On a alors tout rassemblé sur un même support en demandant à un ordinateur spécialement équipé d'en assurer la gestion. Ainsi est né le multimédia.

Un même support matériel et un accès extrêmement souple à son contenu : c'est à cette fin que s'est perfectionné l'**hypermédia**, base de l'"interactivité". Il conjugue l'**hypertexte** qui permet, en désignant un mot à l'aide de la souris de l'ordinateur, de faire apparaître toute une série d'informations qui s'y rattachent ; et les **zones actives** de l'écran (souvent repérées sous forme de **boutons**) qui commandent diverses fonctions : tourner la page, agrandir une image, appeler un commentaire, consulter le sommaire.

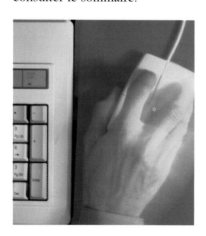

L'USAGE INTELLIGENT DU MULTIMÉDIA

L'interaction permet d'effectuer son propre parcours dans le dédale qu'est un produit multimédia, de s'enfoncer dans le labyrinthe des données, de mettre de côté ce que l'on souhaite retenir, d'ajouter des notes écrites, d'y joindre des données recueillies sur Internet, etc. Au bout du compte, l'utilisateur crée un "produit" original, orienté selon son idée, fait de choix et de mises en ordre. Ainsi peux-tu, par exemple, préparer un exposé sur la culture du houblon dans les pays nordiques !

Infatigable professeur

Te voilà installé dans le laboratoire de langues d'un CD-Rom consacré à l'espagnol. Tu fais glisser la souris jusqu'au thème qui t'intéresse, le flamenco, et tu cliques. Dans le texte de la chanson qui s'affiche, tu choisis le vers *"Como un*

atardecer que se esta muriendo", ("Comme un soir qui se meurt"), et tu cliques sur "écouter". Une voix le prononce, tu le lui fais répéter plusieurs fois. Maintenant à ton tour de parler dans le microphone de l'ordinateur, puis de t'entendre. Tu recommences, tu écoutes à nouveau le professeur. Entre-temps, tu compares, à l'écran, le signal électrique du micro à celui du professeur pour repérer l'emplacement de tes défauts. Tu ne comprends pas *atardecer* ? Tu le désignes avec la souris et les explications s'affichent. Tu as ignoré d'autres options : entendre la voix de Juan Moneo El Torta, visiter en vidéo la région de Jerez…

De CD en CD-Rom et en DVD

Le CD (*Compact-Disc*) ne stocke que des sons, sous forme de nombres binaires, une suite de 0 et de 1, concrétisés par des milliards de cuvettes et de zones planes microscopiques. Le CD-Rom est réalisé sur le même principe, mais les nombres binaires représentent aussi bien les lettres d'un texte que les caractéristiques d'une image. On n'a cessé d'améliorer le CD-Rom depuis son invention en 1985 ; en revanche, une chose n'a pas changé : sa capacité énorme de stockage (650 Méga-octets, soit, schématiquement, 650 millions de caractères, ou encore 74 minutes de son haute fidélité ou quelques dizaines de minutes de film). Elle limite cependant les usages requérant de nombreuses images. De multiples recherches ont conduit à la mise au point, en 1996, du DVD (*Digital Versatil Disc*), véritable tour de force technologique, qui multiplie par 26 la capacité du CD-Rom (17 Giga-octets, soit 17 milliards de caractères). On peut y enregistrer un film long métrage de 2 h 15 ou 8 h d'images de télévision, le tout sur un disque au format identique à celui du bon vieux CD.

Aujourd'hui...

Les usages du multimédia sont sans limites : pour apprendre l'histoire d'un pays ou la géométrie ; pour rechercher une information dans une encyclopédie générale ou spécialisée ; pour s'initier au jardinage ou parcourir le monde sur un atlas ; pour visiter un musée lointain et détailler un tableau. Dans chaque cas, le multimédia n'a d'intérêt que s'il est... multimédia, c'est-à-dire

s'il apporte des informations complémentaires que le livre seul ne peut fournir : le son, l'image animée. C'est évidemment le cas pour les jeux : un *joystick**... et en avant pour l'exploration d'un territoire étrange peuplé d'adversaires acharnés, ou pour le pilotage d'un engin volant dans un paysage semé d'embûches ! Restent encore toutes sortes d'applications professionnelles (formation au travail technique ou de bureau) ou publiques (les bornes d'information).

... et demain ?

Assisteras-tu à la mort du CD-Rom puis à celle du DVD ? Pourquoi t'encombrer de disques qui seront toujours limités, alors que tes goûts et tes centres d'intérêt auront changé ? Est-ce qu'il ne serait pas plus pratique de te relier à un fournisseur auquel tu demanderais d'envoyer par câble ce que tu souhaites voir ou entendre au moment où tu le désires ? C'est à de telles possibilités que travaillent ceux qui préparent les "autoroutes de l'information". Les premières seront inaugurées au tout début du troisième millénaire. La complexité est considérable si l'on veut conserver

l'interactivité, donc le transfert de l'information dans les deux sens. Ces autoroutes nécessitent la mise en place de fibres optiques, seules capables de transporter les gigantesques flux d'informations que ces projets impliquent.

Internet, réseau des réseaux

*Ordinateur allumé, souris en main,
Katia cherche l'icône familière, clique,
tape son mot de passe... En trente secondes
la connexion par la ligne téléphonique
s'effectue, et la voilà devenue internaute :
le monde s'ouvre à elle grâce à Internet.*

Katia est une habituée d'Internet et, suivant ses attentes, elle utilise l'une ou l'autre de ses quatre offres. Elle consulte quotidiennement son **courrier électronique** ; tous les jours également, sa profession l'amène à transmettre à son employeur ou à ses clients de gros paquets de données par le **FTP** (*File Transfert Protocole*) ; elle participe régulièrement à un **Forum** où elle discute de la culture des roses avec de lointains correspondants aussi passionnés qu'elle ; et évidemment, à plusieurs occasions, elle pénètre dans le **Web** pour y dénicher des informations ou un produit introuvable dans sa ville.

Le Web

Le *World Wide Web* (la Toile d'araignée mondiale) ressemble à une gigantesque médiathèque en perpétuelle évolution, composée de textes, d'images et de sons. Pour partir à la recherche de sites connus ou inconnus, ton ordinateur doit être équipé (outre du modem, intégré ou non, qui permet de le connecter à la ligne téléphonique) d'un logiciel de navigation appelé en général *browser.* Aucun catalogue ou fichier ne répertorie les sites. Si tu recherches une information précise, par exemple "Comment l'on restaure les vieux vitraux ?", il te suffit, une fois connecté à travers ton "fournisseur d'accès", d'appeler à ton secours un logiciel "moteur de recherche". Avec les mots clefs "vitrail + restauration", il affiche, en quelques secondes, les références des pages à travers le monde susceptibles de répondre à ta curiosité. Mais peut-être veux-tu simplement t'aventurer en curieux, te laisser porter par des associations d'idées ou d'images ? Partant d'une page qu'affiche l'écran, tu vas naviguer librement avec la souris (certains disent "surfer") en cliquant sur un mot "activé" (ou une image) qui renvoie à une autre page. Ce procédé très simple de circulation, basé sur le mode "hypertexte", fait le succès du Web. Il a son revers : tu peux en effet errer très longtemps avant de découvrir des pages sur un sujet qui te passionne !

À chacun son site

Un ensemble de pages proposant des informations constitue un "site". Il naît – et, faute d'entretien, meurt – de nombreux sites tous les jours dans le monde. Leurs créateurs sont des administrations, des associations, des industriels, des commerçants, des particuliers. Ils portent un nom dont la forme est, à peu près, codifiée. Par exemple, celui de la Cité des Sciences et de l'Industrie est : http://www.cite-sciences.fr
• "http://" désigne le protocole de communication entre le serveur et le Web (http : *hypertext transfet protocol*) ;
• "www" signifie qu'il s'agit du *Web* ; "cite-sciences" est le nom du domaine (il correspond le plus souvent à un nom d'entreprise ou de produit) ;
• ".fr" précise le pays d'origine (".be" pour Belgique, ".ca" pour Canada, etc.) ou l'activité (".com" pour une activité commerciale). Restent aux créateurs de sites à donner vie à ces pages "multimédias" : simples informations, propositions commerciales, jeux…

Le courrier électronique

Il constitue l'usage principal d'Internet : un *e.mail* ne coûte (pour l'instant !) que le prix de la communication téléphonique nécessaire à son transport. Abonné à Internet, tu possèdes alors une adresse de courrier électronique, dont la forme est également codifiée. Voici, par exemple, celle que pourrait avoir un employé de la Cité des Sciences et de l'Industrie qui aurait choisi un pseudonyme : albertein@cite-sciences.fr
On trouve : le nom (ou le pseudonyme plus ou moins fantaisiste) ; le symbole @, "arobas", que l'on lit souvent à l'américaine *at* (chez) ; le nom du site de la société qui emploie albertein (pour un particulier, ce serait le nom de son fournisseur d'accès) ; le pays (".fr" pour France ; ce serait ".com" si albertein ou sa société avait une activité commerciale). Pour envoyer un courrier, rien de plus simple ! Une fois tapé, adressé et l'ordre d'expédition donné, en un clic ton message est transmis. Et en recevoir n'est pas plus compliqué. C'est un formidable moyen de communication !

Discuter sur le réseau

Tu t'intéresses aux oiseaux migrateurs ? À la conquête de Mars ? À la musique celte ? Tu n'es certainement pas le seul et il existe un Forum (un *Newsgroup*) sur ces questions. Tout passe par des "contributions" déposées à l'adresse du forum. À toi d'apporter les tiennes. La discussion (souvent internationale) n'est pas très rapide à cause de la saturation du réseau, surtout à certaines heures d'affluence dans la journée (10 h - 16 h) et en fonction du poids des informations que tu reçois (un texte est instantané, une vidéo de 1 mn exige plusieurs minutes). Elle te permet cependant, outre d'échanger sur ton sujet préféré, de te faire des connaissances parmi ces spécialistes.

SE CONNECTER

Tout comme on doit passer par une société de téléphone pour disposer d'une ligne, on ne peut avoir accès à Internet sans intermédiaire. Il est nécessaire de passer par un "fournisseur d'accès" ou *provider* (tels Club-Internet, Easynet, Wanadoo…) équipé de lignes à très haut débit. Il assure la liaison entre ton ordinateur et cette quantité formidable de miniréseaux, formés eux-mêmes de milliers d'ordinateurs, qui constituent Internet. Le service qu'il rend se rétribue sous forme d'un abonnement. Les fournisseurs "en ligne" (tels AOL, Infonie, CompuServe) ont leur propre réseau et proposent à leurs abonnés, outre l'accès à Internet, des services propres tels que du téléachat, des jeux, des logiciels téléchargeables.

Dans les coulisses d'un quotidien

Un journal, c'est tous les jours pareil et tous les jours différent.
L'heure de sortie est fixée, l'enchaînement des opérations nécessaires
à sa conception et à sa fabrication strictement défini, la tonalité générale
qui le fera reconnaître au milieu de mille autres arrêtée. Et pourtant...

Chaque jour, c'est l'équivalent d'un nouveau livre de deux ou trois cents pages qu'ouvre le lecteur, avec ses rubriques immédiatement identifiables. Dans chacune d'elles, le journal apporte la continuité et la nouveauté : équilibre difficile où l'information de dernière minute ne doit pas masquer la réflexion sur ce qui se passe, en quelque domaine que ce soit. Quotidien dit "du soir" car il paraît l'après-midi dans les kiosques, *Le Monde* demande une organisation rigoureuse.

Conférence de rédaction du matin

7 h 30 : Tout le monde debout pour la première conférence de rédaction de la journée. Jean-Marie Colombani, directeur de la publication, réunit les rédacteurs en chef des différentes rubriques du journal : société, économie, international, culture... C'est ici qu'ils décident des sujets qui seront publiés ce jour, et de l'importance que prendra chaque article dans le quotidien.

Journaliste au téléphone

Les journalistes n'ont pas de temps à perdre, ils doivent vérifier les informations, peaufiner la rédaction,

trouver un titre... Chaque article sera ensuite relu et corrigé par un rédacteur en chef, un secrétaire de rédaction et un correcteur, puis mis en page par la "prépresse", avant de partir à l'impression. Si un événement de premier ordre tombe sur les téléscripteurs au cours de la matinée, toute la hiérarchie du journal peut être bousculée : l'information est par nature souvent imprévisible ! Même si, en dernière page, on peut réserver de la place pour une "dernière minute".

Mise en page du dessin de "Une"

9 h 45 : Le dessinateur Plantu veille à la mise en page de la "Une" où prend place son dessin. Les thèmes à croquer ne lui sont parvenus que vers 8 h 30, et tout doit être terminé pour 10 h 45 : une véritable course contre la montre ! Tout en essayant de rester drôle et incisif à chaque coup de crayon.

LE SAVAIS-TU?

La liberté de la presse

Le premier quotidien français *Le journal de Paris* a vu le jour en 1777! Cependant, il fallut attendre 1789 et la Révolution française pour que soit officiellement autorisée la publication de véritables périodiques. C'est l'article 11 de la Déclaration des droits de l'homme et du citoyen qui définit le principe nouveau de liberté de la presse en ces termes : « La libre communication des pensées et des opinions est un des droits les plus précieux de l'homme : tout citoyen peut donc parler, écrire, imprimer librement, sauf à répondre des abus de cette liberté dans les cas déterminés par la loi. »

travailler très vite pour suivre l'actualité au plus près. Mais cela ne signifie pas faire l'impasse sur la vérification des informations et sur la réflexion de fond. Un exercice de style difficile réservé à des professionnels chevronnés.

Au "dos d'âne"

10 h 45 : Dernières vérifications de mise en page pour Laurent Greilsamer, l'un des rédacteurs en chef, avant de donner son feu vert pour l'impression. C'est sur le "dos d'âne", une longue table à deux plans inclinés, que chacun vérifie la maquette de sa rubrique : une mise en page claire et organisée guidera le lecteur dans sa recherche d'informations.

Un journaliste prépare un reportage

Certains rédacteurs travaillent déjà sur les sujets du lendemain. D'autres préparent de futures enquêtes et reportages. Des articles seront envoyés depuis l'autre bout du monde par les correspondants du journal. Dans un quotidien, les journalistes doivent

Dernières mises au point sur la maquette avant le bouclage

10 h 55 : Ultimes mises au point avant le bouclage, c'est-à-dire avant que toutes les pages du journal ne soient "bonnes pour l'impression".
La maquette de l'édition est minutieusement vérifiée une dernière fois avec Edwy Plenel, directeur de la rédaction : il ne faut pas laisser passer la moindre "coquille" (une faute de frappe dans le jargon journalistique), alors mieux vaut ouvrir l'œil et le bon !
À 11 h, toutes les pages seront parties pour l'imprimerie d'Ivry, en banlieue parisienne.

Sur les presses de l'imprimerie d'Ivry

À l'imprimerie d'Ivry, un technicien surveille l'impression en cours.
Les rotatives – des presses circulaires utilisées pour l'impression des journaux et des magazines – tournent à plein régime. *Le Monde* est tiré à plus

de 500 000 exemplaires chaque jour. Il sera disponible dans les kiosques de la capitale à partir de 13 h, et en fin d'après-midi en province. C'est maintenant le seul quotidien du soir en France, la plupart des autres titres, notamment *Le Figaro* et *Libération,* sortent très tôt le matin.

Conférence de rédaction du midi

12 h : C'est lors de cette conférence que se prépare le journal du lendemain : choix des sujets, discussion sur la manière de traiter les différentes informations, mises au point sur les enquêtes… Toute l'équipe est réunie pour ce grand *briefing* quotidien.
À 12 h 20 arrive "la poignée", c'est-à-dire les premiers numéros de l'édition du jour, tout frais sortis de l'imprimerie. Mais pour les journalistes du *Monde,* c'est déjà demain !

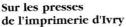

L'information à la télévision

Symbole par excellence de l'information tout en images, le journal télévisé (JT) rassemble des millions de téléspectateurs. Chaque jour, le présentateur nous rapporte des nouvelles du monde. À l'heure du satellite, nous pouvons assister en direct à un événement qui se déroule à l'autre bout de la planète. Sur le terrain, les journalistes enquêtent caméra au poing. Comment s'organise l'information télévisée ? Pour le savoir, entrons dans les coulisses du JT.

La rédaction

C'est l'ensemble des journalistes qui alimentent les journaux et les magazines de la chaîne en informations et en images : reporters, correspondants à l'étranger, journalistes spécialisés... La rédaction est chapeautée par un **directeur de l'information** qui définit les grands principes et les orientations en matière d'information : c'est la **ligne éditoriale** de la chaîne.

C'est dans son respect que le **rédacteur en chef** d'un journal télévisé dirige son équipe, avec laquelle il définit quotidiennement le contenu de l'émission. L'ordre de passage des sujets est décidé lors des **conférences de rédaction**. Pour le journal de 20 heures, la dernière conférence a lieu vers 17 heures, mais une nouvelle de dernière minute peut toujours venir bouleverser le **conducteur**, c'est-à-dire le déroulement du journal, que la **scripte** est chargée de mettre à jour. Rien n'est jamais laissé au hasard, tout est calculé à la seconde près. En direct, on n'a pas le droit à l'erreur. Alors maintenant silence, on tourne, et envoyez le générique !

Un invité

Le plateau

Il y a en général trois **caméras** sur le plateau du JT, manipulées par des **cadreurs**. Elles permettent d'obtenir différents angles de prise de vue : un plan serré sur le présentateur de face, ou dans l'axe de l'invité, ou encore un plan général du plateau.

Le présentateur est la figure emblématique du journal, c'est un personnage familier du public. Il donne le ton de l'émission en introduisant à sa manière les différents sujets, et en apportant ses commentaires aux images. Principale qualité : la polyvalence. Il doit pouvoir parler de tout, et interviewer toutes les personnalités invitées sur le plateau, qu'il s'agisse d'une star de cinéma ou du Premier ministre.

*Le présentateur reçoit l'image transmise aux téléspectateurs sur son **écran de contrôle**.*

*Le texte du présentateur défile sur un écran, appelé **prompteur** (associé à la caméra de face). C'est pour cela que le présentateur ne regarde "jamais" ses papiers qui ne sont là qu'en cas de défaillance du prompteur.*

La régie

L'ingénieur image est un œil averti. Il corrige le rendu de l'image sur son écran : luminosité, couleur, contraste. D'ailleurs, certaines couleurs ou certains motifs passent très mal à la télévision, le rouge par exemple, ou pire encore les petits carreaux.

L'ingénieur du son règle les micros placés sur le plateau et contrôle la qualité du son sur sa table de mixage.

Le truquiste prépare les effets spéciaux, et envoie au bon moment les incrustations mises en mémoire : titres, photos, illustrations.

Le réalisateur est un peu le chef d'orchestre de l'équipe technique. Il dirige les caméras et sélectionne l'image que le téléspectateur voit à l'écran. Il suit scrupuleusement le conducteur de l'émission avec l'aide de la scripte. Il sait à quel moment lancer un reportage, ou faire intervenir un envoyé spécial en direct. Il doit toujours avoir le bon réflexe au bon moment, et savoir faire face aux imprévus. En cas de problème, il peut communiquer ses indications au présentateur qui l'entend dans son oreillette.

LE SAVAIS-TU ?

Les 50 ans du JT
Le 29 juin 1949, le premier journal télévisé est diffusé en France. Les premières éditions du JT, calquées sur le modèle des actualités cinématographiques, ne durent que 15 mn. Elles mettent souvent le sport à l'honneur, ainsi que les nouvelles parisiennes. Les reportages sont muets et les commentaires lus en direct par des speakers.

L'ABC de l'information
Aux États-Unis, le journal télévisé de la chaîne ABC bat tous les records d'audience. Son présentateur, Peter Jennings, est devenu une véritable star. Mais il faut dire qu'il est plutôt bien entouré, l'équipe du JT ne compte pas moins de 800 personnes !

À FOND L'INFO !

Dès qu'un événement se produit quelque part dans le monde, la télévision établit aussitôt un contact avec une personne sur place : envoyé spécial ou correspondant permanent pour la chaîne. Ainsi, pouvons-nous assister en direct à l'événement. Mais suffit-il d'être le témoin d'une guerre pour la comprendre ? Le direct permet-il aux journalistes de prendre le recul nécessaire à une information objective ?

À l'heure actuelle, cette question fait l'objet de nombreux débats chez les journalistes et les observateurs des médias.

Sondages

*20 heures, l'heure
des informations.
Monsieur
et Madame Martin
rejoignent Alice et John,
leurs enfants, devant
la télévision. Au moment
de s'asseoir, chacun presse
un bouton d'une petite boîte ressemblant
à une télécommande. Trois minutes plus tard,
le petit John, qui commence à bâiller, se lève, appuie
sur un autre bouton et s'en va.*

C'est ainsi que les Martin regardent la télévision : chacun signale scrupuleusement le moment où il arrive et celui où il s'en va. Un appareil, installé près du téléviseur, enregistre ces informations, et aussi, à chaque seconde, quelle chaîne ils regardent. Car les Martin font partie des 2 200 familles de leur pays qui permettent d'évaluer le taux d'audience des émissions.

L'échantillon représentatif

Quand l'enquêteur est venu proposer aux Martin de faire partie du **panel de sondage**, ils ont tout de suite accepté. Sur le coup, ils ont été flattés et ont cru appartenir à une élite. En réalité, ils sont ordinaires. Ils sont quatre individus d'un échantillon représentant les 42 millions d'habitants de leur pays. L'échantillon **est représentatif** car on y trouve 6,4 % de jeunes de 10 à 14 ans, 83 % de citadins, 12,2 % d'employés… comme dans l'ensemble de leur pays. L'échantillon représentatif ressemble à une image, en miniature, mais non déformée, de la population tout entière.

Tous différents, et pourtant...

Toutes les informations que la machine (l'audimètre) a enregistrées chez les Martin sont transmises pendant la nuit à un ordinateur, avec celles provenant des 2 199 autres foyers représentatifs. Et l'ordinateur, qui connaît les programmes des chaînes seconde par seconde, calcule combien de personnes regardaient telle émission à telle heure. Parce que l'échantillon est représentatif, il n'est pas nécessaire d'interroger tous les habitants du pays : la réponse serait, à peu de chose près, la même.

Sondage commercial

L'audimétrie à laquelle les Martin collabore est un sondage commercial. C'est un mode de communication permanent entre les responsables des chaînes de télévision et la population du pays. Le sondage permet d'évaluer la fidélité des téléspectateurs, de comprendre leurs goûts, de savoir à quel moment la publicité a des chances d'être vue, et de définir, par conséquent, son prix, etc.

Pour écouter la foule anonyme

Les sondages sont indispensables dans une nation moderne. Ils apportent des informations sur toutes sortes de sujets : les conditions de vie (combien de salariés empruntent l'autobus pour aller travailler ?), la consommation (combien d'acheteurs de voitures de plus de 8 CV ?), l'éducation (combien de jeunes désirent s'orienter vers les métiers d'art ?), l'emploi, la santé, les loisirs... sans qu'il soit nécessaire d'interroger tous les habitants. À la suite de ces informations, viennent les décisions non seulement des gouvernements, mais également des responsables d'entreprises industrielles et commerciales. Les sondages concernant les intentions de vote en période d'élections ne représentent qu'une petite part de l'activité des entreprises spécialisées.

QUESTION DE MÉTHODE

Le sondage par la méthode de l'échantillon représentatif n'est utilisable que s'il est possible de construire un tel échantillon. Sinon, on effectue un sondage aléatoire simple : on tire au sort, dans la population à étudier, un certain nombre d'individus sans *a priori* sur leurs caractéristiques. De même que pour goûter un potage très homogène, il suffit d'en prélever une seule cuillère, ce type de sondage est d'autant plus performant que la population à interroger est homogène. Contrairement à ce que l'on pourrait penser, une étude mathématique montre que la taille de l'échantillon a peu d'influence sur la précision des résultats : un échantillon de 5 000 personnes représente presque aussi bien une population de 50 millions de personnes que celle de 500 000 personnes.

Photo numérique

Avec son tout nouvel appareil photo numérique, Thomas arpente inlassablement le parc de la Villette à Paris. Il n'arrête pas de prendre des clichés. Il choisit de photographier la Géode, car il a une idée derrière la tête : il a l'intention de retoucher ces images sur son ordinateur et de les transformer à sa guise.

Disquette

Capteur CCD

l'ordinateur. Le CCD est tapissé de milliers de "photosites", minuscules capteurs sensibles à la lumière. Chacun d'eux donne les informations relatives à un point, un "pixel", de la photo : couleur et luminosité, permettant à l'ordinateur de recréer l'image. En quelques minutes, les clichés stockés dans la mémoire interne de l'appareil photo sont transférés sur son disque dur. Les images défilent l'une après l'autre sur l'écran.

À peine de retour chez lui, Thomas allume son ordinateur pour une séance de visionnage éclair. Pas besoin de passer par un laboratoire pour la simple raison qu'il n'y a aucune pellicule à développer.

Une photo sans chimie

Dans l'appareil de Thomas, le film a été remplacé par une puce électronique : le capteur CCD (*Charges Couple Device*) qui transforme l'image perçue dans le viseur en une suite de valeurs numériques compréhensibles par

Manipuler sans toucher

Voilà donc 150 images stockées dans l'ordinateur : pas facile de s'y retrouver sans un système de tri et d'accès. Thomas utilise un logiciel de classement à plusieurs entrées : par ordre chronologique (les photos portent toutes la date et l'heure de prise de vues), par lieu (il les a légendées, à l'aide du petit clavier au dos de son appareil, en prenant chaque cliché), ou selon les personnes présentes sur la photo. Tout se passe comme s'il composait divers albums, certaines images pouvant appartenir à plusieurs d'entre eux. Puis, il "feuillette" les albums en ajoutant commentaires et fond sonore. Pour conserver définitivement tout ce travail sans perte de qualité, Thomas le fera transférer sur un CD-Rom pouvant contenir une centaine d'images (*voir p. 202-203*). Et, s'il le désire, il imprimera sur papier ses meilleures photos au format de son choix.

Des retouches sans limites

Thomas trouve de nombreux avantages à la photo numérique : des logiciels de traitement d'images vont lui permettre de la retoucher et de réaliser des trucages au gré de son humeur et de sa sensibilité. Pour commencer, il sélectionne une photo de la Géode, cette belle sphère brillante sur laquelle se reflètent les nuages.

Il s'amuse à la cabosser, à la pétrir comme une boule de pâte. Ce qui fera sans doute sourire son ami Mike de New York lorsqu'il recevra tout à l'heure la photo truquée (par Internet, bien sûr !) avec ces quelques mots : "Catastrophe à Paris : la Géode s'est effondrée !" Et, dès que Thomas maîtrisera un peu mieux son logiciel, il détourera une photo de son ami pour l'installer, bien assis, sur la Géode aplatie !

LA QUALITÉ D'IMAGE ET LE STOCKAGE

Les fabricants d'appareils photo numériques s'affrontent sur deux questions :
– Le "grain" de l'image, c'est-à-dire le nombre de points, ou "pixels", qui la composent. La qualité de cette "pixellisation" dépend directement de la capacité du capteur CCD à en saisir un grand nombre. Les appareils numériques grand public perfectionnés atteignent une résolution de 2 millions de pixels, mais leur coût demeure élevé. Pour concurrencer directement la photo classique, il faudrait faire dix fois mieux.
– Le stockage des images. Il existe déjà plusieurs types de supports mémoire internes aux appareils. La disquette classique de 3,5 pouces a l'avantage de pouvoir être lue par les ordinateurs ordinaires. Cependant, des cartes mémoire d'un nouveau type apparaissent, avec une capacité de stockage nettement supérieure, mais nécessitant un lecteur spécifique. Chaque fabricant a fait son choix, et la bataille s'annonce rude pour imposer un format standard.

FAIRE UN PORTRAIT PHOTOGRAPHIQUE

Prendre une photo, c'est mettre en mémoire l'image d'une réalité telle qu'on voudrait la conserver. Si tu es exigeant sur le résultat, tu es obligé d'analyser la situation et de chercher à la contrôler.

Tu es plus ou moins maître du sujet (ce que tu photographies, l'angle de prise de vue, le choix du moment au cours d'un événement…). Mais tu peux aussi contrôler quelque peu la lumière en choisissant une pellicule (sensibilité, noir et blanc, couleur), en réglant ton appareil, en ajustant les conditions d'éclairage, etc.

AJUSTER L'EXPOSITION D'UNE PHOTO

La couche sensible d'une pellicule photo a besoin d'une certaine quantité de lumière pour être impressionnée. L'**exposition** règle cette quantité. Trop peu de lumière et la photo est sous-exposée, trop de lumière et elle est surexposée. C'est pourquoi les appareils photo disposent généralement d'un système de réglage de l'exposition, manuel ou automatique.
Il agit de deux manières :
– en réglant le **temps de pose** (également appelé **vitesse**), c'est-à-dire le temps d'ouverture du volet qui, derrière l'objectif, protège la pellicule de la lumière.

Le temps de pose peut prendre certaines valeurs : 1/15, 1/30, 1/60… de seconde (du plus long au plus court).
– en réglant l'**ouverture** à l'aide du **diaphragme**, une fenêtre de dimension variable placée dans l'objectif. L'ouverture peut prendre certaines valeurs notées, par exemple : f/2, f/2,8, f/4… (du plus ouvert au plus fermé). À exposition égale (à quantité de lumière égale), si l'on prend une photo avec un temps de pose court, il faut **ouvrir** beaucoup, et inversement. Évidemment, l'exposition dépend de la sensibilité de la pellicule. Une pellicule exige d'autant moins de lumière qu'elle est plus sensible (plus "rapide").

Dans les exemples des pages 216-217, réalisés avec des moyens très simples, tu peux voir comment le jeu des couleurs (le sujet) et des éclairages (la lumière) modifie l'image que tu enregistres en photographiant un parent ou un ami. À toi d'en imaginer d'autres…

La lumière

Opère en lumière du jour, par beau temps, à un moment où il y a beaucoup de lumière. Travaille si possible à l'intérieur, la lumière étant plus facile à contrôler. À l'extérieur, ne te place pas en plein soleil. Tu n'as besoin d'aucun éclairage artificiel, d'ailleurs très complexe à manipuler.

L'appareil photo

Utilise un appareil au format
24 x 36.
Deux cas peuvent se présenter :

● Tu disposes d'un appareil
automatique avec flash incorporé.
La mise au point (la netteté de
l'image) sera réglée automatiquement par le système
"autofocus". L'appareil calculera
l'exposition (voir encadré) et
t'indiquera si le flash est nécessaire.
Il faut que tu puisses débrayer ce
dernier, ce qui n'est pas toujours
possible. Le flash annulerait tous
les effets de contrôle de l'éclairage
du sujet que tu recherches ici.
Mais alors, en prenant la photo
sans flash, l'appareil risque de
choisir une vitesse d'exposition
longue qui peut conduire à
une photo "bougée"…
D'où la nécessité d'opérer avec
beaucoup de lumière.

● Tu possèdes un appareil semi-
automatique. Si tu l'empruntes à
un parent ou à un ami, fais-toi
expliquer son fonctionnement en
détails, et prends-en soin ! S'il te
demande quel objectif tu désires,
choisis de préférence une "focale"
de 50 mm environ (pas moins de
40 mm ; beaucoup plus de 50 mm
t'obligerait à t'éloigner de ton
modèle).

Sur un appareil semi-automatique,
tout est réglable : la mise au point
et l'exposition. Quant à cette
dernière, place d'abord la bague
des vitesses sur celle de ton choix.
Si ton modèle est "sage" et si tu
ne trembles pas, tu peux choisir
1/30 s. Sinon utilise le 1/60 s.
Règle ensuite le diaphragme en
te fiant au repère que l'appareil
possède (les systèmes sont
différents suivant les modèles).

La pellicule

Utilise des pellicules "rapides"
(sensibilité 400 ASA), que ce
soit pour du noir et blanc, de
la diapositive couleur ou du film
couleur pour tirage d'épreuves
sur papier. La marque importe peu.

Le modèle

Demande-lui d'apporter les
accessoires que tu ne possèdes
pas : par exemple, des vêtements
(matière, couleur, style) ou des
objets (objets familiers qui le
caractérisent ou dont la couleur
s'allie avec ses vêtements…).
Prépare ton studio et ton matériel
avant son arrivée. Laisse-le prendre
d'abord les poses de son choix,
naturelles, puis guide-le vers
les modifications que tu désires.
Le pire ennemi du portrait :
la raideur née de la contrainte.

Le studio

● **Son emplacement**
Près de la fenêtre la plus lumineuse,
mais à un moment où les rayons
du soleil ne tomberont ni sur
le modèle ni sur toi.

● **Le fond**
C'est la seule installation nécessaire.
Réalise une potence pour suspendre
des tissus (drap blanc ou très clair ;
tissu très sombre, noir si possible) :
par exemple, un manche à balai
attaché comme un oriflamme
à un lampadaire. Fais asseoir
quelqu'un sur le tabouret où
s'installera le modèle et regarde
dans l'appareil pour vérifier
la dimension du tissu nécessaire.
Les fonds suspendus ne doivent
pas faire de plis. Laisse environ
50 cm entre le modèle et le fond.

● **Le réflecteur**
Pour renvoyer de la lumière vers
les zones d'ombre du modèle,
fabrique un réflecteur avec
un carton rigide (au moins 50 cm
de côté) recouvert de papier
blanc.

FAIRE UN PORTRAIT PHOTOGRAPHIQUE

Les exemples

● Le contre-jour

Le modèle est placé entre la source de lumière (une fenêtre) et le photographe. L'exposition est réglée en l'absence du modèle et on l'augmente pour prendre le cliché (on ouvre le diaphragme de 2 ou 3 valeurs). Difficile en photo couleur.

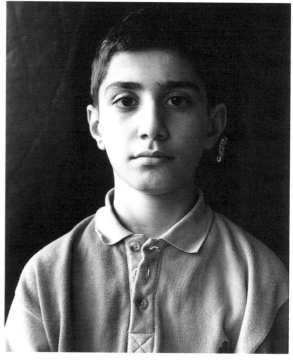

● Adoucir les ombres

Fond quelconque. La photo du haut montre le contraste de lumière sur le visage. Un "assistant" oriente l'écran pour renvoyer le maximum de lumière sur la zone du visage restée dans l'ombre. Le modelé du visage est adouci (photo du bas).

● Bougé volontaire

Le temps de pose est réglé
sur 1/8 s (et le diaphragme
en conséquence). L'appareil est
déclenché pendant que le modèle
tourne la tête. Il faut une bonne
synchronisation et pas mal
de chance, donc plusieurs essais.

● L'harmonie des couleurs et le jeu de matières

On a limité le nombre de couleurs
portées par le modèle et on a joué
sur la différence des matières :
tissu, plastique, peau.

● Couleur noire

Modèle habillé de noir, placé
devant un fond noir. Le noir est
une couleur magnifique qui met
bien en valeur les autres couleurs.

● Autoportrait dans un miroir

Plus difficile : impossible de
regarder dans le viseur pendant
que l'on déclenche. On peut poser
l'appareil sur un support,
ou le tenir solidement contre
sa poitrine en l'orientant par
rapport à l'image dans le miroir.

Le souffle et le flot

Le vent te pousse ou te freine, la pluie cingle ton visage, la vague te porte : tu as une expérience naturelle de l'air et de l'eau. Tu respires, tu bois, et tu sais que sans ces éléments, il n'y a pas de vie. Regarde autour de toi : ces fluides que nous ne pouvons retenir entre nos doigts, nous les avons mis à notre service. L'un gonfle les voiles de nos bateaux ou porte nos avions, l'autre irrigue nos champs ou fait tourner nos générateurs électriques.

L'air que nous respirons

Inspiration, expiration, inspiration…
Dix à quinze fois par minute,
nous ventilons nos poumons
avec l'air atmosphérique.
Acte vital auquel nous prêtons
assez peu d'attention,
sauf lorsque nous demandons
un effort exceptionnel
à notre corps ou lorsque l'air
nous manque ou nous semble
irrespirable.

Pour extraire de l'énergie des nutriments*, les organismes vivants, végétaux et animaux, ont besoin d'oxygène. Chez les végétaux, l'oxygène est diffusé par les pores (les stomates) situés sur les feuilles. Dans le cas des algues, tout l'épiderme absorbe l'oxygène. C'est ce que font aussi beaucoup d'animaux (les vers, par exemple), mais la plupart possèdent des organes respiratoires : branchies (poissons, crustacés, mollusques), poumons. La muqueuse pulmonaire des hommes, où s'effectue le transfert de l'oxygène de l'air, est une membrane très fine de 80 m² de surface. L'air entre dans tes poumons et en est chassé par le mouvement de ta cage thoracique : ton diaphragme s'abaisse et se relève, des muscles fixés aux côtes se contractent et se relâchent. Au rythme normal du repos, 0,3 l d'air est remplacé dans tes poumons à chaque inspiration.

COMBIEN D'OXYGÈNE DANS L'AIR ?

Il te faut :
- un bocal de verre de forme haute,
- un petit récipient,
- une petite balle de laine d'acier,
- une cale (par exemple, 2 allumettes).

● Place la laine d'acier au fond du bocal ; rince le bocal à l'eau puis retourne-le sur le récipient rempli d'eau. Laisse reposer 24 h.
● L'eau monte dans le bocal tandis que la laine d'acier rouille. La rouille est le résultat de la combustion lente du fer avec l'oxygène de l'air du bocal. L'eau a remplacé l'oxygène combiné au fer.
● Repère le niveau h de l'eau par un trait. Retire le bocal et mesure la proportion h/H (H est la hauteur du flacon).

Tu devrais trouver environ 1/5. Avec cette manipulation, tu vérifies que l'atmosphère contient environ 20 % (1/5) d'oxygène.

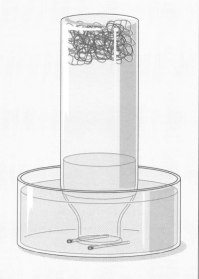

L'air pour la vie

L'air est un mélange de plusieurs gaz : 78 % d'azote, 21 % d'oxygène, 1 % d'argon, de vapeur d'eau, de gaz carbonique et des traces infimes de quelques gaz rares. L'important, lors de la respiration, c'est l'oxygène. Or, la pression atmosphérique, et donc la quantité d'air au mètre cube, diminue avec l'altitude. Si, au niveau de la mer, un litre d'air contient 0,27 g d'oxygène, en haut d'un sommet himalayen, à plus de 8 000 m, il n'en contient plus que 0,11 g.

C'est bien peu pour faire fonctionner la "machine" humaine. C'est pourquoi, dès 1922 (et encore de nos jours), les alpinistes lancés à l'assaut de l'Everest emportaient avec eux des bouteilles d'oxygène destinées à les aider à gravir les dernières pentes.
La solution est plus radicale pour les spationautes*, explorateurs de la Lune ou "piétons" de l'espace : il n'y a pas d'air autour d'eux. Ils sont donc équipés d'un scaphandre étanche qui leur apporte l'oxygène nécessaire.

La qualité de l'air

L'air que nous respirons est chargé de gaz **polluants** de toutes sortes, en quantité très variable selon les régions. Ils proviennent de combustions industrielles ou domestiques et d'activités agricoles. Quant à la circulation

des automobiles, elle rejette des "gaz d'échappement", résidus de la combustion (complète ou non) des carburants : il s'agit en particulier d'oxydes d'azote et de carbone. Les conséquences sont multiples : risques de maladies et modifications encore mal évaluées du milieu atmosphérique et de son fonctionnement tout entier.

Et les 78 % d'azote ?

L'azote atmosphérique n'est pas moins indispensable à la vie que l'oxygène. Il entre dans la constitution de la matière vivante, en particulier des protéines, et il est éliminé (sous forme d'urée) par les urines. L'azote atmosphérique est fixé dans le sol par des micro-organismes* vivant en symbiose* avec les végétaux. Les engrais azotés (sous forme de nitrates) apportent de l'azote en complément. Ce sont donc les plantes qui transforment l'azote minéral en azote organique. Puis les plantes entrent dans l'alimentation d'insectes, d'oiseaux, de mammifères…

L'atmosphère

Cinq millions de milliards de tonnes d'air entourent notre planète. Une quantité impressionnante que nous connaissons par la pression qu'exerce au sol cette précieuse enveloppe.

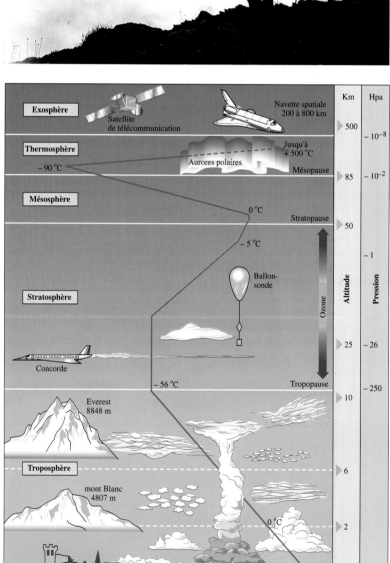

C'est Torricelli, grand savant de la Renaissance italienne, qui, en 1643, mesure le premier la pression atmosphérique. Il montre qu'une colonne d'air atmosphérique exerce la même pression qu'une colonne de mercure de 0,76 m de haut (ce qui équivaut, étant donné la densité du mercure, à une colonne d'eau de 10,3 m). Cette pression normale d'une atmosphère est égale à 1 013 hectopascals*. Elle varie autour de cette valeur suivant la météo.

La troposphère

Au fur et à mesure que l'on monte dans l'atmosphère (en ballon, par exemple), on constate que la pression diminue. À 5 km d'altitude, elle ne représente plus que la moitié de celle qui s'exerce au sol ; à 12 km, le cinquième. En même temps, la température baisse. Elle atteint – 60 °C à 10 km : on a alors traversé la **troposphère**, qui contient 75 % de l'atmosphère. C'est dans cette zone que se créent les phénomènes

Structure de l'atmosphère

COMPRESSIBLE ET DILATABLE

Il te faut :
- une grande bouteille,
- une cuvette.

● Mets le goulot de la bouteille vide dans la cuvette. Arrose-la avec de l'eau chaude. Des bulles s'échappent du goulot : l'air se dilate, son volume devient supérieur à celui de la bouteille. Verse ensuite de l'eau très froide : l'eau monte parce que l'air s'est contracté et qu'il occupe moins de volume.

> Ainsi, les variations de température entraînent des variations de volume : comme tous les gaz, l'air est compressible et dilatable.

● On peut le vérifier par des moyens mécaniques comme la pompe à vélo.

Lorsque l'on bouche son orifice avec le doigt et que l'on pousse sur le piston : la résistance, faible au début, augmente avec l'avancée du piston. Si l'on répète l'opération, la pompe s'échauffe : l'air s'échauffe quand on le comprime. Inversement, l'air se refroidit lorsqu'on le **détend** (quand il se dilate) : l'air qui s'échappe de la valve d'un pneu paraît glacé.

météorologiques que nous connaissons (nuages, vents, averses…). C'est une mince mais importante pellicule par rapport aux 6 320 km du rayon de la Terre ! Au-delà de 10 km, la température se stabilise ou tend à remonter : on entre dans la **stratosphère**.

Le souffle du vent

Notre atmosphère est le siège de grands mouvements. Verticalement, l'air chaud des zones ensoleillées monte comme dans une cheminée. Au contraire, il descend au-dessus des zones froides. Ce double mouvement crée ensuite une circulation horizontale, un vent, qui boucle le circuit : c'est ce que tu peux constater par une belle journée au bord de la mer. La brise vient de la mer dans la journée (la terre se réchauffe plus vite que la mer), puis souffle de la terre en fin de soirée (la terre se refroidit plus vite que la mer).

À l'échelle de la planète, la réalité est plus complexe : la rotation de la Terre, l'inégale répartition des terres et des océans, les grands courants marins compliquent considérablement ce schéma de création des vents et… la tâche des météorologistes.

L'humidité de l'air

L'air de notre atmosphère est aussi chargé en eau. Pas beaucoup, certes : moins de 0,1 % aux pôles et près de 3 % dans les régions les plus humides du globe. Mais comme le volume d'air qui circule est très grand, le rôle de transporteur d'eau de l'atmosphère est fondamental. Sous le soleil, l'eau de la mer s'évapore. L'air se charge d'humidité que le vent transporte. Au-dessus d'un continent, presque toujours plus chaud que la mer, l'air s'élève et ainsi se refroidit. À une certaine altitude, la température est assez basse pour que la vapeur d'eau se condense : un nuage se forme, constitué de gouttelettes de 2 ou 3 millièmes de millimètre de diamètre. La suite des aventures du nuage le conduira à arroser le sol en grosses gouttes de pluie.

LE SAVAIS-TU ?

Poussières dans l'air

Quand un volcan explose, comme le Pinatubo en 1991 aux Philippines, il envoie dans l'atmosphère des millions de tonnes de fines poussières que les vents promènent autour de la Terre. En 1815, l'explosion du volcan Tambora, en Indonésie, projeta tellement de poussières qu'elles firent écran au Soleil, perturbant le climat pendant plusieurs années : en 1816, en Nouvelle-Angleterre (États-Unis), il neigea le 11 juin et gela trois fois en juillet et août !

Brise de mer

Écoulements d'air

L'air qui nous environne semble impalpable, insaisissable, presque immatériel. Et pourtant, au moindre vent, nous le sentons qui caresse ou qui gifle. Il peut même se déchaîner en tempête, soulever les vagues ou arracher les arbres. L'air est ainsi capable d'exercer une force dès qu'il se déplace. L'étude de ce phénomène s'appelle l'aérodynamique.

De cerf-volant en avion

Le cerf-volant est une forme très légère de palette semblable à celle de l'expérience. Placé horizontalement, il refuse de décoller. Mais dès qu'il relève le nez dans le vent, il s'envole. La queue qu'on lui accroche est souvent faite pour le stabiliser.

Le deltaplane est une sorte de cerf-volant sans fil. Le pilote règle son inclinaison en poussant plus ou moins la barre sur laquelle il s'appuie. Mais si, par malheur, il tire trop sur la barre, il inclinera son aile vers le bas : le courant d'air, au lieu de la gifler par-dessous et de la soulever, la frappera par-dessus et précipitera son pilote au sol.

GIFLÉ PAR LE VENT

Il te faut :
- du carton rigide,
- une baguette de bois,
- un sèche-cheveux ou un ventilateur,
- du ruban adhésif.

Fixe avec du ruban adhésif un rectangle de carton d'environ 10 cm de côté à l'extrémité de la baguette. En tenant la baguette horizontale, place le carton face au vent du sèche-cheveux ou du ventilateur.

Si le carton est vertical, tu sens une force qui le repousse et cela d'autant plus fort que le ventilateur tourne vite. Cette force est la **traînée**. Si le carton est horizontal, l'air arrive sur la tranche et la force devient toute petite. La traînée croît quand la surface présentée au vent et la vitesse de l'air augmentent.

Incline le carton vers le haut : tu sens qu'il a tendance à s'envoler. Il renvoie vers le bas l'air qui le frappe, comme il renverrait une balle de ping-pong. Cette "gifle" sur la face inférieure le pousse vers le haut : c'est le phénomène de **portance**. En inclinant le carton vers le bas, tu obtiens le résultat inverse.

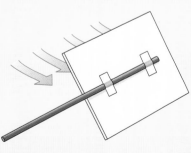

Parapentes et parachutes ressemblent beaucoup au deltaplane. Mais, dans leur cas, on cherche à réduire le plus possible la vitesse d'écoulement de l'air, pour que la vitesse de l'engin soit faible et que leur utilisateur ne heurte pas le sol trop brutalement. Le parachute est donc une voile de très grande surface et très légère.

Les avions sont dessinés pour aller le plus vite possible. On limite leur traînée en diminuant au maximum leur surface perpendiculaire au vent.

La surface de leurs ailes et l'angle de celles-ci avec le vent sont réduits : leur vitesse étant très grande, la portance qui en résulte est assez forte pour équilibrer leur poids.

LE SAVAIS-TU ?

L'albatros, champion de vol d'endurance

La faible traînée des oiseaux est toujours un sujet d'admiration pour les aérodynamiciens. Des chercheurs ont pu suivre par satellite le vol de quelques albatros hurleurs équipés de balises Argos. Ces géants des airs (ils ont une envergure de plus de 3 m !) effectuent au-dessus de l'océan Indien et jusqu'au continent Antarctique des périples de 3 000 à 15 000 km, volant presque en permanence, avec des pointes à 80 km/h. Ils sont capables de parcourir 800 km à 56 km/h de moyenne, en utilisant au mieux les vents ascendants et descendants qu'ils rencontrent.

LE PROFIL DE JOUKOWSKI

Il te faut :
- du carton léger,
- une baguette fine ou une aiguille à tricoter,
- un sèche-cheveux.

Découpe dans le carton deux rectangles. Replie-les et colle-les comme indiqué sur la figure : l'un est symétrique, les extrémités coïncident ; l'autre est dissymétrique, l'extrémité de la partie supérieure est en retrait de 6 mm par rapport à celle de la partie inférieure. Glisse-les l'un à côté de l'autre sur la baguette et place-les dans le courant d'air du sèche-cheveux. Compare leur comportement : le profil de Joukowski se soulève plus facilement pour adopter la position horizontale. Sa portance est supérieure.

On améliore considérablement la portance d'une aile d'avion en lui donnant un profil non symétrique, tel que celui de Joukowski (aérodynamicien russe, 1874-1927).

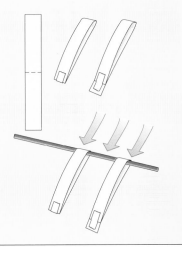

FAIRE VOLER UN PLANEUR

Tu as juste besoin d'une planche de balsa pour réaliser un planeur et découvrir dans quelles conditions il vole. L'inclinaison du stabilisateur (les petites ailes arrière) règle l'angle d'attaque des grandes ailes. Bien choisi, ce dernier donnera à ton planeur un long vol et tu pourras calculer sa finesse, c'est-à-dire le rapport entre la distance parcourue et la hauteur de "chute". Mais auparavant, quelques heures de travail…

Il te faut :
● **Matériaux**
- une planche de balsa dur 20/10 (2 mm), de 8 x 100 cm (si tu ne trouves que du 10 cm, tiens-en compte dans le traçage et le découpage),
- deux bracelets de caoutchouc,
- des chutes de papier kraft,
- un morceau de carton (type bristol) de 20 x 5 cm,
- de la colle à bois vinylique,
- une tige de bois dur de 3 cm de long (cure-dent ou brochette par exemple),
- du plomb pour faire le lest (plomb de chasse ou de pêche, fil de fusible, débris de tube…).

● **Outillage**
- un cutter,
- une lame de scie à métaux si possible,
- un morceau de bois de 10 x 6 x 2 cm environ, recouvert de papier de verre fin,
- une quarantaine d'épingles de bureau (tête triangulaire),
- une dizaine de pinces à linge,
- une planche bien plane en contreplaqué (ou en latté ou en aggloméré), de 50 x 10 x 2 cm environ, à utiliser comme "chantier".

Construction

1 - Coupe la planche de balsa en 2 morceaux de 50 cm.

2 - Reporte, par tout moyen qui te semble convenable, le plan sur les deux demi-planches (fig.①).

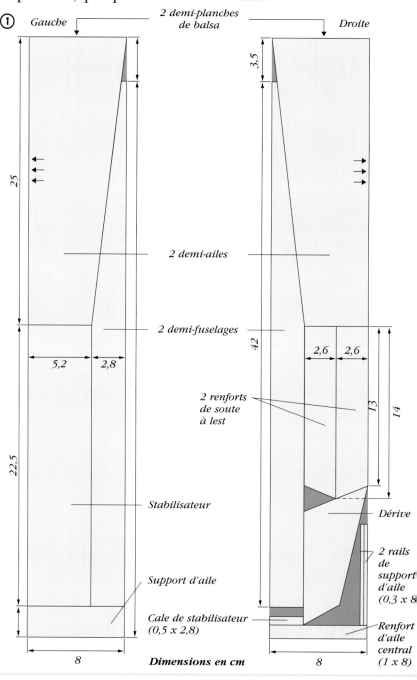

Dimensions en cm

Le plus pratique est sans doute de le dessiner avec un crayon tendre (2B) et une règle graduée de 30 cm ou plus (fig. ⑧). Note le nom des pièces. Ajoute sur les demi-ailes les flèches repérant le bord d'attaque.

3 - Découpe et colle ensemble les deux parties du fuselage. Laisse sécher au moins pendant une journée.

4 - Découpe les demi-ailes et le renfort central. Arrondis au papier de verre le bord d'attaque et amincis le bord de fuite (fig. ②). Fixe une demi-aile sur le chantier avec trois épingles et glisse un bout de papier quelconque sous la jonction (pour ne pas encoller le chantier) (fig. ③).

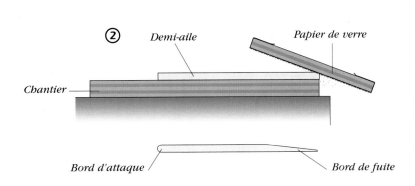

② Demi-aile   Papier de verre

Chantier

Bord d'attaque   Bord de fuite

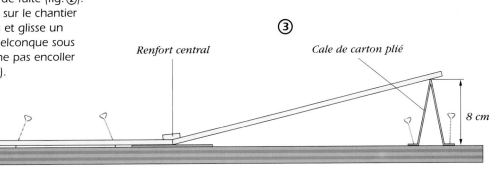

③

Renfort central   Cale de carton plié

8 cm

Fabrique une cale de 8 cm de haut avec le morceau de bristol. Fixe-la. Dépose un filet de colle sur la tranche de la deuxième demi-aile, mets-la en place contre la première, immobilise-la avec une ou deux épingles. Ajuste le renfort central et colle-le soigneusement.

5 - Prépare le support d'aile et colle ses rails (fig. ④).

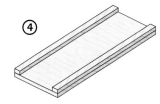
④

6 - Sur le fuselage sec, trace les contours de la soute à lest (fig. ⑤) et découpe-la. Colle les renforts de soute. Tu peux employer ici de la colle forte en tube. Laisse-les sécher, serrés par quelques pinces à linge.

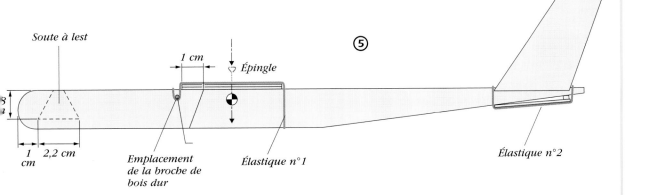

Soute à lest

1 cm

⑤

Épingle

Élastique n°2

1 cm   2,2 cm

Emplacement de la broche de bois dur

Élastique n°1

FAIRE VOLER UN PLANEUR

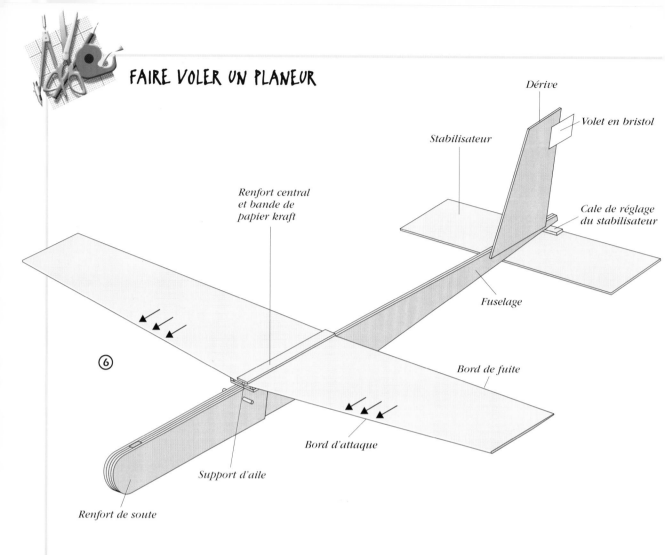

Dérive

Volet en bristol

Stabilisateur

Cale de réglage
du stabilisateur

Renfort central
et bande de
papier kraft

Fuselage

Bord de fuite

⑥

Bord d'attaque

Support d'aile

Renfort de soute

7 - Découpe le stabilisateur.
Arrondis le bord d'attaque
et amincis le bord de fuite.
Colle une bande de papier kraft
de 3 cm de large au milieu de
l'aile et du stabilisateur (là où
porteront les élastiques).

8 - Taille le morceau de bois dur
qui servira de broche de fixation
de l'élastique (il devra dépasser
des deux côtés du fuselage
de 5 mm environ). Colle-le dans
un trou percé à son diamètre
(avec une pointe carrée si possible)
dans le haut du fuselage,
quelques millimètres en avant
du support d'aile (fig. ⑤ et ⑦).

9 - Arrondis les angles du fuselage.
Aplanis le dos si nécessaire avant
d'y coller le support d'aile bien
centré. Colle la dérive contre
le fuselage et le support de
stabilisateur sous l'arrière (fig. ⑥).

10 - Repère le milieu du support
d'aile par un point au stylo. Mets
l'aile en place avec un élastique :
passe d'abord le fuselage dans
l'élastique, place l'aile, croise
l'élastique par-dessus et accroche-
le à la broche (fig. ⑤ et ⑦).

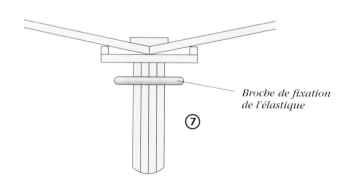

Broche de fixation
de l'élastique

⑦

11 - Équilibre le planeur : plante une aiguille au milieu de l'aile et enfonce-la jusque dans le fuselage (fig. ⑤). Suspends le planeur à un fil attaché à la tête d'épingle. Mets du lest dans la soute jusqu'à ce que le dos du fuselage soit horizontal. Bouche le trou avec un éclat de balsa collé.

12 - Mets en place le stabilisateur avec le second élastique passant derrière la dérive et sur la pointe du fuselage (fig. ⑤).

Envol

• Premiers réglages

Le lest ne sera plus modifié. Les réglages se feront uniquement sur l'empennage et les ailes du planeur.
Choisis un jour sans vent (ou de vent faible) et un terrain dégagé. Lance l'appareil sans brutalité face au vent, à vitesse modérée, le nez légèrement pointé vers le sol (comme si tu voulais le planter à 5 ou 6 m devant toi). Observe le planeur en vol. Trois cas sont possibles :
– Il plane correctement en virant légèrement à droite ou à gauche. Ne touche à rien.
– Il pique franchement vers le sol qu'il touche à 2 ou 3 m devant toi. Abaisse l'avant du stabilisateur en interposant une petite cale entre lui et le fuselage. Les cales (en bois ou en carton) sont toujours minces (1 mm d'épaisseur ou moins).
– Il monte d'abord en chandelle, puis pique vers le sol. Il suffit d'abaisser l'arrière du stabilisateur (avec une petite cale).

Par tâtonnements successifs, tu trouveras le bon réglage donnant des vols corrects.

• Réglages fins

Si le planeur vire fortement d'un côté ou de l'autre, colle à l'arrière de la dérive un petit volet en bristol léger que tu braqueras du côté désiré pour obtenir un vol en léger virage.

• Lancer

Lance le planeur avec force, le nez dirigé à 45° vers le ciel et incliné de 45° sur le côté (à droite pour les droitiers, à gauche pour les gauchers). Il va se redresser en montant et effectuer un large virage. Avec un peu d'entraînement, tu atteindras de cette façon des durées de vol de 10 à 20 secondes.

Tracer

L'usage d'une règle carrée (ou d'une baguette) et d'une équerre pour tracer le plan, comme sur la figure ⑧, est très pratique.

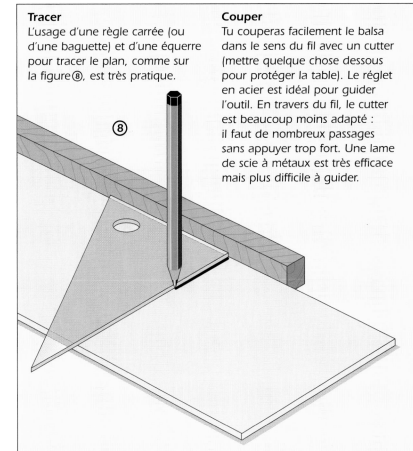

⑧

Couper

Tu couperas facilement le balsa dans le sens du fil avec un cutter (mettre quelque chose dessous pour protéger la table). Le réglet en acier est idéal pour guider l'outil. En travers du fil, le cutter est beaucoup moins adapté : il faut de nombreux passages sans appuyer trop fort. Une lame de scie à métaux est très efficace mais plus difficile à guider.

Coller

Deux solutions :
– La colle à bois. Encolle au pinceau les deux pièces, laisse un peu épaissir, puis presse. Le bois se gondole un peu, c'est normal. Maintiens les pièces serrées l'une contre l'autre avec de nombreuses aiguilles plantées obliquement (tous les 2 ou 3 cm) sur leur pourtour et pénétrant dans le bois du chantier. L'utilisation de poids est à éviter car leur manipulation est assez délicate : il faut appuyer sur toute la pièce sans abîmer le fragile balsa.
– La colle forte en tube. Son usage est possible, mais risqué : il faut encoller très vite et ne pas manquer l'assemblage car la prise est immédiate.

Poncer

Trace sur la pièce la limite du ponçage à 25 mm du bord de fuite. Pose-la sur le chantier comme indiqué sur la figure ②. Commence par poncer perpendiculairement aux fibres et finis parallèlement.

Dans la soufflerie

Les frères Wright, pionniers américains de l'aviation, avaient l'esprit méthodique. Les essais empiriques de leurs concurrents casse-cou ne pouvaient mener à rien. Il fallait trouver le meilleur profil d'aile et le meilleur angle d'attaque. Ils s'y attelèrent en construisant une soufflerie dès 1901. L'idée était bonne sans doute, puisque le 17 décembre 1903, Wilbur Wright décollait.

Depuis cette époque, la soufflerie est un outil indispensable à l'étude des phénomènes accompagnant l'écoulement d'un gaz autour d'un obstacle. Toutes sortes de modèles ont été inventés pour répondre à des conditions diverses : mesures sur des objets en grandeur nature ou à échelle réduite, vitesses d'écoulement subsoniques, transsoniques, hypersoniques. À la soufflerie proprement dite s'est ajouté le tunnel hydrodynamique, où le courant d'air est remplacé par un courant de liquide. Quant aux objets d'étude, ils vont du coureur cycliste au lanceur spatial, en passant par la dispersion des fumées à la sortie d'une cheminée, l'immeuble de grande hauteur, la tour de télévision… et, bien entendu, tout ce qui vole.

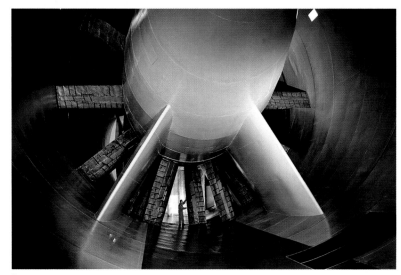

À l'intérieur de la soufflerie
L'une des plus grandes souffleries au monde se situe à Modane-Avrieux, dans les Alpes françaises.
Un gigantesque ventilateur génère un courant d'air qui circule dans un tunnel en forme d'anneau. L'objet étudié est placé dans la chambre d'expérimentation équipée d'appareils de mesure. On relève les forces auxquelles il est soumis (par exemple, la poussée et la traînée dans le cas d'un avion, *voir p. 224-225*) dans les trois directions de l'espace (x, y, z) en fonction de la vitesse de l'air, et on enregistre les images révélant la géométrie de l'écoulement du fluide.

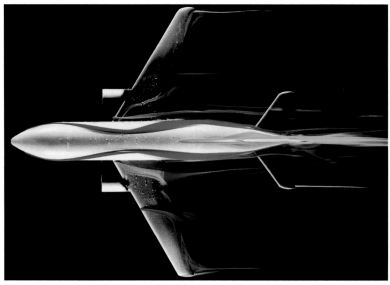

Un Airbus en phase montante
L'avion réel n'entre dans aucune soufflerie au monde. La maquette, de très petite taille (une vingtaine de centimètres d'envergure), est placée dans un courant de liquide. Par de petits trous s'échappent des "traceurs" colorés qui visualisent le comportement du fluide. On l'observe dans différentes phases de vol en modifiant l'inclinaison de l'avion dans le courant.

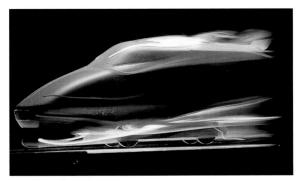

Le nez du TGV

Ne dirait-on pas qu'il a été saisi en pleine vitesse ? Pourtant, il est immobile dans le courant du tunnel hydrodynamique. Les lignes d'écoulement révélées par les traceurs colorés montrent la qualité de sa "forme aérodynamique" : pas de turbulences sauf au bas de caisse et à l'arrière du toit.

Une Classe E sur l'autoroute

L'intérêt d'une étude en soufflerie ne réside pas uniquement dans la recherche de la forme qui permettra de meilleures performances à puissance égale. Limiter les turbulences de l'air qui accompagnent le déplacement de la voiture réduira à coup sûr des bruits très néfastes au confort.

Le voilier dans le vent

Les coques des bateaux (marchands, de guerre, de sport ou de plaisance) sont étudiées depuis longtemps dans des "bassins de carène" équivalant aux tunnels hydrodynamiques. Le comportement des voiles est plus difficile à approcher, étant donné le caractère souple et déformable du matériau.

Le Stade de France dans la tempête

La modélisation sur ordinateur n'apporte pas toutes les réponses pour une forme aussi complexe que cet anneau de béton aux parois minces. Sur la maquette, des bandelettes de papier fixées sur le toit (dans le coin en bas à gauche) servent de révélateur du bon ou du mauvais écoulement de l'air.

Sportif à l'épreuve

Gagner des centimètres ou des dixièmes de secondes qui feront la différence n'est plus possible sans comprendre exactement où se situent les freins à la progression. C'est ainsi que les hommes et plus seulement les machines s'exposent au vent des souffleries (*voir p. 75*).

L'air au travail

*Le ronflement du compresseur dans la rue,
le soupir des portes du train qui se ferment,
le sifflement de la fraise du dentiste :
autant de bruits familiers qui nous racontent
que l'air travaille pour faciliter nos tâches
ou décupler nos forces.*

d'enflammer le grisou*, et, refroidi par sa détente, il apportait une fraîcheur bienvenue aux mineurs. Sorti de la mine, l'usage de l'air comprimé s'est étendu à toutes sortes d'usages à la fin du siècle dernier : marteaux-piqueurs sur les chantiers de voirie, d'installations en tranchée, de démolition…, outils pneumatiques (perceuses, visseuses…), peinture au pistolet, etc.

Le vérin à tout faire

En soufflant dans l'orifice d'une pompe à bicyclette, on repousse le piston : elle joue alors le rôle d'un vérin*. Les applications d'un système si simple sont innombrables. On peut, par exemple, actionner toutes sortes de mécanismes : ouvrir une porte (et la fermer en inversant l'arrivée d'air, de même que, si l'on aspire par l'orifice de la pompe à bicyclette, on fait revenir le piston), actionner une masse pour frapper (le marteau-pilon), serrer les mâchoires d'un frein pneumatique. Ce sont de tels freins qui équipent les trains, les métros ou les camions…

Au milieu du XIXe siècle, on est parvenu à comprimer l'air grâce à une machine aspirant l'air ambiant, l'emmagasinant dans un réservoir clos, et capable de le restituer sous une pression supérieure : le compresseur. Dès que l'on sut faire des machines de bonne qualité, on utilisa l'air comprimé à une pression de cinq à dix fois supérieure à celle de l'atmosphère pour faire fonctionner les marteaux-piqueurs. On abattait ainsi le charbon de manière bien plus efficace qu'avec l'ancien pic, qui datait de l'Antiquité. L'air comprimé ajoutait deux avantages : il ne provoquait pas d'étincelles susceptibles

Le vide

"Faire le vide" (créer une pression inférieure à la pression atmosphérique) est aussi une manière de faire travailler l'air. C'est ce que tu fais en aspirant une boisson avec une paille. Bien des machines utilisent ce principe. Par exemple, dans une presse à imprimer, les feuilles de papier sont saisies une à une par des ventouses aspirantes. Dans certaines entreprises, on emploie encore le **pneumatique** pour communiquer des documents d'un bureau à un autre : les papiers circulent dans des boîtes placées dans une tuyauterie dans laquelle on fait le vide.

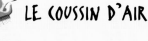

LE COUSSIN D'AIR

Il te faut :
- un sac poubelle d'environ 50 x 70 cm,
- un morceau de tuyau de 10 cm de long,
- une planche (ou un livre rigide) de 30 x 30 cm,
- de la ficelle.

• Referme hermétiquement le sac autour du tuyau. Étale le sac au bord d'une table et pose dessus la planche sur laquelle tu fais asseoir un camarade. Souffle dans le tuyau pour gonfler le sac. Peu à peu, tu parviendras à soulever ton ami avec la seule pression que peut développer ta cage thoracique (si celui-ci est lourd, augmente simplement les dimensions de la planche sur laquelle il est assis).
• Comment es-tu parvenu à un tel tour de force ?

En soufflant, tu appliques sur chaque centimètre carré de la planche toute la pression que tu peux développer. La force totale qui en résulte (produit de la pression par la surface) est d'autant plus importante que la surface sur laquelle elle s'applique est grande. C'est sur ce principe amplificateur que fonctionnent bien des machines.

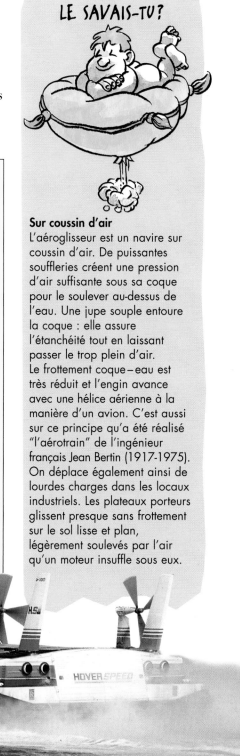

Sur coussin d'air

L'aéroglisseur est un navire sur coussin d'air. De puissantes souffleries créent une pression d'air suffisante sous sa coque pour le soulever au-dessus de l'eau. Une jupe souple entoure la coque : elle assure l'étanchéité tout en laissant passer le trop plein d'air. Le frottement coque – eau est très réduit et l'engin avance avec une hélice aérienne à la manière d'un avion. C'est aussi sur ce principe qu'a été réalisé "l'aérotrain" de l'ingénieur français Jean Bertin (1917-1975). On déplace également ainsi de lourdes charges dans les locaux industriels. Les plateaux porteurs glissent presque sans frottement sur le sol lisse et plan, légèrement soulevés par l'air qu'un moteur insuffle sous eux.

Gaz ou liquide

*Tu prends une longue douche bien chaude,
et le miroir de la salle de bains se couvre de buée.
Tu abandonnes une casserole d'eau sur le feu
et tu retrouves un récipient sec et brûlé.
De gaz en liquide et de liquide en gaz, l'eau semble
aimer les transformations. Mais dans quelles
conditions ces changements d'état s'effectuent-ils ?*

Dans un espace ventilé, l'eau s'évapore discrètement à toute température. Mais le phénomène d'ébullition ne se produit que dans des conditions précises : la température d'ébullition dépend de la pression régnant au-dessus du liquide. Sous la pression atmosphérique normale (au niveau de la mer), elle est de 100 °C. Si on prend de l'altitude, la pression diminue ainsi que la température d'ébullition : au sommet du mont Blanc, l'eau bout à 85 °C, et on ne peut plus faire de bon thé !

En revanche, dans un autocuiseur, lorsque la soupape siffle, l'eau atteint une température comprise entre 130 et 140 °C, la pression étant trois ou quatre fois supérieure à la pression atmosphérique.
À ces températures, les aliments cuisent plus vite et les arômes ne fuient pas avec la vapeur tant que la soupape ne fonctionne pas.

Changer d'état avec la température

Tous les liquides peuvent se transformer en gaz si on les chauffe suffisamment, et tous les gaz en liquides si on les refroidit assez. Pour cette raison, le butane utilisé dans la cuisine ou au camping est conservé en bouteille fermée : il est liquide

LE SAVAIS-TU ?

Boire frais
Dans les pays méditerranéens, on voit souvent des vases de terre cuite suspendus à l'extérieur et à l'ombre (des gargoulettes dans le sud de la France). Leur paroi est un peu poreuse, et l'eau qu'ils contiennent suinte en surface. Le courant d'air qui les caresse fait évaporer ce suintement, refroidissant le vase, qui fournit toujours une boisson fraîche. On obtient le même effet en entourant une gourde métallique d'un linge que l'on maintient mouillé : les gourdes militaires sont ainsi équipées d'une enveloppe textile.

et sous pression, comme dans un autocuiseur (à 7 ou 8 atmosphères, quand la température ambiante est de 20 °C). Si on le laissait à l'air libre, il s'évaporerait très vite puisqu'il bout à une température légèrement inférieure à 0 °C. Un navire méthanier est un gigantesque réservoir de méthane liquéfié. À la pression atmosphérique, le méthane bout à 160 °C au-dessous de zéro. Si l'on ne veut pas que tout le gaz disparaisse au cours de la traversée, il faut isoler soigneusement les cuves, à la manière des bouteilles thermos.

Changer d'état avec la pression

Il y a une relation entre l'état d'un corps - liquide ou gazeux -, sa pression et sa température. Puisque la matière est plus condensée dans un liquide que dans un gaz, on pourrait penser qu'il suffit d'augmenter la pression d'un gaz pour en faire un liquide. Il n'en est rien. D'ailleurs, si tu comprimes

de l'air dans une pompe à vélo, tu constates qu'il s'échauffe : il accumule l'énergie que tu lui as transmise en actionnant le piston (après avoir bouché l'orifice). On ne peut liquéfier un gaz par compression que si on le refroidit en même temps. À l'inverse, pour se transformer en gaz - s'évaporer -, un liquide

a besoin d'emprunter de la chaleur. C'est pour cela que l'évaporation d'alcool (lotion, par exemple) ou d'éther sur ta peau te procure une sensation de fraîcheur.
De même, dans le souffle du vent, l'évaporation de l'eau de la mer refroidit sa surface. Celle de ta transpiration te rafraîchit.

LE RÉFRIGÉRATEUR

Dans un réfrigérateur, un gaz (du fréon, par exemple) est comprimé par un petit compresseur ; donc il se réchauffe. Il passe dans un radiateur situé au dos de l'appareil : passe ta main dessus pour constater qu'il est chaud. En refroidissant, le fréon est devenu un liquide sous pression. Il est détendu dans la mince enveloppe à double paroi qui entoure l'emplacement des bacs à glace. Il devient un gaz glacé qui maintient ainsi au froid ce que contient le réfrigérateur. Il retourne alors dans le compresseur ; la boucle est bouclée.

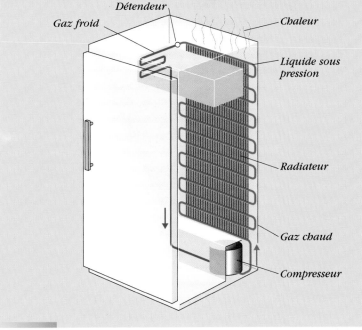

Détendeur
Gaz froid
Chaleur
Liquide sous pression
Radiateur
Gaz chaud
Compresseur

L'air est un comburant

Le feu de bois que tu as allumé menace de s'éteindre. Il ne reste plus que quelques points rougeoyants. Tu souffles et les braises reprennent vie : leurs couleurs s'avivent, des flammes apparaissent. Le bois brûle, c'est le combustible ; l'air soufflé apporte de l'oxygène, c'est le comburant.

LA FLAMME D'UNE BOUGIE

Il te faut :
- une bougie,
- un récipient (bol),
- un verre (ou pot en verre).

Fixe la bougie au fond du récipient rempli à moitié d'eau. Allume la bougie et chapeaute-la avec un récipient de verre nettement plus haut qu'elle. Au bout de quelques secondes, la flamme vacille et s'éteint.

La combustion est une réaction chimique entre un carburant (la stéarine de la bougie, le bois, le charbon, le carton…) et un comburant (ici, l'oxygène de l'air). Quand tout l'oxygène a été consommé (cas de la bougie), ou lorsqu'il circule mal (cas du feu de bois), la combustion cesse.

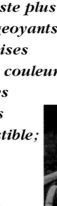

Des combustions familières

Les réactions de combustion sont multiples et variées.
- Des combustions vives avec flamme et émission de

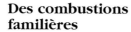

lumière : le fuel de la chaudière, le gaz du briquet, le charbon de bois du barbecue…
- Des combustions sans flammes : la tranche de pain qui noircit dans le grille-pain, la graisse du rôti qui émet des fumées dans le four…
- Des combustions lentes : le fer qui rouille… Et notre respiration ! Les aliments, après transformation, passent dans le sang avant de "brûler" avec l'oxygène de l'air apporté par la respiration pour fournir l'énergie dont tout organisme a besoin.

Moteur thermique

Les moteurs à essence de nos voitures utilisent l'air comme comburant en quatre temps.
① Le piston, en descendant, aspire dans le cylindre un mélange d'air (donc d'oxygène) et d'essence.
② Le piston remonte et comprime ce mélange.
③ Une étincelle de la bougie met le feu au mélange qui "explose", c'est-à-dire qui brûle très rapidement en fabriquant des gaz à haute température, produits de la combustion.

LE GAZ CARBONIQUE COMME EXTINCTEUR

Il te faut :
- une petite bougie,
- un bol,
- une bouteille de 1 litre environ,
- du bicarbonate de soude,
- du vinaigre.

● Fixe la bougie au fond du bol et allume-la (en prenant garde à ne pas te brûler). Dans la bouteille, verse 2 à 3 cuillères à soupe de bicarbonate de soude, puis 1 cuillère à soupe de vinaigre.

● Agite doucement, puis vide sur la bougie le gaz carbonique invisible qui s'est formé.
La flamme s'éteint :
le gaz carbonique, plus lourd, a remplacé l'air, et la combustion ne peut plus avoir lieu, faute d'oxygène.
C'est sur ce principe que fonctionnent les extincteurs qui projettent à la base des flammes de la neige carbonique.

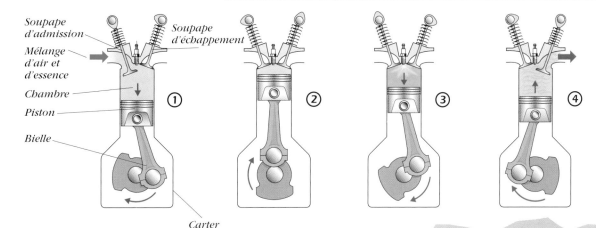

Soupape d'admission
Soupape d'échappement
Mélange d'air et d'essence
Chambre
Piston
Bielle
① ② ③ ④
Carter

Sous leur pression, le piston est poussé vers le bas.
④ Enfin, le piston remonte en chassant ces gaz vers l'extérieur. Par la bielle, le mouvement d'aller et retour du piston est transformé en rotation de l'arbre de transmission.

Au cœur de la chimie

L'industrie chimique consomme d'énormes quantités d'oxygène pour toutes sortes d'opérations. Par exemple, la transformation de la fonte en acier.
La fonte issue d'un haut fourneau est un métal cassant parce qu'il renferme beaucoup de carbone. Au XIXe siècle, l'Anglais Henri Bessemer invente un procédé très ingénieux

pour se débarrasser du carbone. On verse la fonte liquide dans une grande cornue (récipient à col étroit et courbé) tapissée de briques réfractaires. Puis, on souffle de l'air par le fond de la cornue. Le carbone brûle alors avec une flamme spectaculaire et, lorsqu'on vide la cornue, on récupère de l'acier.

Oxygène

Convertisseur Bessemer

LE SAVAIS-TU ?

Une flamme sous la mer
Un métal comme l'acier peut être découpé au chalumeau. On le porte d'abord à haute température à l'aide d'une flamme alimentée en acétylène et en oxygène. Quand la température est suffisante, on ajoute un jet d'oxygène pur : c'est alors le fer lui-même qui brûle en projetant de spectaculaires particules étincelantes. Les ouvriers travaillant sous la mer utilisent ce même procédé pour découper l'acier : l'acétylène est remplacé par de l'hydrogène, mais leur chalumeau fonctionne dans l'eau !

Moteurs à réaction

*À la télévision ou au cinéma, tu as remarqué cette scène :
un chasseur tire, le coup de feu claque. Tu ne vois pas partir
le projectile, mais tu vois l'arme reculer. C'est sur le même principe
qu'un lanceur emporte un satellite dans l'espace : ses moteurs
projettent des gaz à très grande vitesse
qui le propulsent en sens inverse.*

Essai du moteur Vulcain *équipant
le lanceur* Ariane 5

Tu peux reproduire exactement
le même phénomène
en montant sur une planche
à roulettes avec un poids entre
tes mains, une grosse pierre,
par exemple. Jette ce poids
le plus loin possible : la planche
à roulettes part en arrière !
Ou bien en gonflant un ballon
de baudruche, puis en le lâchant
sans le fermer : il expulse son air
et il "recule", simultanément,
en traversant la pièce.

Ces observations ou
expériences illustrent une loi
due au physicien anglais
Isaac Newton (1642-1727),
appelée **principe d'action et
de réaction** : si A exerce sur
B une force (action), B exerce
sur A une force identique mais
de sens opposé (réaction).

Les moteurs-fusée

Les moteurs "à réaction",
qu'il s'agisse de fusées ou
de turboréacteurs, expulsent
des gaz vers l'arrière qui
propulsent vers l'avant les engins
qui les portent. Pour avancer,
ils ne s'appuient pas sur quelque
chose d'extérieur, comme
la voiture qui prend appui sur
la route grâce à ses pneus. Alors
que l'avion a besoin de l'air pour
ses moteurs, le lanceur spatial
équipé de fusées est totalement
indépendant de l'atmosphère.

Il emporte avec lui ses "ergols" :
son carburant et son comburant,
par exemple de l'hydrogène et
de l'oxygène liquides.

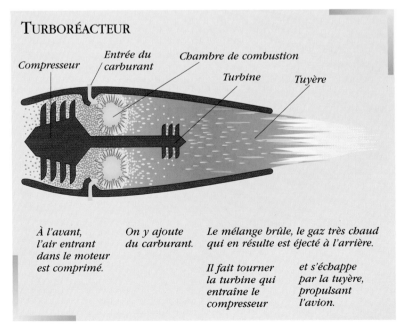

TURBORÉACTEUR

Compresseur — Entrée du carburant — Chambre de combustion — Turbine — Tuyère

À l'avant,
l'air entrant
dans le moteur
est comprimé.

On y ajoute
du carburant.

Le mélange brûle, le gaz très chaud
qui en résulte est éjecté à l'arrière.

Il fait tourner
la turbine qui
entraîne le
compresseur

et s'échappe
par la tuyère,
propulsant
l'avion.

Comment ça marche ?

Dans la chambre de combustion, l'hydrogène brûle avec l'oxygène, provoquant une pression énorme. Si la chambre restait fermée (en admettant qu'elle puisse résister à une pression si élevée !), elle resterait immobile, comme le ballon de baudruche fermé par une ficelle. En effet, toute action exercée par les gaz de combustion sur un point de la chambre serait équilibrée par une action sur un point opposé, dirigée dans le sens contraire. L'action résultante serait nulle. Mais la chambre de combustion se prolonge par une tuyère ouverte sur l'extérieur, qui laisse les gaz s'échapper.

La pression du gaz est faible au niveau de la tuyère, comme à la sortie du ballon de baudruche lorsque tu l'ouvres. L'action sur le haut de la chambre n'est plus équilibrée, elle pousse la fusée vers le haut.

UN CANON SANS RECUL

Dans un canon, l'explosion de la poudre produit une action qui projette l'obus dans un sens, et une réaction qui fait reculer le canon et son affût. Pour éviter ce recul, on a fabriqué des canons sans culasse, c'est-à-dire ouverts aux deux extrémités comme de simples tuyaux. L'action propulse l'obus, et la réaction projette vers l'arrière des gaz brûlés, comme dans la fusée. Le canon ne recule plus, mais la flamme qu'il laisse échapper derrière lui est dangereuse !

QUANTITÉ DE MOUVEMENT

Un moteur à réaction (une fusée, par exemple) crée une poussée d'autant plus élevée qu'elle expulse, par seconde, à la plus grande vitesse possible, la plus grande quantité de matière possible. La quantité de mouvement (produit de la masse par la vitesse) est identique pour l'engin et pour le gaz de propulsion : Mv = mV. La masse élevée M de l'engin ne peut être déplacée à la vitesse v que si le moteur expulse à chaque instant une quantité suffisante de matière m à la vitesse V. Dans sa version la plus puissante, *Ariane 4* consomme, dans la première phase de son lancement, 2 000 kg/s d'ergols, qu'elle éjecte sous forme de gaz !

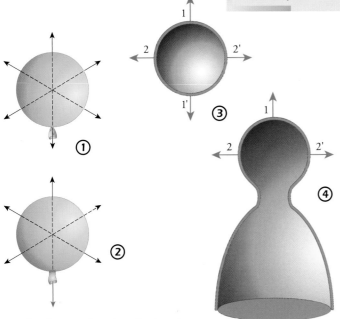

Les forces agissant sur les parois d'un ballon de baudruche fermé ① et ouvert ② ; sur les parois d'une chambre de combustion qui serait fermée ③ ; ou celles d'une chambre prolongée par une tuyère ouverte ④.

LE SAVAIS-TU ?

Minimoteurs à réaction

• La pieuvre se déplace dans l'eau par réaction. Elle gonfle le sac qui occupe la majeure partie de son corps, puis chasse brutalement l'eau par l'arrière.

• Les spationautes* se déplacent hors des stations spatiales attachés à une sorte de siège qui leur confère une totale autonomie. Grâce à des manettes et boutons placés sur les accoudoirs, ils pilotent leurs déplacements en commandant l'éjection de gaz (de l'azote sous pression, en général) par des tuyères qui équipent leur siège et qu'ils orientent judicieusement.

Tourbillons d'eau, tourbillons d'air

Un lavabo, un évier, une douche ou une baignoire
sont fermés par un bouchon : la bonde. On ôte
ce bouchon, et l'eau s'évacue en tourbillonnant
autour du trou de vidange avant de disparaître :
étonnant phénomène à rapprocher des cyclones
atmosphériques.

Ce phénomène a beaucoup
intrigué les savants depuis
l'Antiquité. Si toutes les molécules
d'eau étaient attirées par le trou
comme indiqué sur le schéma①,
il n'y aurait pas de tourbillon ;
si elles étaient attirées comme
sur le schéma ②, des vagues
se formeraient et non pas
un tourbillon. Tout se passe donc
comme si elles étaient attirées
selon le schéma③.
Pourquoi la nature a-t-elle choisi
ce dernier ?

La raison fut, et est encore,
l'objet de débats passionnés
entre scientifiques.
Ils pensent aujourd'hui que
c'est probablement la rotation
de la Terre qui crée le tourbillon,
comme elle crée la rotation
des tornades et des typhons.

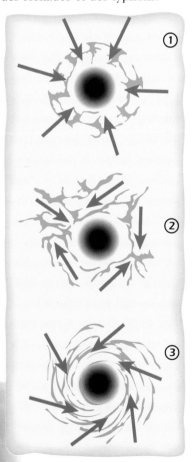

En faisant une expérience, tu peux constater par toi-même que le tourbillon ne se forme que dans certaines conditions.

UN CYCLONE MAÎTRISÉ

Remplis un récipient, la baignoire ou l'évier, par exemple, et enlève la bonde. Le tourbillon se forme. Place alors, comme indiqué sur le schéma, une surface plane (planchette) verticalement au-dessus du trou. Le tourbillon s'arrête instantanément et l'écoulement de l'eau devient régulier et rapide : l'enroulement de l'écoulement est rendu impossible par l'obstacle.

La force de Coriolis

L'air se dilate lorsqu'on le chauffe et devient plus léger. Au-dessus d'une zone chaude du sol, il se crée ainsi une cheminée d'air qui monte, comme s'élève la fumée dans une cheminée. Avec cependant une différence de taille : la cheminée naturelle peut atteindre plusieurs centaines de kilomètres de diamètre. Comme dans le cas du feu de bois, il faut qu'une arrivée d'air vienne remplacer celui qui fuit vers le haut. Le phénomène est le même que celui observé dans la baignoire, mais renversé : ici, l'air fuit vers le haut, aspiré par la cheminée, en tourbillonnant. Un tel phénomène est appelé cyclone lorsqu'il est à l'échelle d'un continent, tornade s'il est plus petit.

Au centre d'une tornade, l'aspiration est si forte qu'elle peut soulever et transporter les objets les plus lourds : toits, arbres, voitures, etc. Sur l'eau, la tornade crée une colonne d'eau, une trombe. Un cyclone ne se forme qu'au-dessus des océans chauds sous les tropiques où l'eau atteint 27 °C et plus. Il se déplace à une vitesse comprise entre 15 et 30 km/h et semble s'enrouler autour de son centre, "l'œil". Cet enroulement se fait dans le sens des aiguilles d'une montre quand il a lieu au sud de l'équateur, et en sens inverse quand il a lieu au nord. Cela est dû à la rotation de la Terre, comme le montre une loi complexe énoncée par le mathématicien français Gaspard Coriolis (1792-1843).

Le maelström

Il n'existe rien, avec les courants marins, qui ressemble à la cheminée du cyclone, mais parfois certaines rencontres provoquent de sérieux tourbillons… Les plus célèbres, qui effrayaient autrefois les navigateurs, se situent dans le détroit de Messine (séparant la péninsule italienne de la Sicile) : Charybde et Scylla. Mais c'est Jules Verne qui a popularisé, dans *Vingt mille lieux sous les mers* (paru en 1870), le nom que donnent les Norvégiens au tourbillon qui se forme auprès des îles Lofoten : le maelström (qui engloutit le capitaine Nemo et son *Nautilus*).

DANS L'ŒIL DU CYCLONE

Les satellites d'observation de la Terre permettent de surveiller en permanence la formation et l'évolution des cyclones. La prévision de leur marche est une tâche difficile. Cette surveillance était assurée auparavant par des avions pilotés par des équipages particulièrement hardis. Ils ont constaté que dans l'œil du cyclone et à haute altitude l'air était parfaitement calme. Mais pour parvenir à ce paradis, quel enfer !

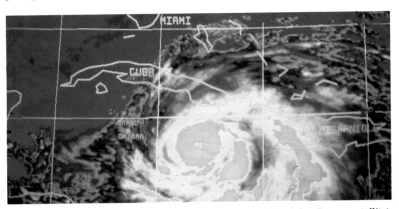

13 septembre 1988 : passage du cyclone Gilbert au sud de Cuba (image satellite)

Écoulements paresseux

*Pas de vent,
l'air tremble au-dessus
des champs. Les alizés
soufflent simplement
et régulièrement.
Les continents se déplacent
à la surface du globe
dans un mouvement
insensible. Tout semble
calme, mais des
mécanismes essentiels
sont en marche.*

EN SURVEILLANT LA SOUPE...

● Fais chauffer une casserole remplie d'eau sur une cuisinière et jette dedans une poignée de petites pâtes à potage. Au bout d'un moment, les pâtes montent du fond vers la surface, au milieu de la casserole, et redescendent vers le fond le long des parois. Pourquoi ce ballet ?

● Au centre de la casserole, juste au-dessus de la source de chaleur, l'eau s'échauffe plus vite que l'eau de la périphérie ou de la surface. Elle se dilate, devient donc plus légère et monte vers la surface sur laquelle elle s'étale. L'eau froide des bords la remplace. Les petites pâtes, entraînées par

le mouvement de l'eau, montrent bien ce phénomène appelé **courant de convection**.

Ascenseurs et planeurs

L'atmosphère se comporte comme l'eau dans la casserole. Les lacs ou les forêts absorbent le rayonnement du soleil, mais les champs de blé mûr le reflètent.
L'air est plus chaud au-dessus du blé qu'au-dessus des forêts ou des lacs.
Plus léger, il a tendance à monter : on dit qu'il y a une **ascendance**. Les pilotes de planeur le savent bien lorsqu'ils effectuent des cercles dans ces colonnes d'air montantes pour prendre de l'altitude.

Vent et sécheresse en Afrique

À l'échelle des océans

La mer est moins sujette à des mouvements de convection. Sa surface, chauffée par le soleil, est plus chaude que les eaux

242

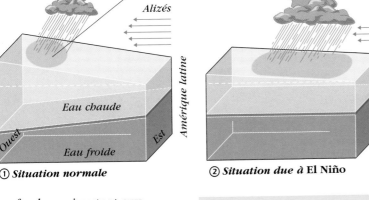

Réservoir d'eau chaude à plus de 28 °C en surface

Alizés

Asie

Amérique latine

Eau chaude

Ouest

Est

Eau froide

① *Situation normale*

② *Situation due à* El Niño

① *En situation normale, les vents poussent les eaux chaudes vers l'ouest, apportant des pluies sur les côtes d'Asie.*

② *Lorsque les alizés faiblissent, El Niño s'installe. Les eaux chaudes se décalent vers le centre du Pacifique.*

profondes, qui restent aux environs de 4 °C. L'eau du fond est ainsi plus lourde que l'eau de la surface, et le phénomène de la casserole ne peut se produire. Mais au voisinage de l'équateur, les vents alizés, qui soufflent d'est en ouest, balayent la surface des océans et l'entraînent vers l'ouest, agissant ainsi comme une gigantesque pompe. Dans l'océan Pacifique, l'eau chaude de la surface est chassée de l'Amérique vers l'Asie, où se produisent alors des pluies violentes. Au même moment, à l'est, les eaux chaudes sont remplacées par des eaux froides arrivant du fond. Celles-ci sont riches en matières nutritives : la pêche est donc abondante sur la côte américaine.
De temps en temps, les alizés faiblissent et la circulation s'arrête : ce phénomène s'appelle *El Niño*. Les climats sont alors bouleversés, comme cela s'est passé en 1997 et 1998, avec des conséquences économiques et humaines dramatiques.

***Inondation** au Bangladesh*

AU CŒUR DE LA TERRE

La surface de la Terre est formée d'immenses plaques, gigantesques écailles qui se déplacent à des vitesses de quelques centimètres par an. Ces mouvements sont la manifestation de la convection du manteau terrestre. En son cœur, la Terre a gardé une partie de la chaleur de ses origines et elle est chauffée en permanence par la désintégration des éléments radioactifs qui la composent en partie. En surface, elle se refroidit en rayonnant vers l'espace. À la manière de ce qui se passe dans la casserole, des **cellules convectives** se sont mises en place dans le **manteau**, sur 3 000 km d'épaisseur, faites de courants ascendants chauds et de courants descendants froids. Les mouvements sont d'une lenteur extrême : le matériau, constitué de roches, "coule" un million de fois plus

difficilement que la glace (or les glaciers ne progressent que de quelques centaines de mètres par an…). Le matériau chaud monte jusqu'à la surface, s'étale latéralement, formant le plancher océanique, puis redescend vers l'intérieur de la Terre.

POURQUOI LES VOLCANS

Les éruptions volcaniques s'accompagnent de coulées de laves. Les roches du manteau arrivent, au cours de leur lent voyage convectif, sous une région où la croûte est amincie : leur pression diminue, elles fondent localement et un réservoir de **magma** se forme. Lorsque sa pression, au cours du temps, sera suffisante, il se videra en fissurant ou en faisant exploser les roches qui l'enferment.

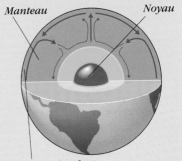

Manteau

Noyau

Courants circulant à travers tout le manteau

243

L'eau et nous

Tu décapsules une bouteille d'eau gazeuse :
un flot de bulles monte en pétillant.
Tu te baignes dans la mer
et tu bois la tasse : pas de doute,
tu n'as pas bu de l'eau pure !
Alors, que contient l'eau, ce fluide
absolument indispensable ?

DÉFAIRE L'EAU

Tu peux décomposer l'eau en ses éléments hydrogène et oxygène au cours d'une expérience : l'électrolyse.

Il te faut :
- un bol rempli d'eau,
- deux fils de cuivre dénudés,
- une pile (une pile de 4,5 V ou davantage sera plus efficace qu'une pile de 1,5 V).

• Plonge les deux fils dans le bol à quelques centimètres l'un de l'autre. Branche chacun d'eux à une borne de la pile. Après quelques instants, tu vois apparaître de petites bulles : ce sont de l'hydrogène du côté de la borne (–) et de l'oxygène du côté de la borne (+).

• Ajoute une pincée de sel dans le bol, la production de bulles augmente parce que le courant passe mieux dans l'eau salée que dans l'eau pure.

L'eau pure n'existe pas

L'eau est un agent chimique très agressif qui dissout de nombreux composés. Le verre, dans lequel on la conserve, n'y résiste pas à long terme. Elle dissout volontiers le gaz carbonique (CO_2) : les amateurs de boissons gazeuses (et notamment de champagne) ont plaisir à regarder ces liquides qui renvoient mille et une petites bulles (de gaz carbonique !). Cette dissolution du CO_2 dans l'eau se retrouve à l'échelle de toute notre planète : l'atmosphère cède d'énormes quantités de gaz carbonique aux océans. Pour le buveur d'eau, l'eau "pure" doit contenir certains sels minéraux, sinon elle est insipide. En réalité, ce que l'on accepte comme "impuretés" dans l'eau dépend de l'usage que l'on en fait.

Ce que contient la mer

La mer contient en solution des quantités gigantesques de composés (de sodium, de magnésium, de calcium, de fer, de soufre…). Le chlorure de sodium (le sel) est le plus connu et le plus utilisé. Les autres corps – on en a isolé plus de vingt – existent en quantités bien inférieures. Si les concentrations

sont faibles, le volume de la mer est énorme et l'on peut se dire qu'elle recèle une immense réserve de matériaux où puiseront les générations futures (si elles mettent au point des techniques pour les exploiter…).

Eau potable

L'eau est indispensable à la vie, mais nous ne pouvons pas boire n'importe laquelle : elle doit être **potable**. Il faut donc la débarrasser des particules qu'elle transporte (par filtrage), des produits nocifs qu'elle contient, comme les nitrates (par traitement physico-chimique), et des micro-organismes* qui s'y

EAU DISTILLÉE

On peut distiller l'eau sale, c'est-à-dire la faire s'évaporer puis condenser sa vapeur.

Il te faut :
- un saladier,
- de l'eau, du sel et du café soluble,
- un film plastique alimentaire,
- un poids (caillou, pièces…).
● Dans le fond du récipient, verse 2 cm d'eau bien salée et colorée avec du café (une eau véritablement imbuvable !).
● Au centre, place une tasse vide. Recouvre le récipient du film plastique sans trop le tendre. Pose au centre le poids pour donner au film une forme creuse. Expose le tout au soleil.
● Après 2 ou 3 h d'exposition, ouvre et goûte le contenu de la

tasse : c'est de l'eau douce et parfaitement limpide.

> La vapeur, produite par l'échauffement au soleil, n'a pas entraîné les produits dissous, et l'eau qui se condense sur le couvercle est "pure" : c'est de l'eau distillée.

Certains pays manquent d'eau douce et la fabriquent en dessalant l'eau de mer, mais cette opération reste coûteuse. L'Arabie Saoudite en produit ainsi 2 milliards de mètres cubes chaque année.

développent (par adjonction de bactéricides : ozone, chlore, eau de Javel). L'eau est déclarée potable si sa concentration en sels minéraux ne dépasse pas 0,002 g/l.

L'eau dans le corps

À l'âge adulte, notre corps contient en moyenne 65 % d'eau (97 % pour un fœtus, 75 % pour un nourrisson, et 59 % pour une personne âgée). Notre cerveau en est constitué à plus de 80 % ! L'eau est un milieu : sans elle, les cellules ne pourraient ni conserver leur forme, ni assurer leurs fonctions. Elle est ensuite un véhicule : deux fluides essentiels transportent globules rouges, globules blancs, gouttelettes de graisse, etc. Il s'agit du sang et de la lymphe. L'eau est enfin un solvant : les cellules baignent dans un liquide aqueux* qui les nourrit de substances en solution et évacue les déchets.

LE SAVAIS-TU ?

Stalactites et stalagmites
Lorsque de l'eau très chargée en sels minéraux tombe goutte à goutte dans une grotte, elle abandonne un peu de ces sels au plafond et un peu à l'endroit où elle touche le sol.
Ainsi se forment les stalactites (avec un t pour "tombe") en haut et les stalagmites (avec un m pour "monte") en bas.

Des sommets enneigés à la mer

Jour après jour, les flocons de neige se sont accumulés sur les sommets. Légers flocons, mais la couche est épaisse.
Sous son propre poids, elle se tasse.
Pour l'alpiniste, ce n'est déjà plus le même matériau : c'est une neige dure dans laquelle ses pas ne laissent guère de marques, un névé.

La lente coulée de glace

Le névé devient glace blanche (elle est alors pleine de bulles d'air) avant de devenir glace compacte, plus ou moins transparente et pourtant encore plastique. Elle coule lentement vers la vallée, à la vitesse de quelques centaines de mètres par an dans les Alpes, entraînant sur son passage des roches de toutes tailles. L'eau de sa fonte la précède, filet liquide semblant s'échapper de l'extrémité de sa langue. Elle va, avec d'autres ruisseaux, grossir le torrent qui dévale de la montagne avant de rejoindre la rivière.

Du torrent à la rivière

La rivière de montagne se fraie un passage, creusant une gorge étroite aux rives escarpées, les rapides alternant avec les eaux calmes. Elle charrie des sables, des graviers et des roches qui viennent user ses flancs, creuser encore son lit.

Puis le cours d'eau s'assagit, se grossit d'affluents, pénètre dans une large vallée formée, il y a longtemps, par d'autres eaux. Il n'est pas encore navigable, son débit et sa profondeur ne sont pas assez réguliers, son cours est trop rapide. Mais on prélève parfois un peu de son eau pour maintenir à niveau un canal creusé au large de son lit, où circulent des péniches.

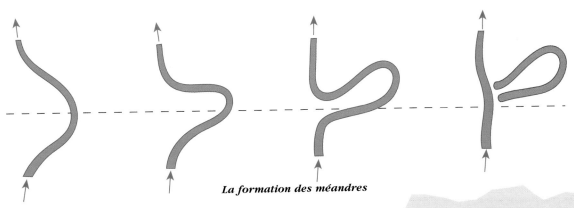

La formation des méandres

Méandres

La rivière chemine paresseusement. Elle va de virage en virage, au gré des méandres qu'elle dessine. Car c'est bien elle qui en est l'auteur. Les physiciens ont donné une explication à la formation des méandres. La moindre courbure du lit suscite un mouvement de l'eau qui vient enlever les matériaux de sa partie concave* et, donc, rendre plus aigu le virage. Les matériaux retirés sont déposés sur l'autre rive, un peu plus loin. Les méandres progressent ainsi peu à peu par érosion d'un côté et dépôt de l'autre. Parfois, la boucle du méandre se resserre si étroitement qu'elle s'étrangle ; la rivière passe alors au plus court, abandonnant ce qui va devenir un "bras mort" (comme le montre le dessin ci-dessus).

En débouchant dans la mer

Devenue fleuve, la rivière s'approche de la mer, pénètre dans son estuaire, rencontre les eaux salées qui viennent au-devant d'elle au rythme des marées. À marée montante, une longue vague déferlante se forme, appelée mascaret. Elle barre tout le lit du fleuve et progresse vers l'amont, puis s'atténue et meurt. En se mélangeant aux eaux salées, le fleuve abandonne les fines particules de terre qu'il transporte. L'estuaire et la côte s'envasent.

LE SAVAIS-TU ?

Fjords et rias

Les fjords de Norvège sont d'anciennes vallées glaciaires et les rias de Galice (Espagne) ou de Bretagne (France), d'anciens lits de fleuves côtiers. La mer les a envahis profondément au cours des différentes périodes géologiques.

GROTTES

Les grottes qui se forment dans les massifs calcaires sont surtout le résultat d'une action chimique : les eaux riches en gaz carbonique dissolvent la roche calcaire. En de nombreux points de ces massifs, on peut voir disparaître tout ou partie d'un cours d'eau et le retrouver, plus bas, alimentant une source appelée résurgence. Le repérage d'un tel phénomène s'effectue simplement : on verse un puissant colorant en amont de la zone de disparition et on recherche les eaux colorées en aval. Les plus beaux réseaux de grottes se trouvent aux États-Unis, dans le Kentucky (Flint Ridge Cave et Mammoth Cave).

Donner à boire à la terre ou à la plante ?

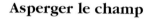

Cette image, nous la connaissons tous : un paysan, d'un continent quelconque, contemple son champ : terre craquelée, plantes chétives et jaunies. La sécheresse ! Et l'eau est rare, loin, chère...

Pas de culture sans apport d'eau en quantité suffisante et au bon moment. Voilà pourquoi l'irrigation est sans doute l'une des plus anciennes techniques inventées par l'homme.

Faire ruisseler sur le sol

La méthode traditionnelle : l'eau circule dans des canaux creusés dans la terre un peu au-dessus des parcelles de champs. Le cultivateur ouvre la paroi d'un canal (d'un coup de pioche, en retirant une planche, en levant une vanne...) et l'eau se répand dans le champ. Aujourd'hui, le canal se présente sous la forme d'un tube de matière plastique muni de vannes latérales, ou bien le canal alimente des rampes percées de petits trous, etc. Peu onéreux à l'installation, le système conduit assez vite au gaspillage parce qu'il est difficile d'assurer un arrosage homogène des cultures.

Asperger le champ

Le spectacle est familier : au-dessus des champs, d'immenses gerbes d'eau tournent inlassablement. L'eau pompée dans le sous-sol ou dans un lac-réservoir arrive en bordure du champ sous pression. De là, elle parvient à un ou plusieurs asperseurs, espacés régulièrement le long des terres à irriguer. Pour arroser de grandes surfaces, on utilise le pivot : une gigantesque rampe d'arrosage horizontale, portée par plusieurs tracteurs

LE SAVAIS-TU ?

La précieuse eau du Nil
Les Égyptiens pratiquaient
(et pratiquent encore, même si
le barrage d'Assouan, au sud
de l'Égypte, permet une culture
en saison sèche) la technique
d'"inondation dirigée".
On faisait en sorte que l'eau
du Nil, lors de sa crue, s'étale
le plus largement possible
et on la retenait derrière
des petites digues de terre.
Puis, pendant la décrue,
on la distribuait avec soin aux
champs peu à peu dégagés.

qui s'alignent automatiquement
entre le pivot central (par où
arrive l'eau) et le tracteur
extérieur. Avec une rampe de
500 m de long, on arrose 75 ha
de terres en une rotation
complète. Ce procédé, coûteux
en investissement, est économe
en eau parce qu'il est facile à
contrôler et qu'il ne détrempe
pas le sol.

Au goutte à goutte

Là où l'eau est rare, où les plantes
sont cultivées par pieds ou en
rangs étroits (arbres fruitiers,
vignes, légumes…), on réalise
un arrosage aussi précis que
possible : juste la quantité
nécessaire, là où il le faut. Et,
avec l'eau, on apporte les engrais
et les produits de traitement
en quantité parfaitement dosée.
Le liquide circule dans des
conduites de plastique souple.
Il est délivré au goutte à goutte
à la plante, à des moments précis.
Seul le sol proche de la plante
est ainsi maintenu humide.
L'installation est coûteuse, son
contrôle est délicat, mais les
économies d'eau et la précision
avec laquelle on peut suivre le
développement de la culture sont
finalement sources d'économie.

RÉSERVE D'EAU LIMITÉE

Il te faut :
- une petite plante en pot
(bégonia, fougère, lierre,
Peperomia, saxifrage…),
- du sable,
- du plastique transparent
incolore : un grand sac ou
du "tube" sans déchirure, comme
en utilisent les teinturiers.

Arrose ta plante. Dépote-la et
place-la dans le plastique sur
un lit de sable que tu arroses,
puis que tu ramènes sur la motte.
Laisse reposer deux ou trois
jours. Ferme cette enveloppe
après l'avoir gonflée en soufflant
dedans. La fermeture doit être
étanche. Si tu veux transporter
l'ensemble, effectue toutes ces
opérations sur un plateau ou
une grande assiette. Ta plante
se développera très longtemps
dans ce milieu clos.

Les végétaux utilisent l'eau du
sol pour leurs cellules et donc
pour croître, mais ils en rejettent
une grande partie dans
l'atmosphère par transpiration.
D'où la nécessité de les arroser.
Alors que dans l'enveloppe,
l'eau de transpiration est
recyclée : elle se condense et
retourne à la terre et à la plante.

À l'écoute de la plante

Diverses équipes de chercheurs
se sont posé la question :
et si l'on demandait à la plante
quand elle désire boire ?
On sait que le diamètre
d'un fruit augmente la nuit
(période de croissance)
et se contracte un peu
pendant le jour.

Si l'arbre manque d'eau,
la croissance diminue et
la contraction augmente.
En mesurant en permanence
le diamètre d'un fruit, on peut
déduire la conduite à tenir.
Ainsi fonctionne le Pepista de
l'Institut national de recherche
agronomique de France
(INRA).

Irrigation "à la carte" pour ce plant de citronnier

Des moulins et des hélices

Courant d'air ou courant d'eau, l'homme a su dès l'Antiquité exploiter des sources "d'énergie douce". Elles remplaçaient l'énergie musculaire d'autres hommes, d'esclaves, ou celle d'animaux domestiques. La Terre s'est couverte de moulins et leur usage a perduré jusqu'à nos jours.

Bien plus tard, l'homme s'est aperçu que les machines qu'il construisait étaient réversibles. S'il leur fournissait de l'énergie, elles étaient capables de créer un courant d'air ou d'eau : il a inventé les hélices et les pompes.

Moulin à Mykonos

Les moulins à vent de ce type, nombreux dans les îles grecques, servent essentiellement à moudre le grain. Inventé sans doute en Iran, le moulin à vent n'est devenu commun en Europe qu'au XIIe siècle. En Hollande, à partir du XIVe siècle, de très nombreux exemplaires ont été construits pour actionner des pompes destinées à assécher les polders*.

Éolienne de campagne

On en voit encore beaucoup dans nos campagnes et un peu partout dans le monde ; elles ont de nombreuses petites pales métalliques fixées à une roue montée au sommet d'un pylône. Le vent, arrivant dans la direction de l'axe de la roue, frappe les pales inclinées qui le renvoient latéralement (*voir p. 224*). Par réaction, les pales sont repoussées en sens inverse, entraînant la rotation de l'ensemble de la roue. Ce mouvement est mis à profit très généralement pour pomper l'eau d'un puits alimentant un abreuvoir à bétail, loin d'une source d'énergie électrique ou d'une rivière.

Éolienne moderne

Les techniques inspirées de la construction aéronautique permettent aujourd'hui de réaliser

de grandes hélices. Couplées à des générateurs, celles-ci peuvent produire du courant électrique. Les plus puissantes dépassent 1 200 kW (de quoi alimenter un millier de fers à repasser !) : tournant autour d'un axe horizontal situé à 50 m de haut, les pales mesurent 25 m de long. On installe des "champs d'éoliennes" dans les régions où le vent est fort et, surtout, régulier.

Hélice d'avion

Contrairement aux éoliennes de grand diamètre tournant lentement, les hélices d'avion ne dépassent pas 5 m de diamètre et tournent vite : plus de 1 000 tr/mn. Leur puissance peut dépasser 5 000 kW. On imagine la violence du souffle qu'elles provoquent et la force de traction qu'elles exercent. Ici, modèle d'hélice rapide en essai.

Ancien moulin à eau

Très répandu en Europe jusqu'à la fin du XIXe siècle, il se compose essentiellement d'une roue garnie de palettes planes, ou d'augets creux, que le courant d'eau entraîne. Il peut faire tourner une meule à grain, actionner un soufflet de forge ou un marteau-pilon, et toutes sortes de machines de faible puissance.

Turbine Kaplan

La plus récente des turbines hydrauliques est dite "turbine-hélice" : comme le vent entraînant une hélice d'éolienne, l'eau arrive et s'évacue dans la direction de l'axe de rotation. On peut régler l'orientation des pales par rapport à l'axe.

L'usine marémotrice de la Rance met à profit ce réglage. Le courant d'eau s'inversant à chaque marée, les générateurs électriques (il y en a 24 de 10 000 kW chacun) tournent cependant toujours dans le même sens, au flux comme au reflux, car l'on inverse l'orientation des pales. De plus, on peut échanger les rôles : alimentés par le réseau électrique, les générateurs deviennent des moteurs, et les turbines se transforment en pompes qui peuvent remplir le bassin de retenue : on crée, aux heures creuses, une réserve qui sera utilisée aux heures de pointe.

Hélice de navire

C'est une turbine-hélice qui marche "à l'envers" : on lui fournit de l'énergie (turbine à vapeur, moteur thermique...) et elle projette un violent courant d'eau vers l'arrière. Par réaction (*voir p. 224-225*), elle est poussée vers l'avant en entraînant le navire. Les plus puissantes dépassent 50 000 kW et atteignent 6 m de diamètre.

Turbine Pelton

Lorsque la chute d'eau est très élevée, on utilise, pour entraîner le générateur électrique, une machine dérivée du moulin à eau. La roue en acier est ceinturée de solides augets qui reçoivent le jet d'eau très violent issu de la conduite d'arrivée. On peut ainsi équiper des chutes de plus de 1 500 m de hauteur, telle celle qui alimente en électricité la soufflerie de Modane-Avrieux (*voir p. 230*).

MOULIN À EAU À AXE VERTICAL

L'eau motrice est lancée sur les augets d'une roue dont l'axe est vertical. La roue peut ainsi entraîner directement une meule sans l'intermédiaire d'un engrenage.

TURBINE FRANCIS

C'est la version moderne du moulin à axe vertical. Les augets sont en fonte ou en acier et non plus en bois. L'eau arrive encore latéralement, mais elle s'évacue verticalement, vers le bas. La machine entraîne un générateur électrique dont la puissance peut atteindre plusieurs dizaines de milliers de kilowatts.

Flotter ou couler ?

Qu'un bouchon flotte sur l'eau, qu'un plomb entraîne la ligne au fond de la rivière, cela ne surprend pas. Mais comment un paquebot en acier peut-il rester à la surface de la mer et un sous-marin naviguer entre deux eaux ?

Dans une baignoire, une piscine, dans la mer, tu ressens l'agréable impression d'être "porté" par l'eau. Mais en sortant du bain, en reprenant appui sur le sol, tu constates que tu es toujours un être de muscles et d'os bien pesant. Observe ce qui se passe dans l'expérience suivante.

Bateaux et sous-marins

Un navire est une grande enveloppe, la coque, étanche à l'eau. Il s'enfonce plus ou moins dans la mer selon son poids total : coque, superstructures, chargement. Ce poids est égal à celui du volume d'eau que la coque remplace, poids que les marins appellent "déplacement". Dans le cas d'un pétrolier,

LA BALANCE D'ARCHIMÈDE

Il te faut :
- un cintre,
- 2 bananes (ou 2 pommes),
- un récipient.

● Réalise une balance avec le cintre, et attache à ses extrémités les deux objets de poids à peu près identiques. Règle leur position pour que la tige soit horizontale. Descends la balance de manière à plonger un des deux fruits dans l'eau du récipient. Tu constates qu'elle est déséquilibrée, comme si l'objet immergé pesait moins. Évidemment il n'en est rien : l'objet n'a pas changé de poids. En revanche, tu as mis en évidence une force dirigée en

sens contraire de la pesanteur* : c'est la **poussée d'Archimède**.

Le principe d'Archimède s'énonce ainsi : un liquide exerce sur un objet qui y est immergé une poussée (vers le haut) qui s'oppose au poids (vers le bas). Elle est égale au poids du liquide dont l'objet a pris la place.

● Si on abandonne un objet dans l'eau, plomb ou liège, va-t-il flotter ou couler ? C'est une question de densité, c'est-à-dire de rapport entre la masse du volume d'un corps et celle du même volume d'eau. Un objet de densité égale à 1 reçoit une poussée juste égale à son poids : il flotte "entre deux eaux".

Si sa densité est supérieure à 1 (cas du plomb), il coule au fond. Si elle est inférieure à 1 (cas du bouchon), il flotte en surface.

Flotter dans l'air ?

Le principe d'Archimède est valable pour tous les fluides, liquides ou gaz.

Mais le remplacement d'un litre d'air donne une poussée… 800 fois plus faible que celle de l'eau. Pour soulever une charge, faire un "navire aérien", il faut donc un très grand volume de

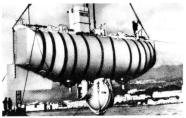

la différence entre le poids sans chargement et le poids en charge est énorme. Si bien que pendant qu'on le vide à l'arrivée au port, la coque sort progressivement de l'eau et peut dominer les quais de la hauteur d'un immeuble de sept étages ! Un sous-marin est un bateau dont le volume et la masse sont tels qu'il flotte au ras de la surface. En commandant l'entrée d'eau dans des **ballasts**, on le fait plonger ; en vidant les mêmes ballasts, il va remonter. Il est possible d'équilibrer la poussée d'Archimède et d'amener le sous-marin à rester à une profondeur quasi fixe.

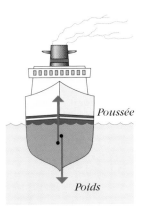

Poussée d'Archimède
sur un bateau

"coque" rempli d'un gaz plus léger que l'air. Les montgolfières s'élèvent ainsi grâce à de l'air chaud. De la même manière, les scientifiques utilisent, pour emporter dans la haute

atmosphère des instruments d'observation et de mesure, des ballons-sondes qui sont de gigantesques enveloppes de plastique mince gonflées à l'hélium.

Le bathyscaphe

Pour descendre à quelques milliers de mètres sous la surface des océans, il faut une épaisse coque d'acier qui résiste à des pressions énormes, mais elle est alors trop lourde pour flotter. Le professeur suisse Piccard eut l'idée de fabriquer un engin fonctionnant comme un ballon. La sphère d'acier (la nacelle avec ses deux passagers) est soutenue par un volumineux flotteur en tôle mince rempli d'une essence plus légère que l'eau. Un lest entraîne le bathyscaphe vers les profondeurs. On l'abandonne lorsque l'on veut remonter. C'est ainsi que le *Trieste* a atteint, en 1960, la profondeur record de 10 916 m dans la fosse des Mariannes, à l'est des Philippines (océan Pacifique).

Plongeurs et scaphandriers

Pénétrer dans la mer, se déplacer, explorer, travailler dans un milieu a priori totalement interdit aux êtres munis de poumons, est un rêve que l'on a tenté de concrétiser dès l'Antiquité. Il est devenu réalisable lorsque l'on a su vaincre la pression qui règne en profondeur.

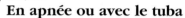

Aspire de l'eau avec une pompe à bicyclette, puis bouche le trou de sortie avec ton pouce.

Tu auras beau appuyer de toutes tes forces, tu ne pourras pas faire avancer le piston : à la différence de l'air, l'eau est incompressible.

JETS D'EAU

Il te faut :
- une bouteille en plastique,
- une paire de ciseaux,
- une cuvette (facultatif).

Perce la paroi de la bouteille à des hauteurs distantes de 5 cm environ. Place la bouteille dans la cuvette (ou dans un évier) et remplis-la d'eau. Le liquide s'échappe des trous en jets d'autant plus puissants que le trou est bas, c'est-à-dire que la colonne d'eau qui le surmonte est plus haute. Incompressible, l'eau transmet les forces qu'on lui applique. À l'intérieur d'une colonne d'eau de forme quelconque, la pression ne dépend que de la hauteur du liquide.

En apnée ou avec le tuba

Comment varie la pression lorsque l'on s'enfonce dans la mer ? Une colonne d'eau de 10 m de haut et de 1,13 cm de diamètre, donc de 1 cm^2 de section, a pour volume 1 litre et pour masse 1 kg environ. La pression croît, par conséquent, d'une **atmosphère** tous les 10 m. À 100 m de profondeur, elle est de 10 atmosphères : c'est ce que doit supporter l'organisme des personnes qui tentent des records de plongée en apnée. Nos muscles ne nous permettent pas de gonfler nos poumons sous une telle pression ! C'est déjà quasiment impossible à 1 m sous l'eau, il est donc inutile d'utiliser un long tuba pour tenter de nager en profondeur.

Scaphandre autonome

Pour séjourner sous la mer, il faut pouvoir retrouver la liberté de respirer et donc compenser la pression extérieure qu'exerce l'eau par la pression de l'air pénétrant dans les poumons. C'est ce que permet le scaphandre autonome d'Émilien Gagnan et de Jacques-Yves Cousteau inventé en 1943.

LE SAVAIS-TU?

Cloche à plongeur

Les Anciens ont inventé la cloche à plongeur (utilisée jusqu'au XIXe siècle) pour travailler, par exemple, à la construction de piles de pont. Ils descendaient verticalement une grande cloche dans l'eau. Plus elle s'enfonçait, plus le niveau d'eau montait à l'intérieur en comprimant l'air emprisonné au-dessus. Un ouvrier travaillant sous l'eau pouvait venir reprendre sa respiration dans la cloche, où l'air restait toujours à la même pression que l'eau.

Scaphandre "pieds lourds"
C'est une combinaison de tissu caoutchouté étanche et d'une sphère de cuivre munie de hublots coiffant la tête et lui laissant un peu de liberté. Le scaphandrier porte des semelles de plomb qui le maintiennent vertical. Un tube souple alimente la combinaison en air comprimé venant de la surface. Ce scaphandre inventé au XIXe siècle est à présent presque abandonné.

L'air contenu sous haute pression dans les bouteilles portées par le plongeur se détend dans le régulateur qui ajuste, quelle que soit la profondeur, la pression de sortie à la pression ambiante (le plongeur ne pouvant respirer que l'air maintenu à la même pression que l'eau). L'air respiré sous pression est dissous dans l'eau imprégnant tous les tissus de notre corps. Une remontée trop rapide après une plongée entraîne dans l'organisme une libération brutale de ce gaz (l'air respiré) sous forme de microbulles : entraînées par le sang, celles-ci peuvent provoquer des accidents très graves. Pour les éviter, le plongeur respecte des **paliers de décompression**.

Spationaute et plongeur
Les spationautes*, appelés à effectuer des sorties dans l'espace pour réaliser diverses opérations hors des stations spatiales, doivent mettre méticuleusement au point leurs gestes et les répéter à terre. Équipés de scaphandres autonomes, ils s'entraînent dans de grandes piscines, lestés de manière que la poussée d'Archimède (voir p. 252) équilibre exactement leur poids. Ils reconstituent ainsi, en partie, les conditions d'impesanteur*. Cependant, l'eau freine leurs déplacements, tout en rendant trop facile l'utilisation de certains outils.

Lieux et milieux

Habiter, circuler, acheminer, évacuer : du village à la
métropole, chaque civilisation résout à sa manière ces
besoins fondamentaux. La ruche humaine se saisit de
l'espace, le découpe, l'aménage et bâtit : vers le sud,
vers le nord, vers le ciel et vers les profondeurs du sol.
Promène-toi dans ta ville, arrête-toi sous ce pont,
au bord de cette tranchée dans la rue défoncée, devant
cet immeuble qui s'élève jour après jour…

Jeux de poutres

*Tu avances sur la planche d'un plongeoir et ton cœur bat un peu plus vite...
C'est sans doute l'appréhension du saut que tu vas accomplir plutôt que
la crainte de voir la planche se briser sous ton poids. Cependant, elle fléchit.
Que se passe-t-il à l'intérieur ?*

Voici la planche, vue en coupe

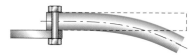

Sous la charge, son extrémité s'abaisse. La partie supérieure (en rouge) s'allonge légèrement : le matériau travaille en **tension**. La partie inférieure (en bleu) se raccourcit : le matériau travaille en **compression**. La couche centrale de matériau ne change pas de dimension, elle est **neutre**.

En fait, la planche se comporte comme le **corbeau** qui, sortant d'un mur, soutient un balcon, ou comme une équerre fixée à une cloison, portant une étagère de livres. C'est une poutre, un élément essentiel dans les constructions mécaniques et dans les bâtiments.

Plus le matériau dont elle est composée résiste à la tension et à la compression, moins la poutre se déforme.

Ainsi, l'acier se comporte bien dans les deux cas.
En revanche, la pierre résiste bien à la compression, mais casse facilement à la tension. Il en est à peu près de même pour le béton ; le béton armé a été inventé pour pallier ce défaut.

Jouer avec les formes

La rigidité d'une poutre dépend aussi de sa forme. Puisque ce sont les couches les plus éloignées de la couche neutre qui "travaillent", ce sont elles qu'il faut renforcer. Vérifie-le en faisant l'expérience suivante. Place une feuille de papier à cheval entre deux livres. Tu ne pourras pas poser grand chose sur cette poutre très mince sans qu'elle ne s'effondre.

Mais plie la feuille en accordéon et voilà sa rigidité transformée : dans cette poutre multiple, les arêtes hautes et basses de l'accordéon résistent aux efforts de compression-tension, la partie plane ne servant qu'à les écarter les unes des autres.

Ce principe est à l'origine du "profil en I", forme que tu rencontres dans de nombreuses constructions à base de poutres métalliques. Les larges jambages du I résistent aux efforts de tension et de compression, tandis que la partie verticale du I les éloigne de la couche neutre. On économise de la matière et de la masse, tout en conservant la rigidité.

Le câble et la poutre

Intérieur de la gare d'Austerlitz de Paris (France)

Les charpentes utilisent souvent un assemblage de poutres en triangle appelé **ferme**. Les poutres inclinées portent la toiture, qui elle-même doit supporter la neige. On peut comparer la ferme à un compas, le sommet de la ferme correspond à l'articulation, les deux poutres latérales aux branches.

Pour que le compas ne s'ouvre pas lorsque l'on appuie sur l'articulation, il suffit de relier les extrémités des branches par une ficelle qui travaillera en tension. Il en va de même pour l'assemblage des poutres en triangle.

La poutre horizontale de la ferme travaille aussi en tension. On peut donc la remplacer par une fine tige d'acier. C'est ainsi que sont construites de très nombreuses charpentes métalliques. Lève les yeux quand tu passes sous la toiture d'une gare ou d'un marché : les éléments travaillant en compression-tension sont les poutres, les éléments travaillant seulement en tension sont les barres fines ou les câbles.

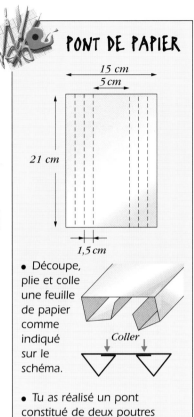

PONT DE PAPIER

15 cm
5 cm
21 cm
1,5 cm

● Découpe, plie et colle une feuille de papier comme indiqué sur le schéma.

Coller

● Tu as réalisé un pont constitué de deux poutres rigides portant le tablier sur lequel on peut faire passer une route. Teste sa rigidité.

LE BÉTON ARMÉ

On peut modifier les qualités d'une poutre en utilisant les propriétés complémentaires de deux matériaux. C'est le principe du béton armé. Le béton, sorte de pierre artificielle, faite de graviers, de sable et de ciment sert de liant. Avant de le couler dans son coffrage, on place des barres d'acier dans la zone rouge de la figure. Après durcissement, on obtient une poutre "armée". Sous la charge, le béton résiste à la compression et l'acier à la tension.

Acier

Béton

La peau et les os

On construit des dômes depuis plus de 2 000 ans.
La simplicité de cette forme relève presque du magique
quand on songe aux très grandes surfaces qu'elle peut
couvrir et à la minceur du matériau nécessaire.
Ces performances sont directement liées à la géométrie.

Palais du CNIT à Paris :
un record de surface couverte sans
appui par du béton

On demande au toit d'un
immeuble d'être étanche
à la pluie, de supporter la neige,
de résister au vent. Pour cela,
on installe en général un matériau
de couverture (une "peau")
sur une structure (un "squelette")
reposant sur des murs ou des
poteaux. Cette solution dissocie
les deux fonctions : franchir
l'espace et fermer l'espace.

Résistance de forme

Si l'on joue intelligemment de
la forme d'un matériau, on peut
réunir les deux fonctions
en une seule : impossible alors
de distinguer ce qui est structure
de ce qui est couverture,
ce qui est peau de ce qui est os.
C'est le cas par exemple de
la tôle ondulée ou du plan plié
(voir l'expérience décrite
à la page précédente).
On parle alors de **résistance
de forme**. De multiples toitures
sont basées sur ce principe et,
en particulier, le dôme.

L'ŒUF SOUS LA CHARGE

Il te faut :
- trois œufs crus,
- un crayon,
- un ruban de Scotch,
- une paire de ciseaux fins.

● Perce les œufs à l'aide d'une
aiguille, vide-les par le côté
le plus pointu et rince-les.
● Trace au crayon la ligne
passant par la partie la plus
renflée de l'œuf sur laquelle tu
fixes un ruban de Scotch. Avec
les ciseaux, découpe la coquille
le long de la ligne. Pour éviter
qu'elle ne se fende, procède peu
à peu, par coupes successives,
la lame supérieure des ciseaux
du côté de la coquille, comme
sur le dessin. Retire le Scotch et
dispose les trois coquilles sur
la table en interposant un linge
épais (une serviette par exemple),
selon un triangle de 20 cm
de côté environ. Pose un second
linge sur les coquilles.
● Charge alors ces trois dômes
avec des livres, mis en place
délicatement un par un. Tu seras
sans doute surpris par ce que
ces minces coquilles supportent
sans broncher !

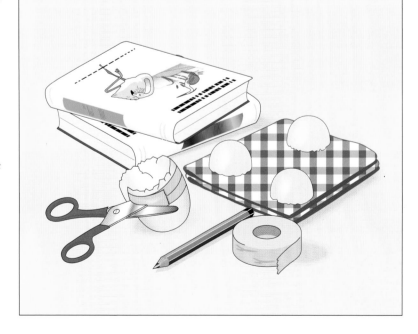

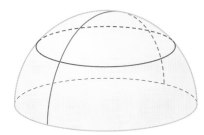

Comme une balle de tennis

Si tu coupes une balle de tennis en deux, que tu la poses au sol et que tu appuies dessus, tu comprends qu'elle transmet tes efforts par les lignes verticales que tu peux tracer en allant du sommet au sol : les méridiens (en rouge). Et si tu tentes de l'écraser, elle résiste parce que les lignes horizontales, les parallèles (en bleu), qui l'entourent refusent de s'élargir. De même, dans un tonneau, les cercles de fer (les parallèles) maintiennent les douves de bois (les méridiens)

assemblées. Dans un dôme, méridiens et parallèles sont liés intimement par le matériau lui-même. Un dôme en béton armé de 30 m de diamètre, épais de quelques centimètres, ne fléchit à son sommet que de quelques millimètres sous son propre poids.

Quelques records

On édifie des dômes avec toutes sortes de matériaux : le Panthéon de Rome (27 avant J.-C., reconstruit en 125 après J.-C., 43 m de diamètre à l'intérieur), en brique et béton ; l'église Sainte-Sophie d'Istanbul en Turquie (537 après J.-C., 35 m de diamètre), en briques ; le Louisiana Superdome de la Nouvelle-Orléans aux États-Unis, en acier (1975, 222 m de diamètre). On en construit aussi en plastique, de dimensions plus modestes…

Le dôme de Justinien
La partie centrale de la nef de l'ancienne église Sainte-Sophie d'Istanbul est couverte d'un dôme qui a dû être reconstruit après sa destruction par un tremblement de terre. Dix mille ouvriers auraient, dit-on, travaillé à l'édification de ce gigantesque chef-d'œuvre, achevé en moins de six ans (532 - 537). L'empereur Justinien, qui en avait décidé la construction, dut remonter le moral de l'architecte concepteur du dôme, effrayé par l'audace de son propre projet !

Le Louisiana Superdome de la Nouvelle-Orléans (États-Unis)

Enjamber la rivière

Un arbre abattu à travers le torrent : voilà déjà un pont. Il est primitif mais répond exactement aux mêmes nécessités que nos ponts les plus modernes. Piétons, voitures, trains et même canaux franchissent vallées, rivières et autoroutes à l'aide de constructions de plus en plus audacieuses.

LES ÉLÉMENTS D'UN PONT

Quand tu passes sous ou sur un pont, observe sa structure et exerce-toi à reconnaître ses éléments et leur rôle. Un tablier porte la voie qu'empruntent ses utilisateurs et lui donne de la rigidité : chemin, voie de chemin de fer, route. Il est fixé aux éléments porteurs chargés de recueillir tous les efforts (poids du pont, poids des charges passant dessus, poussée du vent…) pour les transmettre aux appuis qui les reportent au sol. La travée est la distance séparant deux appuis.

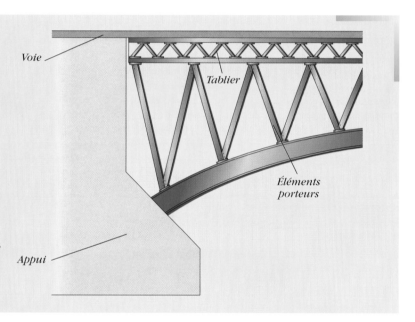

Voie

Tablier

Éléments porteurs

Appui

Le pont à poutre

L'élément porteur est une poutre reposant sur des piles ancrées dans le sol. De nos jours, il en existe de multiples formes : tube en acier, poutre à caisson en béton armé ou en béton "précontraint" (des câbles disposés à l'intérieur du béton sont tendus de manière à le comprimer), ou treillis de poutrelles d'acier comme ce pont sur le fleuve Yang-Tsé (Chine) en cours de construction. Si les ponts à poutre sont extrêmement communs, on leur demande aussi de réaliser des exploits. Le record est détenu par le pont en treillis d'acier sur la rivière Columbia à Astoria (États-Unis), dont l'une des travées atteint 376 m.

Le pont à haubans

Tirer sur le tablier à l'aide de câbles reliés au sommet d'un mât pour le contraindre à prendre une forme plane, tel est le principe des ponts à haubans (ici le pont de Brotonne en France). Cette solution souvent élégante permet, grâce à l'évolution des matériaux, d'écarter les appuis et d'atteindre de très longues portées : 856 m entre mâts pour le pont de Normandie (France) et, lorsqu'il sera achevé, 890 m pour le pont Tatara (Japon).

Le pont en arc

De par sa forme, l'arc, élément porteur, tend à s'ouvrir sous la charge et sous son propre poids. Il ne repose pas sur des piles mais sur des culées, sortes de butoirs s'opposant à sa poussée. Dans les ponts modernes, l'arc porte le tablier soit par-dessus, par l'intermédiaire de piliers (tel le Bixby Bridge en Californie),

soit par-dessous, le tablier est alors suspendu à l'arc. Le record de portée pour un arc en béton est détenu par le pont de Wanxiang, sur le Yang-Tsé (Chine) : 420 m.

Le pont suspendu

Il détient tous les records : l'Akashi-Kaikyo au Japon est long de 1 990 m entre ses deux pylônes ! Les éléments porteurs, deux câbles multibrins en acier ancrés à leurs extrémités dans les rives, reposent sur les sommets des pylônes. Le tablier est accroché aux câbles par des suspentes dont le nombre, la disposition et la tension sont soigneusement calculés pour limiter les déformations au passage des charges et surtout résister au vent, ennemi principal de ce genre d'ouvrage.

Le Golden Gate de San Francisco (États-Unis)

Gratte-ciel

Dans les années 1960, on croyait que le gratte-ciel était une construction réservée aux États-Unis, et que les villes gratte-ciel s'appelaient New York, Chicago ou Atlanta... Aujourd'hui, elles se nomment Hong-Kong, Tokyo, Paris-La Défense et, bientôt, Francfort ou Kuala Lumpur (Malaisie)... Mais pourquoi construit-on de tels édifices?

Pour des raisons économiques, évidemment! Là où le terrain est cher, on s'emploie à empiler le maximum d'étages sur une surface réduite. Les gratte-ciel sont destinés, très généralement, aux grandes sociétés désirant regrouper leurs bureaux. Parfois, les étages supérieurs sont réservés à des appartements de luxe ou à un hôtel de grand standing. Mais il y a d'autres raisons : le gratte-ciel, par sa hauteur, symbolise la force. C'est un objet spectaculaire qui veut prouver aux yeux du monde le dynamisme d'une société ou d'une ville. Il représente aussi, à travers les innovations qui le font maintenant culminer à 450 m, les audaces de ceux qui le conçoivent, architectes et ingénieurs.

La course au record

Quel a été le premier gratte-ciel? On peut seulement affirmer qu'il est né vers 1885-1890 aux États-Unis, avec la construction des premiers immeubles à structure métallique supportant des murs de maçonnerie et équipés d'ascenseurs. Très rapidement, les ingénieurs ont trouvé des solutions pour alléger les constructions, les architectes ont ouvert davantage de baies vitrées, les façades ont abandonné l'aspect des immeubles traditionnels. Dès 1892, le Masonic Temple de Chicago approchait les 100 m de haut.

La course au record ne faisait que commencer : le célèbre Empire State Building (New York, 1931) a détenu le record pendant 42 ans avant d'être

LES DIX GRATTE-CIEL LES PLUS HAUTS DU MONDE

Nom	lieu	date	étages	hauteur (en m)
1- Petronas Tower I	Kuala Lumpur	1996	88	450
2 - Petronas Tower II	Kuala Lumpur	1996	88	450
3 - Sears Tower	Chicago	1974	110	443
4 - Jin Mao Building	Shanghai	1998	88	421
5 - One World Trade Center	New York	1972	110	417
6 - Two World Trade Center	New York	1973	110	415
7 - Empire State Building	New York	1931	102	381
8 - Central Plaza	Hong-Kong	1992	78	374
9 - Bank of China Tower	Hong-Kong	1989	70	369
10 - T & C Tower	Kaohsiung	1997	85	348

Le record européen est détenu par la Commerzbank de Francfort (Allemagne, 1997, 60 étages, 259 m).

dépassé par la Sears Tower (Chicago, 1974), record conservé pendant 22 ans et perdu en 1996.
Il existe aujourd'hui une dizaine de gratte-ciel atteignant au moins les 350 m de haut.
Les projets ambitieux abondent. Les uns, utopiques, resteront toujours dans les cartons : ils permettent au moins de rêver… D'autres attendent leur financement ou l'accord de la ville qui doit les accueillir : tels le Miglin-Beitler Tower de Chicago (609 m de haut), la Tour Sans Fins de Paris (un cylindre de 426 m surgissant d'un cratère et semblant se fondre dans les nuages), le Tokyo-Nara (210 étages sur 880 m)…

200 mètres en 30 secondes

Le gratte-ciel n'aurait jamais vu le jour sans l'invention, en 1853, de l'ascenseur.
Toutes les tours sont équipées d'ascenseurs à câble. Mais il y a beaucoup d'étages à desservir, et un gratte-ciel accueille des milliers de personnes par jour. Ainsi, un immeuble d'une centaine d'étages peut nécessiter jusqu'à cent ascenseurs, dont

le fonctionnement est géré par un programme informatique très subtil.
Les très hauts gratte-ciel comportent généralement à mi-hauteur un **étage de transfert** desservi par des ascenseurs rapides (ils grimpent à 200 m en 30 s) équipés de cabines de grande capacité, parfois à deux étages. Pour aller au-delà, il faut changer de cabine et emprunter un des nombreux ascenseurs omnibus.

LE SAVAIS-TU ?

Issu de la marine
Le terme anglais de *skyscraper* (gratte-ciel) a été employé pour la première fois en 1891 par un journaliste du *Daily News* de Boston.

TERRE !

Il reprenait le nom que les marins donnaient à une petite voile triangulaire fixée à la pointe des mâts.

Gratte-ciel et films catastrophes
Le gratte-ciel ne pouvait manquer d'exciter l'imagination des scénaristes.
Ainsi voit-on *King Kong* s'installer au sommet de l'Empire State Building, dans le film réalisé en 1933 par Shoedsack et Cooper. Il y trouvera la mort sous les coups d'une attaque aérienne. Dans *La Tour infernale*, film de John Guillermin (1974), l'élite de la ville est réunie au 138e étage pour un joyeux cocktail. Mais une malfaçon provoque un incendie.
Les pompiers sont dépassés par la catastrophe…

Fluides à tous les étages

Véritable ville verticale, le gratte-ciel ne se contente pas d'assurer à ses occupants les moyens d'accéder aux étages : tout doit être fourni. Les équipements nécessaires à la vie et à l'activité de sa population constituent un casse-tête pour les architectes et les ingénieurs. Ils prennent de la place, empiètent sur la surface que l'on préférerait conserver pour les bureaux, au point qu'ils obligent parfois à renoncer à d'audacieux projets. Les fenêtres d'un gratte-ciel ne s'ouvrant pas, l'immeuble est entièrement climatisé : le renouvellement de l'air, chaud et froid, s'effectue à chaque étage grâce à des gaines horizontales

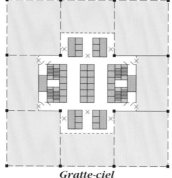

Gratte-ciel
coupe transversale (schématique)

- ▢ *Bureaux*
- ▨ *Ascenseurs*
- ▨ *Espaces techniques*
- ▨ *Escaliers de secours*
- × *Portes coupe-feu*

raccordées à d'énormes gaines verticales. Celles-ci sont tellement encombrantes que l'on préfère parfois prévoir des étages techniques intermédiaires qui prennent en charge une partie de l'immeuble.

Une deuxième série de gaines regroupe différents **fluides** : l'électricité, l'eau, les câbles de télécommunication (téléphone, fibre optique, liaisons informatiques), sans oublier l'évacuation des eaux usées.

En cas d'incendie...

L'incendie est la plus redoutable des catastrophes dans un gratte-ciel. La lutte ne peut être qu'interne. Un réseau particulier de distribution d'eau est prévu : arrosage automatique par les plafonds, canalisations pour les lances de pompiers alimentées par des réservoirs occupant un des derniers étages de la tour. Une centrale de surveillance rassemble les informations en provenance de capteurs judicieusement répartis dans l'immeuble. Des agents de surveillance visitent en permanence les installations techniques pour repérer les anomalies. L'évacuation de l'immeuble s'effectue par des escaliers placés dans des gaines fermées par des portes coupe-feu et équipées de dispositifs de désenfumage. Certains gratte-ciel peuvent être évacués par le haut, grâce à une plate-forme pour hélicoptères.

La Sears Tower de Chicago
Bureaux : 16 500 postes de travail. Surface totale des planchers : 400 000 m², soit l'équivalent d'un terrain de 400 m sur 1 km.

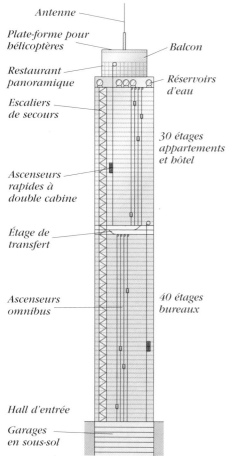

Gratte-ciel
coupe verticale (schématique)

Antenne
Plate-forme pour hélicoptères
Balcon
Restaurant panoramique
Réservoirs d'eau
Escaliers de secours
30 étages appartements et hôtel
Ascenseurs rapides à double cabine
Étage de transfert
Ascenseurs omnibus
40 étages bureaux
Hall d'entrée
Garages en sous-sol

La tour de la Commerzbank de Francfort : *record d'Europe (259 m)*

LES TURBULENCES AU PIED D'UNE TOUR

Réalise une "avenue" d'immeubles, large de 15 cm environ, avec des boîtes (par exemple, de riz ou de céréales). Fixe de petites bandes de papier journal (largeur 1 cm) avec du ruban adhésif. Souffle à l'entrée de l'avenue avec un sèche-cheveux. Déplace ensuite un immeuble au milieu de l'avenue et observe les détecteurs de vent. Pour certaines positions, ils mettent en évidence de fortes turbulences qui rendent, dans la réalité, le pied des immeubles-tours très inconfortable.

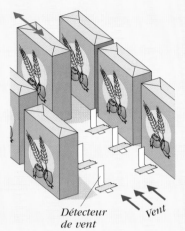

Détecteur de vent

Vent

UN FREIN POUR GRATTE-CIEL

Les ingénieurs ont trouvé une parade aux effets du vent, expérimentée sur le Citicorp Center Building de New York. Au dernier étage, une énorme masse de béton (400 tonnes !) reste presque immobile, par inertie, sur une surface lubrifiée, alors que le sommet de la tour se déplace. Comme ce déplacement relatif est freiné par des amortisseurs, l'amortissement se communique à la tour tout entière.

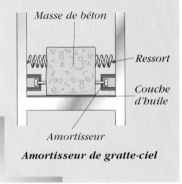

Masse de béton

Ressort

Couche d'huile

Amortisseur

Amortisseur de gratte-ciel

Le vent, ennemi du gratte-ciel

Le moindre souffle exerce sur la façade d'un immeuble des forces considérables. À 80 km/h, la pression atteint déjà 30 kg/m^2, et un gratte-ciel de 400 m reçoit alors une poussée de plusieurs milliers de tonnes. La situation s'aggrave très vite quand la vitesse du vent augmente : si celle-ci est multipliée par deux, la pression est multipliée par quatre. On ancre solidement l'immeuble dans le sol pour l'empêcher de glisser ou de basculer. Mais il faut aussi assurer sa rigidité de bas en haut : le gratte-ciel se comporte comme une poutre plantée dans le sol, soumise à des efforts latéraux qui tendent à la courber.
Dans ces conditions, un immeuble de pierres ou de briques ne peut pas monter bien haut, faute d'élasticité.
Les premiers gratte-ciel ont donc adopté une structure mixte :

métal (acier ou fonte) rigidifié par des murs de maçonnerie.

L'immeuble-tube

La première révolution est arrivée avec l'invention du **noyau porteur**, sorte de poutre verticale rigide en treillis d'acier de 20 à 30 m de côté supportant tous les étages. La façade, légère, est simplement accrochée à la périphérie des plateaux. Le noyau accueille les ascenseurs et les installations techniques. Une deuxième révolution voit le jour avec l'invention de

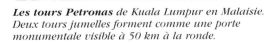

Les tours Petronas de Kuala Lumpur en Malaisie. Deux tours jumelles forment comme une porte monumentale visible à 50 km à la ronde.

l'immeuble-tube : la structure porteuse des étages est reportée en façade. Elle est visible de l'extérieur ou cachée derrière un vitrage. Pour monter encore plus haut, on a créé le faisceau de tubes s'épaulant mutuellement jusqu'à des hauteurs différentes. C'est la solution adoptée pour la Sears Tower de Chicago : des 9 tubes de section carrée accolés le long des 50 premiers étages, il n'en reste que 5 au 67e, et 2 dans les derniers étages. Aller plus haut en affinant la tour, au détriment de la rigidité, présente un sérieux inconvénient car les occupants risquent le mal de mer : par vent fort, le sommet d'une tour de 300 m se déplace de 1 m !

La piscine et la salle de concert

Joyeuse ambiance à la piscine!
Les copains sont venus en bande.
L'espace vibre sous les hurlements
de plaisir, les appels d'un bord
à l'autre du bassin, les explosions
des plongeons. C'est l'expression
de la vie… mais le calme de la campagne
ne l'est-il pas également?

Dans la piscine, un son rebondit sur les murs, sur l'eau, sur le vitrage, sur la voûte de béton. Il repart, plus ou moins atténué, pour buter à nouveau sur d'autres obstacles, comme une balle élastique enfermée entre quatre murs, perdant peu à peu de son énergie avant de s'arrêter. De sa source à nos oreilles, le son parcourt des trajets différents, dans des temps différents. Tous ces "échos" nous parviennent à la suite les uns des autres, décalés dans le temps et de plus en plus faibles.

Réverbération

Dans un lieu aux parois rigides et aux obstacles multiples, les échos sont si nombreux et si rapprochés que l'on ne les discerne plus. Tape des mains dans une grande salle silencieuse: au son que tu émets succède une "traîne" plus ou moins longue. Sa durée s'appelle le **temps de réverbération**. Celui-ci est généralement long (plusieurs secondes) dans les grands édifices de pierre ou de béton – églises, halles de marché, certaines salles de sport… – que l'on

qualifie de **réverbérants**. En revanche, il est court (une seconde) dans les salles basses, encombrées d'objets absorbants ou occupées par une foule: magasins de vêtements, cinémas… Leur acoustique est alors dite **mate** ou **sèche**.

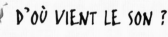

D'OÙ VIENT LE SON ?

Il te faut :
- un tube souple, long de 70 à 80 cm (tuyau d'arrosage, gaine-accordéon pour câbles électriques…),
- un bâton court,
- un copain !

Assieds-toi en tournant le dos à ton camarade. Tiens le tube avec tes deux mains de manière à ce que les extrémités s'appliquent à l'entrée de tes oreilles. Ton camarade tape sur le tuyau en divers points que tu ne vois pas.
À chaque fois, tu dois dire d'où vient le son : de droite, de gauche ou du milieu.

Nos deux oreilles nous permettent d'avoir une perception très fine de la direction d'une source sonore. Les ondes leur parviennent avec un très léger décalage.

Le cerveau en déduit alors la direction de l'espace dont elles sont issues.

Discrétion oblige

Manger dans un brouhaha de couverts entrechoqués ou travailler au milieu de conversations téléphoniques sont autant de situations fatigantes. Alors, dans une cantine ou un bureau, c'est la chasse aux réflexions sonores. On "traite" les parois et, en tout premier lieu, le plafond, à l'aide de matériaux absorbant les sons. On le double par de légers panneaux de fibres de verre ou de bois, percés de myriades de trous où l'air, mis en vibration par le son, est freiné jusqu'à extinction. Dans les bureaux, on fait mieux : une moquette au sol, des cloisons de séparation tendues de tissu entre les postes de travail…

Lieux de concert

Dans la cathédrale, le dernier accord au grand orgue, impressionnant, occupe encore longtemps l'espace et les auditeurs retiennent leur souffle. En revanche, les traits rapides d'une guitare y sont totalement confus, brouillés par la réverbération. La psalmodie des moines, avec son rythme lent et ses longues respirations, s'est construite sous les voûtes de pierres romanes ; alors que la musique de chambre, plus déliée, plus vive, n'a pu se développer qu'en des lieux à la réverbération plus courte. Aujourd'hui, on ne construit plus une salle de concert sans une étude soignée de son acoustique. Maquettes et simulations sur ordinateur permettent de définir les formes et les dimensions du lieu, la nature des matériaux qui le recouvriront, leur surface et leur disposition. Et, comme les genres de musique sont variés, on construit parfois des salles à réverbération ajustable ; ou bien, comme c'est le cas pour les musiques passant par le canal de l'électronique et des haut-parleurs (rock ou variété), la réverbération "artificielle" est totalement contrôlée par le système de diffusion : la réverbération propre au lieu d'écoute n'intervient plus, et l'on peut, dès lors, organiser des concerts en plein air.

Mon quartier

*Quartier historique ou récent, quartier central
ou périphérique, commerçant ou résidentiel, bourgeois
ou populaire, ces découpages dessinent nos villes et nos
villages. Ton quartier échappe peut-être à cette définition :
il est d'abord un périmètre tout simplement familier,
le prolongement quotidiennement fréquenté de ton logement.*

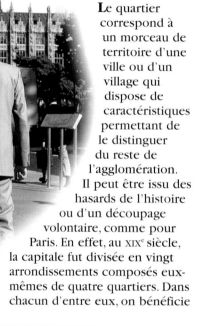

Le quartier
correspond à
un morceau de
territoire d'une
ville ou d'un
village qui
dispose de
caractéristiques
permettant de
le distinguer
du reste de
l'agglomération.
Il peut être issu des
hasards de l'histoire
ou d'un découpage
volontaire, comme pour
Paris. En effet, au XIXᵉ siècle,
la capitale fut divisée en vingt
arrondissements composés eux-
mêmes de quatre quartiers. Dans
chacun d'entre eux, on bénéficie
de services élémentaires
facilement accessibles à pied :
écoles maternelles et primaires,
antennes de police, poste,
dispensaire médical, service des
impôts, église… Mais le quartier
est aussi l'espace que chacun
fréquente de préférence :
le marché, les commerçants
habituels, le magasin de
moyenne surface, le jardin
public, le cinéma, la piscine ou
le stade, la banque, le coiffeur…

Connaissez-vous Wall Street ?

Le quartier possède un nom
qui permet de le repérer dans
la ville, de trouver son chemin
ou d'indiquer la direction à
un chauffeur de taxi, d'y associer
son activité principale.
Les particularités d'un quartier
font parfois sa renommée dans
le monde entier. Ainsi, Wall Street
à New York et le Loop à Chicago
sont célèbres pour leurs gratte-
ciel de bureaux. La hauteur
de leurs bâtiments et leur
activité de centre d'affaires

Wall Street, le quartier de la bourse à New York, est célèbre dans le monde entier.

les caractérisent. Le quartier de Murano à Venise est connu pour les verreries traditionnelles qui s'y sont installées depuis plusieurs siècles. Ailleurs – comme à Londres –, c'est un espace vert, un parc, qui distingue le quartier. On trouve un peu partout dans les grandes villes des quartiers "ethniques" (tels les quartiers chinois), où des populations d'origine étrangère se sont regroupées parfois depuis bien longtemps.

Nouveau quartier

La construction d'un nouveau quartier dans une ville ne se fait pas, en général, sans réflexion ni règles à respecter. Toutes sortes de solutions ont été adoptées au cours des siècles et suivant les pays. Aujourd'hui, la décision est le résultat d'un travail mené par la municipalité et par de nombreux professionnels, en particulier l'urbaniste. Ils doivent concilier un grand nombre de contraintes comme, par exemple, réaliser un réseau de cheminements permettant de se rendre à pied des habitations aux équipements : écoles, terrains de jeux ou de sports, espaces de loisirs… Ces lieux doivent également être accessibles en voiture, ne serait-ce que pour les approvisionner ou y accéder en autobus ! Dans la construction, l'anarchie n'est pas de mise : on définit donc des hauteurs et des volumes de bâtiments tout en évitant la monotonie. Simultanément, les espaces verts sont décidés avant que le sol soit défoncé pour mettre en place les

réseaux techniques (eau, câbles divers, égouts) très contraignants, véritables "squelettes" du quartier. Enfin, quel paysage urbain souhaite-t-on ? Quelques règles préconisent les matériaux autorisés, les couleurs, les toitures… D'autres déterminent la distance voirie-immeuble ou immeuble-immeuble…

271

Eau courante à tous les étages

Quoi de plus naturel que d'ouvrir un robinet pour se servir un verre d'eau ou pour prendre une douche ? Pourtant, ce simple geste aurait semblé le comble du luxe il y a 150 ans ! Cette facilité ne doit pas nous cacher que l'eau potable est le plus précieux des biens.

S'approvisionner en eau potable

L'eau potable ne coule pas nécessairement de source ! Certaines régions n'ont pas les reliefs montagneux susceptibles de collecter et de stocker les eaux de pluie en quantité suffisante. L'eau est alors puisée dans les rivières ou dans les fleuves puis traitée : c'est le cas de Londres ou d'Amsterdam. 60 % des besoins parisiens sont couverts par des sources. La qualité de l'eau est protégée par un périmètre de sécurité où l'on évite les pollutions. Les sources desservaient autrefois des fontaines publiques, qui n'avaient donc pas uniquement une vocation esthétique ou récréative. Aujourd'hui, les particuliers sont raccordés au réseau d'eau potable. Cela représente, pour les grandes villes, une consommation considérable distribuée par de gigantesques réseaux de canalisations (à Paris : 800 000 m^3 par jour et 1 700 km). Certaines agglomérations possèdent un second réseau d'eau, non potable celle-ci, destiné au nettoyage des rues et à l'arrosage des jardins publics.

Lorsque la configuration du terrain le permet, on s'approvisionne en eau par des **puits artésiens**. Un forage traverse les couches géologiques jusqu'à la nappe d'eau sous pression et l'eau jaillit vivement en hauteur : 50 m de haut, par exemple, pour le forage de 586 m de profondeur du puits de Passy à Paris, percé le 24 septembre 1861. Cependant, ce type de captage présente un sérieux inconvénient : la pression diminue au fil du temps et le gisement se tarit.

Le goût de l'eau

Les distributeurs d'eau s'efforcent de donner un goût constant à notre boisson. Ils font appel pour cela à des **goûteurs** qui dégustent l'eau, comme d'autres le vin, avec le nez et le palais. Celle-ci est diluée dans une eau neutre, sans odeur, dans une proportion de plus en plus réduite jusqu'à la perception effective du goût de référence.

Eau précieuse

La même canalisation alimente notre verre et notre baignoire. Toute l'eau fournie doit donc être potable. Les volumes à traiter sont énormes et vont croissants, comme augmente la consommation générale liée aux éléments de confort. Le prix réel de l'eau s'envole. Dans ces conditions, laver sa voiture ou arroser son jardin avec l'eau du robinet représente un véritable gaspillage qu'il nous faudra bien prendre en compte rapidement.

L'EAU DU ROBINET EUROPÉEN

En Europe, chaque foyer consomme en moyenne 200 à 300 l d'eau potable quotidiennement :
- 3 à 10 l pour la cuisson des aliments,
- 10 l pour la chasse d'eau,
- 25 à 30 l pour les douches,
- 40 l pour le lave-linge,
- 50 l pour le lave-vaisselle,
- 150 à 200 l pour les bains.

La dégustation, à deux températures, 12 °C et 25 °C, est réalisée par plusieurs personnes, sur des échantillons prélevés à chaque étape de la production, du pompage jusqu'au départ vers les réservoirs.

Réservoirs et châteaux d'eau

Le stockage est une opération essentielle : les volumes doivent être suffisants pour alimenter la population pendant un temps donné (les abonnés n'apprécient guère les coupures d'eau en temps de sécheresse !), sans que l'eau ne perde ses qualités. Les réserves sont installées dans des points hauts naturels, ou dans des **châteaux d'eau**, qui assurent une distribution sous pression naturelle aux robinets situés plus bas. Les réservoirs enterrés sont supportés par de véritables forêts de piliers et couverts de voûtes, dont la construction donne lieu à d'incroyables prouesses techniques. Aujourd'hui réalisés en béton armé, ces immenses volumes (certains atteignent 400 000 m³) faisaient autrefois l'objet de savants assemblages de pierre, comme pour le réservoir de Sainte-Sophie à Istanbul. Au-dessus, on dispose des terres gazonnées pour limiter les variations de température. Ces réservoirs, gardés parfois secrets, représentent des espaces "stratégiques", et sont protégés en conséquence.

LE SAVAIS-TU ?

Les fontaines Wallace
Cadeau d'un généreux donateur anglais, sir Richard Wallace, elles font partie de l'image de Paris. En 1872, les points d'eau étant rares dans la capitale, Wallace proposa « Cinquante fontaines à boire à établir sur les points les plus utiles, pour permettre aux passants de se désaltérer. » Le sculpteur Charles Auguste Lebourg dessina les trois modèles. Ce fut un tel succès que d'autres villes, françaises et étrangères, en firent l'acquisition.

De l'évier à la rivière

Bien avant notre ère, les Romains installèrent des égouts pour assainir leurs villes. L'hygiène publique fut ensuite oubliée pendant des siècles, et la vie dans la plupart des agglomérations se développa dans des conditions de saleté que l'on a peine à imaginer. On réinventa l'égout au XIXᵉ siècle. Ne serait-il pas devenu, aujourd'hui, l'artère principale de nos villes ?

De la cuisine, de la salle de bains, des toilettes, de la buanderie ou du jardin s'échappent des eaux sales. Elles transportent toutes sortes de débris organiques, du savon, des détergents. Dans les rues, les eaux de pluie et les eaux de nettoyage des caniveaux disparaissent dans les égouts. La plupart des activités industrielles produisent de grandes quantités d'eaux sales. Toutes ces eaux "usées" sont recueillies et traitées pour pouvoir être remises dans le circuit naturel sans risque pour la santé et pour l'environnement.

Les égouts

Le réseau des égouts parcourt la ville sous chacune de ses rues. Il collecte les eaux sales et les achemine par pente naturelle

vers des zones de traitement. D'un diamètre très différent selon les besoins, les conduites peuvent atteindre la dimension de véritables tunnels. Les égoutiers, protégés par leurs lourdes cuissardes, les visitent et les entretiennent régulièrement. Ils accèdent à cette partie cachée de la ville par les plaques de fonte de nos trottoirs.

UN GOUTTE À GOUTTE QUI COÛTE CHER

• Laisse goutter le robinet de la cuisine ou du jardin dans une bouteille dont tu connais le volume (détermine-le en pesant la bouteille vide et pleine).

• Mesure le temps qu'il faut pour la remplir. Tu pourras alors savoir quel aurait été le volume de la fuite en une semaine ou en un an. À partir du prix du mètre cube d'eau (il est indiqué sur la facture que reçoivent tes parents), il te sera facile d'évaluer le coût de cette fuite.

Dans certaines régions réputées sèches, comme en bordure de la Méditerranée, les pluies peuvent être très violentes : elles risquent plus de saturer les canalisations que les longues pluies régulières et peu intenses des régions humides.

Eaux de pluie

Un gros orage sur la ville et voilà d'énormes volumes d'eau salie à éliminer. Le problème n'est pas simple, car toutes les surfaces sont étanches : toits, rues, parkings. Il faut que les systèmes d'évacuation vers les égouts aient été prévus en conséquence.

Traitement

Les eaux charriant toutes sortes de matériaux solides et liquides, ou transportant des polluants en solution, traversent d'abord de simples "passoires" ①, qui retiennent les débris solides de plus de 1 cm de côté, sans distinction de matériaux. Puis, en s'écoulant lentement, elles abandonnent des matériaux lourds : graviers, sables ②. On insuffle ensuite de l'air dans l'eau, et graisses et huiles remontent en surface où elles sont récupérées ③. Enfin, une lente décantation dans un bassin permet de retirer ce qui reste en suspension ④. Il s'agit ensuite de s'attaquer aux matières organiques dissoutes. On utilise alors un procédé chimique, ou on fait appel à des colonies de bactéries qui s'en nourrissent, se multiplient, rejettent divers gaz et meurent ⑤ : les boues qui se forment sont décantées et évacuées. Si nécessaire, un traitement physico-chimique final élimine les nitrates et les phosphates sur lesquels les bactéries sont inefficaces. Les éléments solides récupérés, après quelques traitements désactivants, sont déshydratés et valorisés. Les eaux ne présentent plus de danger et peuvent donc rejoindre un fleuve ou servir à l'arrosage.

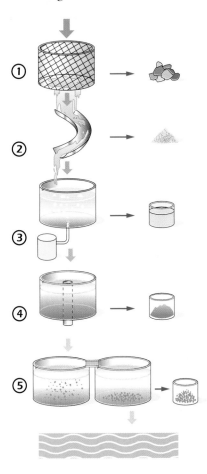

Décharge interdite

Depuis 1992 en France, les législateurs ont déclaré les décharges à ciel ouvert hors-la-loi avec cet objectif : "2002, décharge interdite." Dans le même temps, le déchet change de statut : il convient de le valoriser d'une manière ou d'une autre.

Dans nos sociétés modernes, le volume des déchets va croissant. À titre d'exemple, un Européen produit chaque jour environ 1 kg d'ordures ménagères qui occupe un volume de 6 litres. Leur composition diffère évidemment selon les saisons, comme varie notre consommation d'aliments frais, producteurs d'épluchures. On sait aussi que depuis 20 ans, les emballages, avec la grande variété de matériaux dont ils sont faits, ont pris une importance quantitative spectaculaire.

La logique de la valorisation

Il ne peut plus être question d'abandonner ces déchets en espérant que le temps finira bien par les faire disparaître. Outre la pollution visuelle qu'elles suscitent, les décharges sont une source de pollution chimique des sols et des nappes d'eau souterraines.

Peut-on, par ailleurs, continuer à exploiter les ressources naturelles pour les transformer en produits de consommation sans les épuiser définitivement ? Il est logique de valoriser les déchets, soit en rendant à la terre ce que nous lui avons emprunté (c'est le **compostage**), soit en les transformant en matières premières secondaires (c'est le **recyclage**), soit en tirant de l'énergie (c'est la **valorisation énergétique**).

D'une poubelle à plusieurs conteneurs

Si chaque type de déchets doit connaître un sort différent, il est indispensable de les trier. Mais où effectuer le tri : en usine, à la maison, ou quelque part entre les deux ? Selon les pays et les communes, les stratégies divergent. Dans telle ville, chaque petit quartier, chaque ensemble d'habitation possède son groupe de conteneurs spécialisés. Ailleurs, ce sont d'importantes déchetteries que l'on a installées à la périphérie de l'agglomération.

LE SAVAIS-TU?

Recyclage d'art

Certains artistes du XXe siècle utilisent des objets délaissés comme matériaux de base de leur création. Par exemple, le sculpteur français César (1921-1998) a réalisé de nombreuses compressions de voitures usagées afin d'en révéler une réalité différente de celle qu'en donne le regard habituel.
L'artiste suisse Daniel Spoerri, dans les années 1960-1970, utilisait les restes de repas sur une table, qu'il figeait avec l'ensemble des couverts, créant ce qu'il appelait des "tableaux-pièges". Certains enfants africains recyclent le fer blanc des boîtes de conserve pour fabriquer des jouets ou des objets utilitaires, aussi pittoresques que fabuleux, qu'ils vendent aux touristes.

On y laisse dans différentes bennes les matériaux les plus divers : papiers et carton, verre, plastiques, piles, gravats, ferrailles, huiles usagées et produits dangereux et, bien sûr, ordures ménagères traditionnelles.
À partir de ce tri, la valorisation pourra s'effectuer de manière plus économique. Seul sera brûlé ce qui ne peut connaître un autre sort. Quant à la chaleur récupérée lors de l'incinération, elle permettra de produire de l'électricité et de la vapeur. Cette vapeur circulera dans un réseau de chauffage urbain et desservira de nombreux bâtiments.

Ordures du bout du monde

Dans les très grandes agglomérations des pays en voie de développement, les problèmes d'évacuation et de traitement des déchets sont difficiles à résoudre par manque de moyens industriels à l'échelle. Parfois des solutions particulières s'inventent sur le tas, comme c'est le cas au Caire : les Zabbalines, chrétiens coptes, y endossent le rôle d'éboueurs et collectent les déchets dans toute la ville. Dans leur quartier, entièrement posé sur un tas d'ordures, s'effectuent les différents tris, recyclages et traitements. Qu'ils soient riches ou pauvres, leurs ressources sont les déchets de la ville !

ARCHÉOLOGIE DU DÉCHET

Les déchets sont des instruments de connaissance des civilisations qui les produisent. Certains chercheurs explorent nos poubelles pour lire nos modes de vie et suivre leur évolution. D'autres recueillent ce que les fouilles mettent à jour. On a pu déterminer comment étaient taillés les silex à partir de leurs débris abandonnés. Dans les douves des châteaux, vaisselle brisée et objets divers mis au rebut s'entassaient : ils nous racontent la vie quotidienne de gens ordinaires de l'époque médiévale.

Montagne d'ordures à Manille (Philippines)

L'antenne ou le câble ?

Depuis longtemps déjà, les câbles métalliques et les antennes transportaient de l'information lorsque deux inventions majeures sont venues multiplier leurs capacités : la fibre optique, ce cheveu de verre véhiculant de la lumière, et le satellite, cet émetteur-récepteur qui tourne loin au-dessus de nos têtes.

Par le fil

Le téléphone, inventé en 1876 par l'Américain Graham Bell (1847-1922) et son assistant Thomas Watson, a permis la transmission de la parole grâce à sa transformation en signaux électriques, véhiculés par des fils de cuivre. L'installation d'un réseau téléphonique commence dès 1877. Peu à peu, aux lignes téléphoniques classiques supportées par des poteaux électriques, sont venus s'ajouter des câbles souterrains et même sous-marins. Le premier câble transatlantique reliant la Grande-Bretagne aux États-Unis, en passant par le Canada, est posé en 1956. Mais, à l'époque, seulement 36 communications pouvaient être transmises simultanément. Depuis, des dizaines de câbles ont été immergés, avec une capacité de transport nettement supérieure. Aujourd'hui, 3 000 conversations à grande distance peuvent être transmises en même temps par l'intermédiaire d'un "câble coaxial" de 5 mm de diamètre.

Progressivement, ces liaisons en cuivre cèdent la place à la **fibre optique** : un fil de verre très pur transporte les informations sous forme de signaux lumineux, et non plus de variations de courant électrique. À peine plus épaisse qu'un cheveu, une seule fibre transmet jusqu'à 2 000 conversations téléphoniques simultanément.

Tout comme les échangeurs d'autoroutes permettent de gérer le flot des véhicules en circulation, les commutateurs sont les carrefours du réseau téléphonique. Selon le numéro composé, ce boîtier électronique, installé dans un "centre local", dirige l'appel : directement vers l'interlocuteur si celui-ci dépend du même centre local, ou par l'intermédiaire d'un "centre de transit" pour les appels à plus longue distance. Les centres de transit assurent aussi des connections avec le réseau hertzien.

Par les ondes

Le réseau hertzien assure la transmission des ondes radioélectriques, appelées aussi **ondes hertziennes**. Des antennes, installées en hauteur afin que les ondes ne rencontrent pas d'obstacle au cours de leur trajet, émettent et reçoivent les "faisceaux hertziens", et servent de relais pour le transport des informations. Ainsi sont véhiculés les signaux de télévision jusqu'à l'antenne locale perchée sur un haut pylône afin de desservir le maximum de foyers. Autre relais : les satellites de télécommunication. Placés en orbite à 36 000 km d'altitude environ, ils sont géostationnaires : ils accompagnent la Terre dans sa rotation et restent en permanence au-dessus de la même région du globe. L'émission ou la réception de signaux via un satellite nécessite une antenne parabolique. Aujourd'hui, même les particuliers peuvent capter directement des programmes de télévision relayés par satellite avec une petite parabole individuelle.

D'un réseau à l'autre

Une même information peut aujourd'hui emprunter ces différents réseaux et passer successivement d'un support à l'autre. Par exemple, un appel téléphonique en provenance de ta maison rejoindra un centre local par fil de cuivre, d'où il sera orienté (par le commutateur) vers un centre de transit par une fibre optique. Transformée

ensuite en signaux radio, la communication sera expédiée par faisceau hertzien vers une grande parabole, orientée vers un satellite. L'appel pourra rejoindre le continent américain par une voie similaire, du satellite vers une parabole réceptrice. À toi d'imaginer la suite !

LE SAVAIS-TU ?

Dépôts de brevets en cascade
Qui a véritablement inventé le téléphone ? Deux heures après Graham Bell, son compatriote Elisha Grey déposa un brevet pour un appareil de conception assez voisine. Cinq mois après, ce fut le tour de Thomas Edison (1847-1931). La bataille juridique qui s'en suivit attribua finalement la paternité de l'invention à Bell.

TÉLÉPHONIE MOBILE

En matière de téléphonie mobile, le troisième millénaire sera "satellitaire". Lancée en 1998, une première constellation de 66 satellites de télécommunication tourne à 780 km de la Terre. Un abonné au réseau peut appeler de n'importe quel point du globe. Même au milieu d'un désert, son appel sera capté par le satellite le plus proche, puis relayé de satellite en satellite, jusqu'à trouver une des onze stations terrestres capables de diriger la communication vers le réseau classique.

Quelques trajets possibles pour un simple coup de fil

On a ouvert une tranchée dans le trottoir

Les rues de nos villes sont animées d'une double vie : l'une, en surface, nous est très familière ; l'autre, souterraine, ne se révèle que lorsque quelques travaux viennent éventrer la chaussée. Alors apparaissent les veines et les nerfs par lesquels circulent les fluides et les informations dont la vie urbaine ne saurait se passer.

Le dernier réseau installé est celui du "câble" distribuant des chaînes de télévision et des données informatiques à grand débit.

Lorsque la ville est ancienne, les canalisations et les câbles doivent, tant bien que mal, trouver leur place comme les racines dans le sol d'une forêt. Mais ils vieillissent et leurs capacités sont insuffisantes pour des besoins qui vont toujours croissants.
Au bout de dix, vingt, trente ans, il faut ouvrir une tranchée pour moderniser le réseau. Si le quartier est récent, des galeries techniques ont été mises en place pour accueillir plusieurs réseaux à l'intérieur d'éléments en béton préfabriqués. Visites, réparations et modifications en sont facilitées.

LE SAVAIS-TU ?

Un œil au bout du câble
Pour explorer les tuyauteries souterraines sans les détruire, on utilise un "endoscope" semblable à ceux qui permettent d'explorer l'intérieur du corps humain. Un câble, formé de fibres optiques, transporte de la lumière jusqu'au point à examiner et en rapporte une image. En tirant le câble, on peut filmer entièrement l'intérieur de la canalisation. Fuites, fissures, bouchons sont repérés. Dans certains cas, on enverra un robot pour effectuer les réparations nécessaires.

Le gaz parvient aux immeubles par des canalisations sous pression, avec les dispositifs de sécurité que nécessite son caractère explosif.

VOIRIES ET RÉSEAUX DIVERS

*Dans certains quartiers, un réseau
de chauffage urbain est en place sous
la chaussée ; il est constitué de canalisations
métalliques soigneusement calorifugées
et profondément enterrées. De la vapeur
ou de l'eau chaude y circulent.
Plus rarement, on trouve un réseau d'eau
froide destiné à la climatisation
des immeubles.*

*Les câbles électriques
à basse tension passent
sous les trottoirs, plus
ou moins groupés dans
des tubes de protection.
Tout est maintenant prévu
pour pouvoir les mettre
en place ou les retirer
sans éventrer le sol.*

*L'eau arrive par
des canalisations,
puis repart dans
les égouts dont
la taille varie
suivant le gabarit
des rues.*

*Les câbles téléphoniques
se faufilent en
sous-sol dans des gaines
spécifiques.*

*De grands volumes creux
ne sont jamais bien loin :
stations et couloirs de métro,
parkings, tunnels de circulation
automobile, anciennes carrières,
catacombes…*

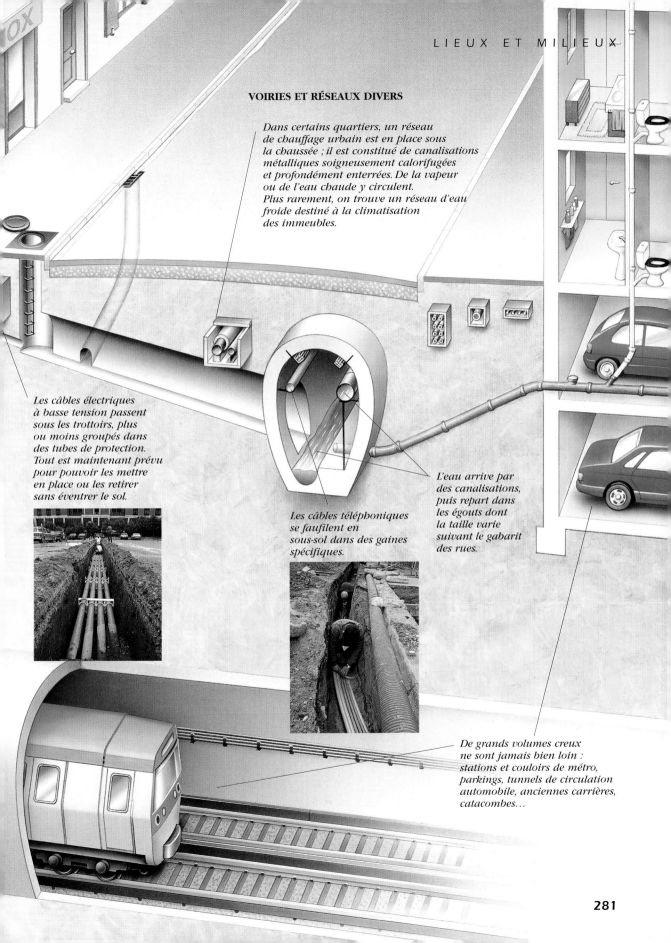

281

Transports en commun

Les transports en commun dans les agglomérations urbaines et suburbaines ne manquent pas d'atouts : sécurité, confort, faible coût, pollution réduite, fiabilité des horaires, grande capacité d'occupation… En développant telle ou telle solution, les municipalités s'efforcent d'apporter la meilleure réponse à un problème qui se pose de manière différente dans chaque ville.

L'autobus

Rouge à Londres, vert à Paris, jaune dans toute la Suisse, l'autobus est le transport en commun urbain le plus répandu : il reste la solution privilégiée des petites et moyennes villes, tout en renforçant les autres modes de transport dans les grandes agglomérations ou les métropoles. Il est, de loin, le moyen de transport le plus souple, mais aussi le plus lent (de l'ordre de 15 km/h) et le plus dépendant de la circulation. Les personnes âgées l'empruntent volontiers pour sa proximité et son accès aisé. Le gazole, combustible généralement employé, devrait peu à peu céder la place à des combustibles moins polluants comme le GPL (gaz de pétrole liquéfié). La capacité des bus varie de 50 à 100 places, et les aménagements s'améliorent régulièrement. Certaines lignes très fréquentées bénéficient de bus doubles à grande capacité.

Le métropolitain

Les "rames de métro" circulent sur un réseau de voies ferrées qu'elles ne partagent avec aucun autre mode de transport. Tous les équipements sont donc spécifiques et les investissements n'ont de sens que pour une exploitation à long terme dans de grandes agglomérations. Le flux de voyageurs transportés peut être considérable : 30 000 par heure pour chaque ligne du métro parisien, 57 000 pour le Réseau express régional (RER) de la région parisienne. L'informatisation des systèmes a permis d'accélérer la succession des rames tout en préservant la sécurité. Cependant, la tendance actuelle va vers l'automatisation complète des rames sans conducteur, les quais étant protégés par des parois de verre ouvrantes.

Le tramway

Il circule sur une bande de terrain qui lui est propre. Particulièrement non polluant, car il fonctionne à l'électricité, le tramway partage aussi certains avantages du métropolitain

(sécurité, régularité des horaires) sans en avoir la lourdeur et les coûts d'infrastructure. Il avait à peu près disparu des nombreuses villes qu'il sillonnait dès le XIXᵉ siècle. Depuis une dizaine d'années, il revient dans des municipalités de taille moyenne et sous des versions très modernes.

Le bateau

Dans certaines villes portuaires ou constituées d'îles, ou encore traversées par les bras d'un fleuve, le bateau peut être une solution de transport fort appropriée : ferry, vaporetto, péniche… ceux qui travaillent comme ceux qui visitent la ville s'y pressent. Les conditions de sécurité demandent une vigilance particulière.

cable car, un funiculaire très élaboré. Le câble en boucle fermée, passant sous la chaussée (il atteint une dizaine de kilomètres aller-retour), est entraîné en permanence à 15 km/h par une machinerie située dans un bâtiment. Les véhicules s'y accrochent grâce

à une tige se terminant par une pince. À l'aide d'un puissant levier, le *gripman* (le conducteur) commande l'ouverture et la fermeture de la pince lors du passage dans les stations ou quand les aléas de la circulation l'exigent.

Transports câblés

Dans les villes présentant de fortes côtes, bien des "funiculaires" (véhicules tractés par câble) ont été installés. La plupart ont maintenant disparu, sauf en des points à forte attraction touristique. Ainsi, la ville de San Francisco a-t-elle conservé son

UNE BELLE DESCENDANCE…

Né en janvier 1863 à Londres, le premier métropolitain est tracté par une locomotive à vapeur. En 1890, la capitale britannique inaugure une ligne qui deviendra le modèle pour bien des métropolitains de par le monde : elle est entièrement souterraine, parcourue par des rames à traction électrique. Berlin s'équipe en 1871, New York en 1872 et Vienne en 1898. Paris attendra l'Exposition universelle de 1900 pour mettre sa première ligne en service. Actuellement, des métropolitains naissent tous les ans dans le monde. Le métro de Moscou, inauguré

en 1935, détient le record du nombre de voyageurs transportés chaque année : plus de 2 600 millions !

Un grillon à New York

Entre le béton et l'asphalte, les buildings aseptisés et les souterrains du métro, se cache une vie sauvage qui tire parti des déchets, de la chaleur et du confort urbains. En 10 000 ans de sédentarisation des hommes, les villes sont devenues des écosystèmes viables pour de nombreux animaux.

S'installer en ville

Les avantages de la vie urbaine sont multiples pour ceux qui ont su s'adapter aux contraintes de la pollution. Les hommes répandent de la nourriture en divers endroits : dans les parcs et les jardins, les marchés, les poubelles, les balcons, les décharges… Les routes et les voies navigables permettent un accès facile au centre-ville, que certains animaux des campagnes n'hésitent pas à emprunter. Les habitations, les bureaux, les voitures et les machineries produisent continuellement de la chaleur. Et les prédateurs se font rares.

Des mammifères

Les rats vivent essentiellement dans les passages souterrains et les tunnels où ils peuvent creuser un terrier. Arrivé par bateau du Moyen-Orient il y a plus de 1 000 ans, le rat noir, habitué aux climats chauds, vit en centre-ville pour bénéficier de la chaleur. À la fin du XVIIIe siècle, le rat commun arrive en Europe où il colonise les immeubles centraux

et les habitations rurales. Sans jamais avoir pu s'en débarrasser, on dénombrait jusqu'à soixante-dix rats par habitant à New York en 1998. À Londres, à partir des années 1960, les renards se sont installés en banlieue et, plus rarement, en centre-ville. Devenus maîtres dans l'art d'ouvrir les poubelles, ils peuvent être jusqu'à cinq fois plus nombreux dans certains quartiers résidentiels qu'en rase campagne.

Des oiseaux

Les pigeons et les moineaux, oiseaux urbains par excellence, établissent leurs nids sur les corniches, les rebords, les anfractuosités des constructions ou dans les arbres. Le pigeon est une colombe domestiquée par l'homme depuis 7 000 ans. Bien qu'ils aient été consommés pendant les guerres mondiales, les pigeons restent toujours très nombreux en Europe ; certaines zones fortement urbanisées en dénombrent en moyenne 500 par km². Très prudents vis-à-vis des hommes, les moineaux ont réussi à s'accommoder de la vie urbaine où ils sont deux fois plus nombreux qu'en zone rurale. Présents dans tous les établissements de la ville, ils passent parfois toute leur vie dans un bâtiment sans jamais en trouver la sortie.

LE SAVAIS-TU ?

Miel de Paris
Au début du siècle, Paris comptait environ 1 500 ruches. Aujourd'hui, quelques millions d'abeilles produisent chaque année 5 à 7 tonnes de miel de qualité.
Ces butineuses participent aussi à la pollinisation des arbres fruitiers des vergers parisiens, assurant ainsi une bonne fructification.

Des insectes

Les grillons, les blattes et les cafards aiment la chaleur, l'humidité et l'obscurité. Ils s'installent volontiers dans les cuisines, les salles de bains, derrière les chaudières et les chauffe-eau. Les canalisations des immeubles anciens constituent de véritables voies de circulation entre les appartements, si bien que la désinfection doit se faire globalement pour être efficace.

ACCUEILLIR OU REJETER ?

En ville, certains apprécient le chant des oiseaux, alors que d'autres le subissent. À vivre ensemble, les hommes et les animaux ont appris à faire des compromis et à se supporter. Quelques citadins leur construisent des abris, les nourrissent et les attirent auprès d'eux. Mais la vie animale n'est pas du goût de tous, à commencer par les pouvoirs publics chargés de l'entretien et de la salubrité de la ville. Lorsqu'ils sont trop nombreux, les animaux deviennent bruyants, destructeurs, sales et ils peuvent être vecteurs de maladies. Il existe des produits toxiques pour éliminer les insectes, les rats et les oiseaux. Une méthode, expérimentée à Brest (en Bretagne) pour limiter le nombre de goélands, consiste à pulvériser un produit toxique sur les œufs pour bloquer leur développement. À Paris, dans les années 1970, des graines imprégnées de substances contraceptives furent distribuées aux pigeons.

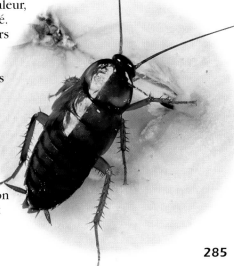

285

Un arbre dans la ville

Offrir aux citadins un peu de verdure et de fraîcheur, mais à quel prix!
Comment un arbre peut-il vivre, ou plutôt survivre, coincé au milieu du béton et des voitures?
En ville, la nature est maintenue en vie artificielle. Des aménagements adaptés sont nécessaires, ainsi que la vigilance quotidienne de jardiniers expérimentés.

Un arbre en forêt et un arbre en ville

Que vaut un arbre?

Un arbre, c'est précieux! Les arbres d'une ville comme Genève (Suisse) représentent un patrimoine équivalant à la moitié du budget municipal annuel. Outre cette touche de nature qu'ils apportent aux citadins, les arbres occupent des fonctions importantes pour la qualité de vie et l'épuration de l'air pollué. Les espaces verts forment des écrans visuels entre les différentes constructions. Ils limitent la propagation des bruits. Ils absorbent les principaux polluants automobiles: le gaz carbonique (CO_2) et les sulfures. Ils fixent des poussières et éliminent des microbes. Ils fournissent de la fraîcheur et de l'humidité qui favorisent la circulation de l'air.

Aménager...

Tout d'abord, il faut creuser le trou, à la bêche ou à la pelle mécanique. Le volume du trou équivaut à au moins une fois et demi celui des racines pour permettre un bon ancrage. Le terrain se prépare plusieurs semaines avant la plantation, effectuée en automne ou en hiver, quand les arbres sont en vie ralentie.

En forêt
Air humide et doux, peu de vent

En ville
Air chaud et sec, courants d'air

Pertes d'eau faibles

Pertes d'eau importantes

L'eau de pluie ruisselle

Évacuation de la plus grande part des eaux pluviales dans le système collecteur

- *Sol profond,*
- *bonne alimentation en minéraux,*
- *les racines se développent.*

- *Sol peu profond,*
- *mauvaise alimentation en minéraux,*
- *les racines ne se développent pas.*

... déménager...

La plantation des arbres se prévoit deux ans à l'avance. Les plants ont poussé en pépinière. Il faut couper une partie des racines pour favoriser la pousse de racines neuves et vigoureuses, qui permettra à l'arbre de supporter le changement de milieu. Au printemps suivant, une machine spécialisée (une transplanteuse) déterre l'arbre et le transporte jusqu'au nouveau terrain. La motte est resserrée par un grillage en fer qui se dissoudra dans le sol en deux ans.

... emménager

Lorsque l'arbre arrive sur le nouveau site, les extrémités abîmées de ses racines sont supprimées et la motte est plongée dans un mélange riche, qui créera une couche fertile directement utilisable lors de l'installation. L'arbre est alors placé et calé dans son trou par un apport de terreau et de beaucoup d'eau. Pour les essences à écorces fragiles comme le tilleul, l'érable et le marronnier, le tronc est entouré d'une toile de jute qui protège des brûlures du soleil pendant les deux ans suivant la plantation. Un tuteur est nécessaire au maintien de l'arbre tant que les racines sont peu étendues, c'est-à-dire pendant

Les arbres d'alignement sont protégés : on installe des bornes contre les voitures, des grilles et des couvre-sols contre le piétinement, et des bordures surélevées contre le sel de déneigement.

deux ou trois ans. La terre autour de l'arbre se tasse et le sol devient stable en un ou deux ans. Il est alors possible d'installer un revêtement au sol qui résistera au piétinement et aux nombreux passages.

Sculpter un arbre

Compte tenu de la largeur des rues, de l'exposition au soleil et des nombreuses fenêtres à ne pas obstruer, la tendance est à la plantation d'arbres à la morphologie élancée et à la couronne feuillée peu volumineuse. Ils sont sélectionnés et souvent greffés. Par exemple, pour un pommier, on greffe sur le système racinaire d'un pommier sauvage une tige de pommier à tronc droit puis, tout en haut, les branches d'un pommier réputé pour ses fleurs.

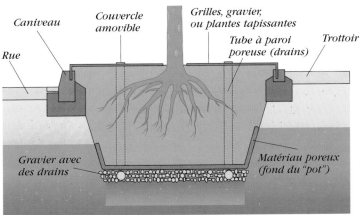

Caniveau — Couvercle amovible — Grilles, gravier, ou plantes tapissantes — Tube à paroi poreuse (drains) — Trottoir — Rue — Gravier avec des drains — Matériau poreux (fond du "pot")

De plus en plus souvent, les arbres sont plantés sur des dalles, dans lesquelles on ménage des fosses de plantation.

Fleurir la ville

Au centre du carrefour, une oasis de couleurs ! Composée de centaines de fleurs, elle se renouvelle de saison en saison. Y prêtes-tu vraiment attention ? Elle participe pourtant au charme du lieu. Elle est la partie visible d'un travail discret, soigneusement organisé à une échelle industrielle.

La transplanteuse

Les plaques entrent ensuite dans une machine à repiquer. Les pinces saisissent les plantules, les soulèvent et les insèrent dans des godets de 7 à 8 cm d'ouverture.

La semeuse

Une plaque alvéolée pénètre dans le semoir. Chaque alvéole reçoit une petite quantité de terre, puis une graine. La plaque est recouverte d'une fine couche de vermiculite (paillettes de micaschiste), arrosée et placée en chambre de germination pendant quelques jours. Les plantes fleurissant au printemps germent dans une chambre à 10 °C ; celles s'épanouissant en été germent dans une chambre à 25 °C.

La serre de culture

Les godets entrent en serre de culture où les plantes vont croître jusqu'à la livraison. Huit types de serres différents permettent de satisfaire aux exigences des végétaux.

La serre pour semis

Les plaques de semis sont installées dans une serre pendant plusieurs semaines, sous un brouillard propice à la croissance des plantules.

Les fleurs

Chaque année, en France, les livraisons de fleurs à massif commencent après le 10 mai, lorsque le risque de gel est très faible. Les plans de culture des parterres de fleurs s'élaborent six mois avant leur mise en serre.

**Agencer
les rangées de fleurs**
Des essais comparatifs
entre graines de
différents producteurs
sont effectués
périodiquement dans
des carrés de culture.
Ils permettent de
confirmer l'esthétique
et la vigueur des plantes
à fleurs vendues dans
le commerce.

Les arbustes
La production des
arbustes s'effectue
en conteneurs de façon
automatisée : semés
ou bouturés l'année
précédente, les arbustes
sont mis en pot au
printemps pour être
plantés en terre
à l'automne.
Certains sont cultivés
en pleine terre pendant
deux ans avant leur
livraison en racines nues.

LES ESPACES VERTS EN CHIFFRES

À Paris, chaque année,
on plante 2,8 millions de
plantes à massif, 120 000
arbustes et 4 000 arbres.
La Direction des espaces
verts entretient les bois,
les parcs et les jardins publics,
mais aussi les cimetières, les
espaces verts des écoles et
des centres sportifs, et enfin
les talus du périphérique
et des voies publiques,
les îlots directionnels
et les jardinières de la voie
publique.
Plus de 1 600 jardiniers
effectuent chaque jour
l'entretien de la ville. Cette
tradition des fleurs en ville
remonte aux années 1860,
lorsque le premier fleuriste
municipal s'installa
à la Porte de la Muette.

L'entretien
Le travail d'entretien des jardiniers varie avec la saison :
plantation, désherbage, taille, arrosage au printemps et en été ;
élagage, ramassage des feuilles à l'automne. Leur créativité dans
la composition des massifs et leur gestion précise des périodes
de floraison participent au charme de la ville.

CROISSANCE DES PLANTES : UNE EXPÉRIENCE

Une expérience scientifique permet de s'aventurer dans un domaine mal exploré. En partant de ce qui est connu et en émettant des hypothèses, on définit dans un "protocole expérimental" les conditions qui permettront de contrôler les paramètres susceptibles d'intervenir sur le phénomène étudié : matériel, ordre des opérations, grandeurs à observer ou à mesurer.

Définir ce que l'on cherche

Dans la nature, les plantes sont soumises aux conditions de l'environnement. Leur croissance dépend de la quantité de lumière, de la durée du jour et de la nuit, de la température, de l'humidité aérienne, de la quantité d'eau arrivant aux racines, de la qualité de l'eau transportant les sels minéraux, de la force du vent, de la gravité terrestre et de la nature du sol.

Le but de cette expérience est de tester l'importance du substrat* de culture et de l'apport en sels minéraux sur la croissance des plantes, ici des lentilles alimentaires.

Pour pouvoir interpréter les résultats, tu ne feras varier qu'un seul paramètre à la fois et tu les compareras aux résultats du dispositif "témoin". Comme il s'agit d'expérimenter sur du matériel vivant, dont on ne peut affirmer qu'il est strictement identique d'un individu à un autre, l'expérience sera menée sur un nombre suffisant de spécimens pour que l'on puisse tirer des conclusions "moyennes".

Afin de pouvoir tirer de véritables conclusions de ton expérience, tu observeras strictement un "protocole" définissant le dispositif expérimental et les opérations menées au cours des trois semaines d'observation.

Protocole expérimental

• Matériel
On réunira :
- deux barquettes étanches d'environ 15 x 6 cm et de 2 à 4 cm de profondeur (barquettes en plastique pour biscuits ou pour emballer la viande),
- du carton,
- des feuilles de plastique transparent,
- du coton hydrophile,
- de la terre,
- des billes d'argile expansée (en vente dans les jardineries),
- 1 l d'eau déminéralisée (eau pour fer à repasser, pour batterie de voiture, ou eau de pluie),
- 1 l d'eau minéralisée : eau du robinet ou eau en bouteille (on la choisira très minéralisée, telles Contrex ou Hépar),
- des lentilles alimentaires,
- deux vaporisateurs d'eau,
- six étiquettes.

Dispositif expérimental
On préparera deux serres de culture. Chaque barquette sera divisée en trois compartiments, séparés par les morceaux de carton : le premier rempli avec de la terre, le deuxième avec du coton, le troisième avec de l'argile expansée.

Des étiquettes marquées S1 et S2 repéreront les deux serres. Une feuille de plastique sera disposée sur les barquettes pour réaliser un effet de serre. Elle ne devra pas toucher les lentilles en cours de développement.

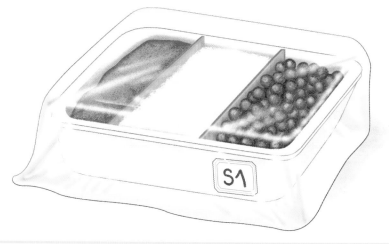

Étapes de réalisation

● On fera tremper pendant une nuit une poignée de lentilles dans un verre rempli d'eau déminéralisée (étiqueté V1), et une poignée de lentilles dans un verre rempli d'eau minéralisée (étiqueté V2).

● Le lendemain, on disposera 10 graines de lentilles issues de V1 sur chacun des trois supports de S1, et 10 graines de lentilles issues de V2 sur chacun des trois supports de S2.

● On arrosera copieusement la serre S1 avec un vaporisateur rempli d'eau déminéralisée (étiqueté O1) et la serre S2 avec un vaporisateur d'eau minéralisée (étiqueté O2).

● Les serres seront placées, côte à côte, près d'une fenêtre. On s'assurera que l'éclairage, la température et la circulation de l'air sont identiques pour les deux serres.

● Les serres seront arrosées tous les matins à la même heure, avec de l'eau déminéralisée pour S1, avec de l'eau minéralisée pour S2.

Observations

Un tableau de résultats sera réalisé pour chacun des six compartiments, pendant 21 jours. On estimera, en moyenne, la hauteur, la couleur et la vigueur pour chaque lot de 10 lentilles. Par exemple, pour le compartiment "terre" de S1 :

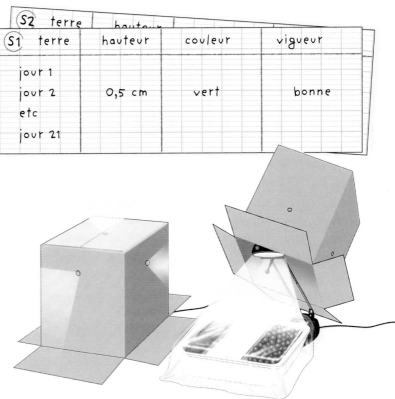

S1 terre	hauteur	couleur	vigueur
jour 1			
jour 2	0,5 cm	vert	bonne
etc			
jour 21			

Discussion des résultats

À la suite des trois semaines d'observations, tu peux tirer des conclusions de ton expérience. Laquelle des deux serres est la serre témoin, plus proche des conditions naturelles ? Qu'observe-t-on dans la serre témoin ? Les différents substrats (terre, coton et argile expansée) donnent-ils les mêmes résultats ? Sinon, pourquoi ? La qualité de l'eau d'arrosage a-t-elle de l'importance ? Quelle est l'eau qui convient le mieux à ces lentilles ? Lequel des trois substrats semble indifférent à la nature de l'eau ? Pourquoi ?

Expériences complémentaires

À partir de ce dispositif, tu peux effectuer d'autres expériences : eau + différents engrais ; éclairage alternatif ou continu ; variations de température ; espacement de l'alimentation...

Voici un exemple d'expérience complémentaire : observer les effets d'une inversion de la période d'éclairage. Installe une lampe de bureau dans un carton de 50 cm de haut. Perce des trous de 0,5 cm de diamètre sur chaque côté du carton pour assurer une aération. Place une serre dans le carton et allume la lampe de 20 h à 8 h. La serre témoin, quant à elle, aura un dispositif identique, mais éclairé de 8 h à 20 h. Compare tes résultats.

Zoom arrière

À la différence des animaux, l'homme, de par son génie, peut s'installer à peu près partout. La Terre et sa banlieue portent sa marque à toutes les échelles : habitations et voies de circulation, cultures et ensembles industriels... et même stations spatiales. Comme individu, membre de la société humaine, tu participes à cette prise de possession de l'espace. Tu es chez toi dans ta chambre, mais tu es aussi conquérant du système solaire.

Une fenêtre éclairée

Une lumière à la fenêtre d'un immeuble : c'est une présence humaine à travers deux signes techniques essentiels. L'un est la capacité à transformer la matière, l'autre à dompter et à distribuer l'énergie. Cette image de confort matériel ne doit pourtant pas faire oublier les différences de condition de vie des six milliards d'hommes qui peuplent la Terre.

Le nœud routier

L'homme se déplace. Du sentier à l'autoroute, il marque la Terre de sa trace. Il faut aller aux champs, se rendre à l'usine, au bureau... Mais surtout, il faut échanger des biens (ressources et produits) avec d'autres hommes, car rien n'est également réparti.

La ville au bord de la rivière

Les groupes humains s'organisent. Ils utilisent au mieux le terrain pour construire les structures qui les abriteront, leur permettront de subvenir à leurs besoins, les protégeront. Pour sa part, la ville joue le regroupement. Initialement bâtie à l'intérieur de frontières naturelles (cours d'eau, montagnes), peu à peu elle éclate, se répand, définit de nouvelles frontières.

Rizières en terrasses à Bali

Se nourrir est la première des nécessités. Pour que la Terre rende au centuple la graine que les hommes lui confient, il faut instaurer un véritable dialogue. La Terre apporte des éléments naturels : climat, relief, sol, eau... Ceux qui la cultivent lui répondent en imaginant les meilleures façons de l'exploiter : choix des cultures, irrigation, assolement...

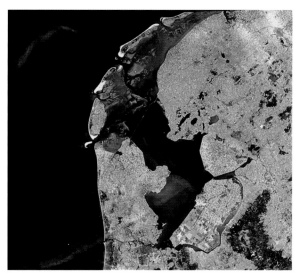

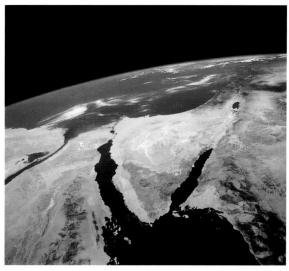

Les Pays-Bas

Un pays entier s'est construit peu à peu. Pour séparer
le domaine de la mer de celui de la terre, les Hollandais
ont érigé des digues. Derrière elles, les polders* gagnent
du terrain, se couvrent de cultures. À gauche, séparées
par les taches "rouges" des champs, les grandes villes
sont prises dans un entrelacs de canaux, d'autoroutes,
de voies de chemin de fer.

Le golfe de Suez

Vue depuis l'espace, à 400 km d'altitude, la Terre semble
indemne de marques humaines. Pourtant, à bien y regarder,
on découvre quelques signes de l'impérieuse conquête
du globe. Témoin, cet infime trait qui prolonge l'extrémité
du golfe jusqu'à la Méditerranée : le canal de Suez, inauguré
en 1869.

Clair de Terre vu de la Lune

Depuis que nous avons conquis la Lune, notre satellite,
voici que les rôles sont inversés. Le regard que nous posons
sur la Terre n'est plus le même : elle n'est plus le domicile
dans lequel nous tournions en rond, mais un objet que
nous tenons presque dans nos mains, un globe étrangement
précieux, sinon fragile.

La Galaxie

Conquérir, ce n'est pas seulement marquer d'une trace
physique. C'est aussi comprendre. Insaisissable autrement
que par l'esprit, par l'interprétation des signaux qu'il émet
en permanence (ondes et radiations* de toutes sortes),
le cosmos reste le plus vaste champ des aventures du futur.

Rêves d'univers

Une nuit étoilée ? Ne la manque pas. Ce paysage de la voûte céleste, tu le partages avec tes ancêtres et les ancêtres de tes ancêtres. As-tu conscience que la Terre que tu habites fait partie de l'Univers, ni plus ni moins que ces points qui scintillent là-haut ? Identifie-les, interroge-toi sur leur nature. Et imagine un instant que tu tiens compagnie à ces spationautes qui tournent en permanence dans la banlieue terrestre…

Soleil superstar

Éclipse totale de Soleil. Camille Flammarion (1842-1925), astronome passionné, la décrit ainsi : «Quel merveilleux spectacle ! Au lieu du Soleil plane un disque noir entouré d'une glorieuse couronne de lumière. Dans cette couronne éthérée, on voit des rayons immenses diverger du Soleil éclipsé ; des flammes roses paraissent sortir de l'écran lunaire qui masque le dieu du jour. »

Le disque solaire nous éblouit et nous empêche d'observer l'extrême complexité des phénomènes qui agitent sa surface, et surtout l'"atmosphère" gigantesque qui l'entoure. Les éclipses pendant lesquelles la Lune vient le cacher tout entier sont rarement observables et ne durent que quelques minutes (*voir p. 106-107*). La connaissance du Soleil n'a réellement débuté qu'avec l'instrumentation scientifique développée à partir du milieu du XIXᵉ siècle.

Du cœur à la périphérie

Le Soleil est une sphère de gaz (essentiellement de l'hydrogène), dont nous ne pouvons voir l'intérieur. Il est le siège permanent de réactions de fusion nucléaire*, qui le feraient exploser si la force de gravité* des couches de gaz ne tendaient pas, au contraire, à le faire s'effondrer sur lui-même. Il est ainsi en équilibre depuis 5 milliards d'années et le restera

Photosphère — Noyau — Couronne — Taches solaires — Protubérance — Chromosphère

encore pour un temps équivalent, transformant 500 millions de tonnes d'hydrogène par seconde en hélium. Cette réaction dégage une énorme quantité d'énergie (chaleur et lumière), qui fait briller le Soleil. On a calculé que la pression en son centre était 300 milliards de fois celle de l'atmosphère terrestre et que la température y atteignait 15 millions de degrés.

Ce que nous voyons depuis la Terre est la couche externe de la **photosphère** (épaisse de 400 km), dont la température de surface n'est que de 4 200 °C : elle est la source de presque tout le rayonnement que nous recevons. Au télescope, elle semble couverte de grains de riz, appelés **granules** (ci-dessous), mesurant quelques centaines de kilomètres, qui disparaissent et se reforment sans cesse : ce sont des bulles de gaz, manifestations de la convection par laquelle le Soleil évacue son énergie vers l'extérieur.

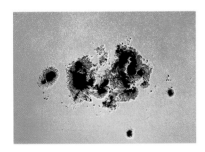

Dans cet océan de granules apparaissent des **taches sombres** (ci-dessus) – que les Anciens avaient déjà remarquées –, sortes de perturbations de la photosphère pouvant atteindre 50 000 km de diamètre. Elles apparaissent par groupes, évoluent et disparaissent en une centaine de jours. Dans les taches règne un formidable champ magnétique* : son intensité peut atteindre 3 000 fois celle du champ terrestre.

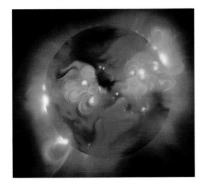

Lors des éclipses totales de Soleil, on découvre que l'astre est enveloppé, sur 8 000 km environ, d'une couche rosée baptisée **chromosphère** (*voir p. 296 en haut à gauche*). Au-delà, la **couronne** (ci-dessus) effectue la transition entre le Soleil et l'espace intersidéral*. Elle est le siège de phénomènes qui s'étendent sur des millions de kilomètres.

Le Soleil actif

Si la surface de la photosphère se modifie en permanence, la chromosphère n'est pas plus calme ! Ici, de la matière est éjectée, canalisée par le champ magnétique, formant une langue qui monte jusqu'à plusieurs centaines de milliers de kilomètres, très loin dans la couronne. Ailleurs, elle s'incurve et revient vers la surface du Soleil en une arche gigantesque. Ces formations prennent le nom de **protubérances**. Leur apparition peut être parfois très brutale et la matière est alors éjectée à des vitesses phénoménales, dépassant 1 000 km/s. Parfois, un point brillant apparaît au voisinage d'une tache. En un quart d'heure, il se développe et s'étale sur

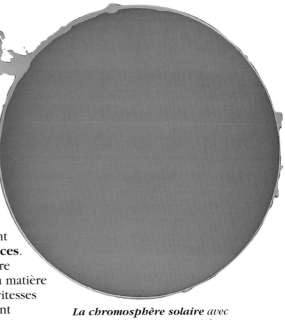

La chromosphère solaire avec ses protubérances et une violente éruption

100 000 km dans la chromosphère. Une ou deux heures après, le phénomène a disparu : il s'agit d'une **éruption**, une suractivité de l'astre se traduisant par un échauffement brutal de sa surface.

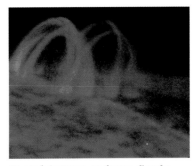

Protubérances en forme d'arche

LE SOLEIL, ÉTOILE DE RÉFÉRENCE

Des milliards d'étoiles, minuscules points dans le ciel. De quoi sont-elles faites, comment fonctionnent-elles ? Si le Soleil n'était pas à la portée des instruments des astronomes, nous ne pourrions pas répondre. En même temps, les formidables moyens dégagés pour comprendre le Soleil nous révèlent un astre d'une complexité toujours plus grande. Si beaucoup de ses mystères ont été percés, bien des questions restent sans réponse, et quand réponses il y a, elles sont parfois très hypothétiques.

Sous les rayons du Soleil

En tournant sur elle-même et en parcourant son orbite*
autour du Soleil, la Terre expose sa surface au rayonnement émis
par l'étoile centrale. Mouvements vitaux, puisque la seule
source d'énergie importante sur la Terre est le Soleil.

L'atmosphère, les nuages, les continents et les océans renvoient une partie de ce rayonnement vers l'espace et absorbent le reste en le transformant en chaleur. Ils émettent, à leur tour, vers l'espace un rayonnement infrarouge*. Au bout du compte, énergie reçue et énergie renvoyée se compensent : la Terre ne se réchauffe pas et ne se refroidit pas.

Infrarouge, visible, ultraviolet

L'arc-en-ciel nous révèle que la lumière "blanche", visible, du Soleil est composée de toute une gamme de radiations auxquelles nous donnons le nom de couleurs, s'étendant du violet au rouge. Mais le rayonnement solaire se prolonge bien au-delà. D'une part, vers l'ultraviolet*, dont nous constatons les effets par le bronzage de notre peau ou les "coups de soleil". D'autre part, vers l'infrarouge, auquel notre peau est sensible par la sensation de chaleur qu'il procure. Le Soleil émet également des ondes radio*, des rayons X* et des rayons gamma*.

Le filtre atmosphérique

La plus grande partie du rayonnement ultraviolet, rayonnement néfaste pour les êtres vivants, est absorbée par la haute atmosphère, et en particulier par l'ozone, un composé de l'oxygène qui présente une concentration maximale à une altitude comprise entre 20 et 30 km. Cela explique l'inquiétude qu'a suscitée la découverte, au milieu des années 1980, du fait que la couche d'ozone s'amincissait ou même disparaissait périodiquement au-dessus des régions polaires.

La lumière pour la vie

Grâce à l'eau et au gaz carbonique prélevé dans l'air, les végétaux verts peuvent fabriquer différentes molécules organiques simples, en rejetant de l'oxygène. L'énergie utilisée pour ces réactions est l'énergie lumineuse, celle du Soleil : c'est la photosynthèse. Son rendement est faible, mais chaque année elle permet de fixer 40 milliards de tonnes de carbone. Elle est à l'origine de la majeure partie de la chaîne alimentaire qui permet à la vie de se développer à travers les végétaux, puis les êtres se nourrissant de végétaux et enfin, indirectement, ceux qui se nourrissent d'animaux.

LE SAVAIS-TU ?

L'arme secrète d'Archimède

En 214 avant J.-C., Rome, toujours en lutte contre les Carthaginois et leurs alliés, envoie Marcellus en Sicile pour s'emparer de Syracuse. Mais la ville résiste ! Qui y organise la lutte, imaginant toutes sortes de machines pour mettre à mal l'armée romaine ? Un de ses fils : Archimède en personne. On raconte qu'il mit le feu à la flotte des envahisseurs romains à l'aide de "miroirs ardents", assemblage de miroirs plans astucieusement disposés de façon qu'ils concentrent les rayons du Soleil. La ville ne tomba qu'au bout de trois ans de siège, et Archimède fut tué par un soldat romain.

Énergies fossiles

Pendant très longtemps, l'homme n'a guère utilisé que du bois comme source de chauffage. Puis vint l'emploi systématique du charbon (vers le XIIIᵉ siècle) et du pétrole (au XIXᵉ siècle). Charbon et pétrole sont des énergies fossiles. Ils sont le résultat de la lente transformation d'énormes quantités de matières végétales et animales englouties, qui ont vécu il y a des dizaines ou des centaines de millions d'années. Ils représentent de "l'énergie solaire stockée", que l'homme exploite mais qui n'est pas renouvelée.

Énergies renouvelables

Le Soleil est aussi à l'origine de formes d'énergie que l'on peut considérer comme inépuisables parce que générées à chaque instant par le rayonnement solaire. Le cycle de l'eau (évaporation des océans, formation de nuages, pluies) alimente en permanence les barrages et les chutes d'eau, donnant naissance à l'énergie hydroélectrique. Les mouvements de l'atmosphère (les vents nés des différences de pression atmosphérique, elles-mêmes provoquées par les écarts de température) sont exploités sous forme d'énergie éolienne.

Exploitation directe

On a cherché bien des manières d'exploiter l'énergie solaire :
– Pour atteindre des températures très élevées (plus de 3 000 °C), on a construit au Japon, aux États-Unis et en France, à l'aide de miroirs, des "fours solaires".
– Différents modes de chauffage des habitations ont été conçus. Le soleil agit soit en chauffant un mur qui joue le rôle d'un accumulateur thermique, soit en chauffant l'eau circulant dans une conduite et alimentant des radiateurs.
– Sans la mise au point de photopiles convertissant l'énergie solaire en énergie électrique, la conquête spatiale serait restée balbutiante (la surface des panneaux solaires constituée de photopiles de la station spatiale *ISS* (*voir p. 332*) atteindra plusieurs milliers de mètres carrés !). Les photopiles ont, d'ailleurs, envahi notre quotidien à travers toutes sortes d'applications (par exemple, les calculettes) et elles se révèlent très précieuses dans les régions dépourvues de ressources énergétiques ou d'infrastructures d'alimentation en électricité (pompage de l'eau d'un puits…).

Photopiles *alimentant une pompe en Afrique*

Le four solaire *d'Odeillo dans les Pyrénées françaises*

Autour du Soleil

*La Terre tourne autour du Soleil,
mais elle n'est pas seule dans
sa course. De nombreux astres
accompagnent notre planète.
Tous ensemble, ils constituent
le système solaire.*

Le système solaire s'est formé
il y a environ 5 milliards d'années,
à partir d'un gigantesque nuage
de poussières et de gaz,
essentiellement de l'hydrogène.
Ce nuage s'est contracté, il est
entré en rotation sur lui-même et
a pris la forme d'un disque renflé
en son centre. La plus grande
partie du gaz s'est rassemblée
au centre du nuage. Plus ce centre
devenait dense, plus il s'échauffait.
Lorsque la température atteignit
10 millions de degrés, le Soleil
se mit à briller.

De poussières
en planètes

Pendant que se formait le Soleil,
le disque qui l'entourait
se transformait aussi.
Par agglomérations successives,
les poussières devinrent de petits
grains, les grains des graviers,
les graviers des rochers, et enfin
les rochers des millions de petites
planètes de quelques kilomètres
de diamètre. Une partie
de ces planétoïdes finirent
par s'agglutiner pour créer
en quelques millions d'années
ces énormes objets que nous
appelons planètes.

Deux classes de planètes

Neuf planètes tournent autour
du Soleil. On peut les regrouper
en deux classes.
Les petites planètes, ou planètes
telluriques, de même nature
rocheuse que la Terre,

*Vénus, sous sa couverture nuageuse,
vue de la Terre*

*La Sonde Mariner 10
nous a adressé le seul gros plan
de Mercure que l'on possède.*

La surface de Mars est striée par le gigantesque canyon Valles Marineris.

les plus proches du Soleil, sont accompagnées de deux satellites au maximum : Mercure, Vénus, la Terre et Mars.
Les grosses planètes, ou planètes **gazeuses,** plus éloignées du Soleil, sont entourées d'anneaux et de nombreux satellites : Jupiter, Saturne, Uranus et Neptune. Pluton, à la fois petite et lointaine, échappe à cette classification. Mais il existe bien d'autres objets autour du Soleil : des millions d'astéroïdes, des poussières, des gaz et ces étonnantes comètes en

provenance de véritables "réservoirs" situés à la périphérie du système solaire.

Taille, distance et trajectoire

Les planètes sont petites par rapport au Soleil : Jupiter, la plus grosse (son diamètre est égal à treize fois celui de la Terre), a un diamètre dix fois plus petit que celui du Soleil. Des distances immenses séparent les planètes du Soleil : 150 millions de kilomètres dans le cas de la Terre. La lumière, qui se déplace à 300 000 km/s met un peu plus de 8 mn pour atteindre la Terre et plus de 5 h pour atteindre Pluton. Les planètes tournent autour du Soleil sur des orbites en forme d'ellipses* (des cercles légèrement déformés). Plus une planète est éloignée du Soleil, plus elle met de temps pour en faire le tour.

Saturne vue de la Terre

L'observation

Le mouvement des planètes constituait l'un des rares objets d'études permis par les instruments d'observation des XVIIIe et XIXe siècles. Les astronomes de cette époque l'ont scruté avec beaucoup de précision. L'observation de la surface des planètes reste difficile, même avec les meilleurs télescopes. Les plus petits détails visibles sur Mars mesurent environ 60 km et sur Pluton, on ne voit pas de détails de moins de 2 000 km. Notre connaissance a véritablement explosé à partir de 1965, lorsque des sondes spatiales* ont commencé à visiter le cortège du Soleil.

LE SAVAIS-TU ?

Découvrir les planètes Pour découvrir les neuf planètes du système solaire, on a utilisé quatre moyens différents : Mercure, Vénus, Mars, Jupiter et Saturne ont été observées à l'œil nu dès la préhistoire.
C'est avec un télescope que l'Anglais William Herschel dénicha Uranus en 1781. Neptune fut découverte par le calcul en 1846 (à partir des irrégularités du mouvement d'Uranus) par l'Anglais Adams et le Français Le Verrier.
Quant à Pluton, elle fut repérée en 1930 par l'Américain Clyde Tombaugh en comparant des photos du ciel prises à quelques jours d'intervalle.

OBSERVER VÉNUS

À l'œil nu, il est facile de repérer Vénus, appelée aussi "Étoile du berger". Elle est l'astre le plus brillant du ciel après le Soleil et la Lune. Vénus est toujours assez proche du Soleil.
Pour la voir, cherche un astre brillant au-dessus de l'horizon, là où s'est couché le Soleil,

environ une heure après sa disparition. Si tu ne vois rien, il faut chercher Vénus le matin avant le lever du Soleil, dans la direction où il se lèvera. À moins que Vénus ne soit dans la direction du Soleil, tu devrais voir un astre beaucoup plus brillant que les autres.

Le système solaire

On leur a d'abord donné un nom. Puis, on en a dressé la fiche d'identité:
taille, masse, signes caractéristiques. On s'est fait soupçonneux:
quel chemin empruntez-vous lorsque vous faites le tour de maître Soleil?
Et même indiscret: avez-vous des compagnes ou des compagnons?
Quels sont leur nom, leur taille, leur masse, etc.? Ainsi sait-on
tant de choses sur les planètes...

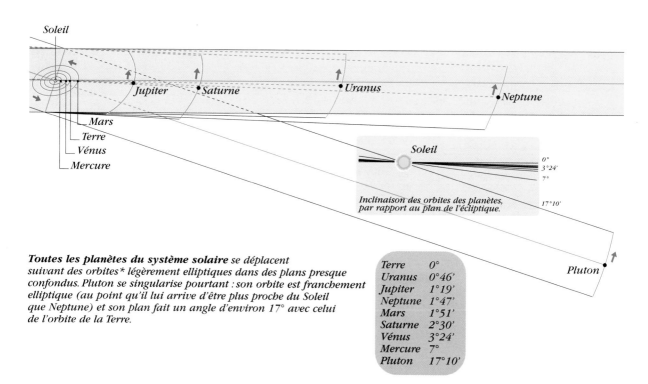

Inclinaison des orbites des planètes,
par rapport au plan de l'écliptique.

Toutes les planètes du système solaire se déplacent
suivant des orbites* légèrement elliptiques dans des plans presque
confondus. Pluton se singularise pourtant : son orbite est franchement
elliptique (au point qu'il lui arrive d'être plus proche du Soleil
que Neptune) et son plan fait un angle d'environ 17° avec celui
de l'orbite de la Terre.

Terre	0°
Uranus	0°46'
Jupiter	1°19'
Neptune	1°47'
Mars	1°51'
Saturne	2°30'
Vénus	3°24'
Mercure	7°
Pluton	17°10'

Données physiques et orbitales

	Mercure	Vénus	Terre	Mars	Jupiter	Saturne	Uranus	Neptune	Pluton
Masse par rapport à la Terre	0,055	0,815	1	0,107	317,9	95,15	14,5	17,2	0,001
Diamètre par rapport à la Terre	0,38	0,95	1	0,53	11,2	9,44	4,1	3,8	0,18
Diamètre en km	4 878	12 101	12 756	6 794	140 000	120 600	50 800	48 600	2 400
Distance au Soleil par rapport à la Terre	0,357	0,723	1	1,524	5,203	9,5	19,22	30,10	39,8
Distance au Soleil en millions de km	58	108	150	228	780	1 427	2 869	4 490	5 966
Durée de révolution autour du Soleil en années terrestres	0,24	0,61	1	1,88	11,86	29,45	84,01	164,8	247,7
Durée de révolution en jours terrestres	88	224	365,25	686	4 332	10 759	30 685	60 189	90 465

La Lune en chiffres

Diamètre	3 476 km*
Durée d'une lunaison	29, 53059 jours (ou 29 j 12 h 44 mn 3 s)
Vitesse orbitale	1,02 km/s (ou : 3 690 km/h)
Distance moyenne à la Terre	384 402 km (variant de 405 502 à 363 302 km)
Éclipse totale de Lune : durée max.	1 h 44 mn
Éclipse totale de Soleil : durée max.	7 mn 44 s
Température au sol	Jour : 120 °C maximum Nuit : –160 °C minimum
Altitude maximale des sommets	environ 8 000 m
Profondeur maximale des cratères	environ 7 500 m
(*) Soit environ 1/4 du diamètre de la Terre	

Principales sondes spatiales automatiques

Nom	Date de lancement	Origine
Luna 3	1959	ex-URSS
1res photos de la face cachée de la Lune		
Luna 9	1966	ex-URSS
1er atterrissage en douceur sur la Lune		
Luna 17	1970	ex-URSS
1er robot automobile lunaire		
Mariner 9	1971	États-Unis
1er satellite artificiel de Mars		
Mariner 10	1973	États-Unis
Survol de Mercure et photos de la surface		
Venera 9	1975	ex-URSS
1res photos du sol de Vénus		
Viking 1	1975	États-Unis
1er atterrissage en douceur sur Mars et cartographie de la planète		
Voyager 2	1977	États-Unis
Survol de Jupiter, Saturne, Uranus, Neptune		
Giotto	1985	Europe
Étude de la comète de Halley		
Magellan	1989	États-Unis
Cartographie radar de Vénus		
Galileo	1989	États-Unis
• Photos d'astéroïdes (Gaspra, Ida) • 1er satellite artificiel de Jupiter • Étude détaillée de Jupiter et de ses satellites		
Pathfinder	1996	États-Unis
1er robot automatique martien		
Lunar-prospector	1998	États-Unis
Cartographie des ressources minérales lunaires		

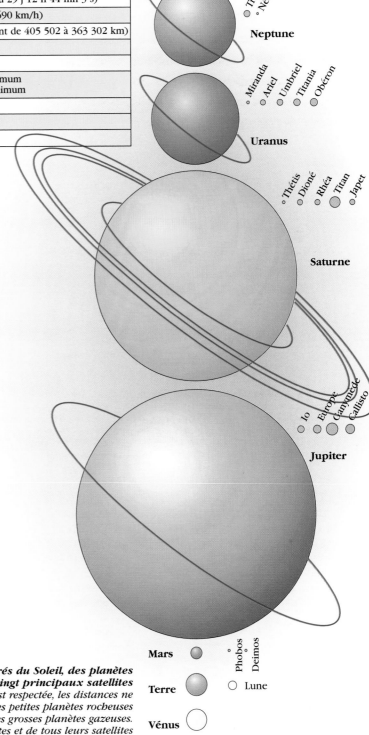

Diamètres comparés du Soleil, des planètes et des vingt principaux satellites

La position relative des astres est respectée, les distances ne le sont pas. On distingue le groupe des petites planètes rocheuses proches du Soleil, et au-delà les grosses planètes gazeuses. L'ensemble des neuf planètes et de tous leurs satellites (une soixantaine) ne représente qu'un peu plus du millième de la masse du Soleil.

Les planètes telluriques

Mercure, Vénus, la Terre, Mars sont comme quatre sœurs, elles se ressemblent, mais aucune n'est identique aux autres. Chacune, au cours d'une vie déjà longue, a évolué à sa façon et à son rythme.

Les planètes les plus proches du Soleil se sont formées dans une région très chaude. Cette chaleur ayant chassé vers la périphérie du système solaire les gaz légers (hydrogène et hélium), les planètes telluriques sont essentiellement composées d'éléments lourds comme le carbone, le fer, le silicium, etc. Elles sont donc solides et rocheuses contrairement aux planètes formées loin du Soleil, surtout composées de gaz. Elles ont beaucoup évolué depuis leur formation. Leurs atmosphères primitives* ont disparu, remplacées par des gaz légers provenant des zones internes et chaudes.

Les éléments lourds (fer, nickel…) ont migré vers l'intérieur pour former leurs noyaux, les phénomènes volcaniques ont modifié leurs reliefs. Quatre milliards et demi d'années ont fait de ces corps, presque semblables à la naissance, des planètes aujourd'hui très différentes.

Mercure, petite planète, proche du Soleil et sans atmosphère, est un désert de cratères brûlés par le Soleil. À la différence des autres planètes telluriques, Mercure est une planète sur laquelle rien ne se passe, hormis, probablement… la chute permanente d'une légère pluie de météorites.

Dômes volcaniques sur Vénus

Vénus a dû posséder des océans, il y a très longtemps, mais comme la planète est relativement proche du Soleil, l'eau s'est évaporée et s'est échappée dans l'espace. L'atmosphère actuelle, très épaisse, est composée essentiellement de gaz carbonique. Plusieurs couches de nuages d'acide sulfurique empêchent les rayons du Soleil

de parvenir jusqu'au sol.
Par effet de serre, la température
y grimpe cependant jusqu'à
500 °C. Cachée sous ces nuages
opaques, la surface de la planète
n'a été connue que grâce
au radar, en particulier celui
de la sonde* *Magellan* en 1990.
On y a découvert de grandes
plaines, des plateaux élevés,
des failles profondes, des volcans
peut-être encore actifs et
quelques cratères météoritiques.

La Terre (ci-dessus) est
caractérisée par de grandes
quantités d'eau à l'état liquide
qu'elle a conservées grâce à
la distance qui la sépare du Soleil,
ni trop grande, ni trop courte.
Son enveloppe atmosphérique
composée essentiellement
d'azote, d'oxygène, d'un peu
de gaz carbonique et de vapeur
d'eau, lui ménage le climat
que nous connaissons.
Le volcanisme est
aujourd'hui bien moins
important que par le passé.

Mars a jadis possédé
une atmosphère importante,
qui lui procurait des
températures clémentes,
des rivières et des océans.
Mais comme la planète est
petite, sa masse est trop faible
pour que la gravité* puisse
retenir les gaz, et la plus
grosse partie de son
atmosphère s'est diluée
dans l'espace.
Il ne reste plus guère qu'un
peu de gaz carbonique.

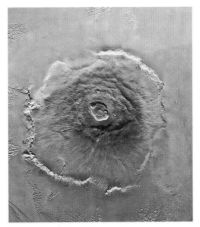

Olympus mons: *volcan (éteint) sur Mars*

La température a baissé et l'eau
est maintenant gelée dans
le sous-sol. L'intérieur de Mars
s'est aussi refroidi plus vite
que ceux de Vénus et de la Terre,
et les immenses volcans sont
éteints depuis plus d'un milliard
d'années. Parfois, des tempêtes
de vent soulèvent des nuages de
poussières qui demandent des
semaines pour se déposer
de nouveau.

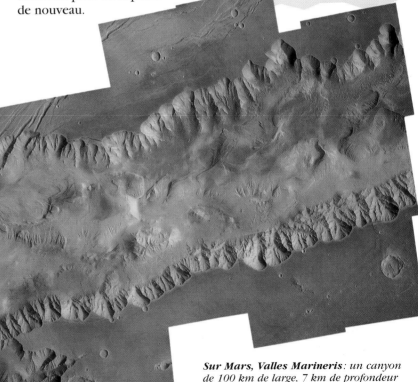

Sur Mars, Valles Marineris: *un canyon
de 100 km de large, 7 km de profondeur
et 4 000 km de long*

La Terre, une planète tout en nuances

« J'ai l'impression d'être un voyageur venant d'une autre planète, ignorant si le lieu est habitable ou non! » Tel fut le cri de Frank Borman, astronaute à bord de la mission Apollo 8, en route pour faire le tour de la Lune en 1968. Pour la première fois, des hommes contemplaient la Terre tout entière.

Les voyageurs de l'espace n'ont pas trouvé de mots assez forts pour exprimer leur émotion devant le spectacle de la Terre défilant sous leurs yeux. La couleur bleue qui les a frappés n'est pas celle des océans, mais celle de l'atmosphère. Elle est le résultat de la diffusion de la lumière solaire (qui contient toutes les couleurs observées dans un arc-en-ciel) par les molécules de l'air.

Celles-ci renvoient la lumière dans toutes les directions, mais de manière inégale suivant la couleur, et le bleu est plus diffusé que le rouge.

La planète humide

Plus de 70 % de notre planète sont recouverts d'eau. Cela signifie-t-il que l'eau représente une part importante du volume du globe? L'impression est trompeuse, car la profondeur des océans est infime par rapport au diamètre de la Terre. Si le globe était une orange, la profondeur des océans correspondrait aux petites aspérités de la peau du fruit. Cette eau différencie pourtant très nettement la Terre des autres corps gravitant autour du Soleil parce qu'elle existe, grâce aux températures qui y règnent, sous ses trois formes : gaz (vapeur d'eau [photo à gauche]), liquide et solide (glace).

En épluchant le globe

Comme les autres planètes telluriques, la Terre est composée de couches superposées de qualité différente. La **croûte** rocheuse n'a que 10 à 60 km de profondeur. Elle recouvre un **manteau** solide de 2 900 km d'épaisseur auquel succède un **noyau externe** liquide de 2 200 km et enfin un noyau interne solide, ou **graine**, de 1 200 km d'épaisseur.

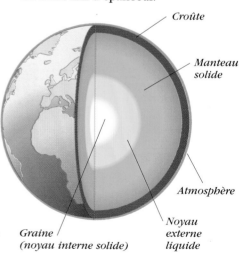

Croûte

Manteau solide

Atmosphère

Noyau externe liquide

Graine (noyau interne solide)

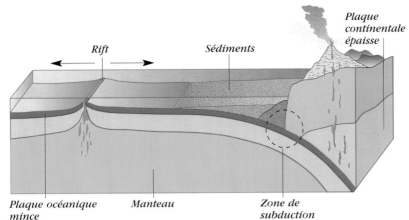

Rift — Sédiments — Plaque continentale épaisse

Plaque océanique mince — Manteau — Zone de subduction

Ces différentes enveloppes se distinguent par leur composition chimique. Leur connaissance résulte essentiellement de l'interprétation des ondes sismiques* qui se propagent à travers le globe lors des tremblements de Terre.

Les écailles de la Terre

La disposition des continents sur la surface de la Terre, telle que nous la connaissons actuellement, est récente, au regard de l'âge de la planète (environ 4,5 milliards d'années). Il y a 200 millions d'années, toutes les terres émergées n'en formaient qu'une : un supercontinent, la Pangée, entouré d'un seul océan. Cette masse s'est fragmentée et les continents, portés par les plaques qui recouvrent la Terre comme des écailles,

se sont éloignés les uns des autres. Les plaques sont en permanente modification. Elles se renouvellent le long de leurs frontières communes, le **rift** ; elles disparaissent le long des **zones de subduction**. Ces deux phénomènes s'accompagnent de volcanisme.

Dans le cocon magnétique

Le champ magnétique* de la Terre, que révèlent nos boussoles, est cent fois plus important que sur Mercure (on n'en a détecté ni sur Vénus ni sur Mars). On pense qu'il trouve son origine dans l'existence de courants électriques circulant dans le noyau de fer liquide. Tout se passe comme s'il y avait au centre de la Terre un barreau aimanté dont l'axe serait voisin de celui de la rotation du globe, tout en dérivant en permanence.

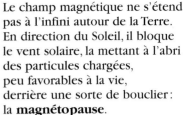

Le champ magnétique ne s'étend pas à l'infini autour de la Terre. En direction du Soleil, il bloque le vent solaire, la mettant à l'abri des particules chargées, peu favorables à la vie, derrière une sorte de bouclier : la **magnétopause**.

La Terre de la vie

Que la planète Terre ait vu apparaître la vie tient sans doute à la réunion de plusieurs conditions exceptionnelles : distance au Soleil, présence de l'eau, composition de l'atmosphère primitive*, climat. La vie est apparue il y a au moins 3 milliards d'années, dans l'eau. Son développement a transformé l'atmosphère primitive en y introduisant l'oxygène, par le biais de la photosynthèse (*voir p. 298*). Lorsque sa concentration fut suffisante, il y a moins de 500 millions d'années, la vie sortit de l'eau pour investir la terre ferme.

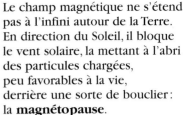

Vent solaire

Ceinture de Van Allen

Magnétopause

Face de Lune

Les sondes lancées dans les années 1990 autour de la Lune ont permis de découvrir un peu d'eau gelée au fond de certains cratères. Décidément, ces fascinantes cicatrices qui ont tant intrigué nos parents, étonné les savants et inspiré les cinéastes ou les dessinateurs, cachent encore quelques surprises dans l'ombre de leurs profondeurs.

Mystérieux cratères

Des cratères, la Lune en est couverte ! Après les premières observations de Galilée – « la Lune est pleine de trous et de protubérances » – les progrès des lunettes et des télescopes en ont révélé chaque fois davantage, et de plus en plus petits.

Mais comment se sont-ils formés ? Pendant longtemps, on n'a pas douté qu'il s'agissait de volcans éteints. Puis, la comparaison de leur forme à celle des volcans terrestres a introduit le doute : il s'agissait peut-être des cicatrices d'un formidable bombardement météoritique.

Il fallut attendre les débuts de l'exploration spatiale pour adopter définitivement cette explication. On découvrit par la suite, à l'examen de Mars et des satellites des planètes géantes, que ce bombardement était le sort commun de tout le système solaire.

Promenade
au clair de Terre

À partir de 1966, les sondes*
d'exploration automatique
soviétiques et américaines
pleuvent sur le sol lunaire,
et *Luna 9* adresse à la Terre
la première vue panoramique.
Les *Lunokhod* (soviétiques)
et les *Surveyor* (américaines)
transmettent des milliers de
clichés, révélant un relief mou,
très éloigné de l'image que l'on
s'en faisait à partir des photos
prises au télescope. Les visites
que rendirent à notre satellite
les douze Américains des missions
Apollo ne firent que confirmer
cette impression. La Lune a été si
violemment bombardée pendant
le premier milliard d'années de
son existence qu'elle en a perdu
les arêtes vives de son relief.
Les débris eux-mêmes ont été
mitraillés, et les débris des
débris... Ainsi s'est formée cette
énorme couche de poussières
(qui atteint plusieurs mètres
par endroits) dans laquelle
les astronautes ont laissé, pour
des millénaires, leurs empreintes.

Mais de quoi la Lune
est-elle faite?

La précieuse moisson de mesures
et de photos adressée par
les sondes suscita une multitude
de questions. Pour en savoir
plus, il fallait analyser ses cailloux,
sonder son cœur! Il fallait que
des hommes s'y rendent, placent
des sismographes, choisissent
et rapportent des échantillons.
Même si les fameuses missions
Apollo n'avaient pas pour but
premier la recherche scientifique,
elles permirent de lever le voile
sur la géologie lunaire. Au cours
des 90 h 19 mn occupées
à arpenter 95,2 km de désert
lunaire (à pied ou en Rover),
les Américains des six missions
Apollo (1969-1972) ramassèrent
382 kg de pierres et de poussières
(dont 32 kg seulement ont été
analysés). Une horde affamée
de scientifiques les analysa
dans les meilleurs laboratoires
terrestres. Diagnostic :
tandis que la formation
de la Lune s'accompagnait
de gigantesques épanchements
de lave, d'énormes météorites
ont créé dans la croûte en
formation les grands bassins
aujourd'hui appelés "mers".
Des laves remontées des
profondeurs sont venues remplir
ces bassins et le bombardement
a poursuivi son œuvre, créant
des cratères puis les effaçant
par une patiente usure.

OBSERVER LA LUNE

La simple observation de la Lune à l'œil nu nous la montre couverte de larges taches claires ou sombres. Dans l'imagerie populaire, on y voyait un visage de Pierrot ou une vieille femme portant un fagot. Ces taches sont en fait les marques de l'histoire de notre satellite.

Une paire de jumelles permet d'observer bien plus de choses à la surface de la Lune. Profite d'une soirée où le ciel est dégagé pour explorer notre satellite. Chaudement vêtu, installe-toi sur une chaise ou un siège de jardin, avec une paire de jumelles grossissant une dizaine de fois. Pour éviter de trembler pendant ton observation, prends un balai, pose la pointe du manche par terre entre tes pieds, serre le manche entre tes genoux et appuie les jumelles sur le balai. De cette façon, tu peux observer longtemps sans te fatiguer.

C'est au moment du premier ou du dernier quartier, quand seule une moitié de Lune est visible, que les accidents du relief sont le plus contrastés. L'astre est éclairé de côté par le Soleil, et les ombres, très longues à la limite de la partie illuminée, dessinent parfaitement les chaînes de montagnes et les cratères. C'est alors que l'on peut observer avec la plus grande précision les différences de relief entre **mers** et **continents**.

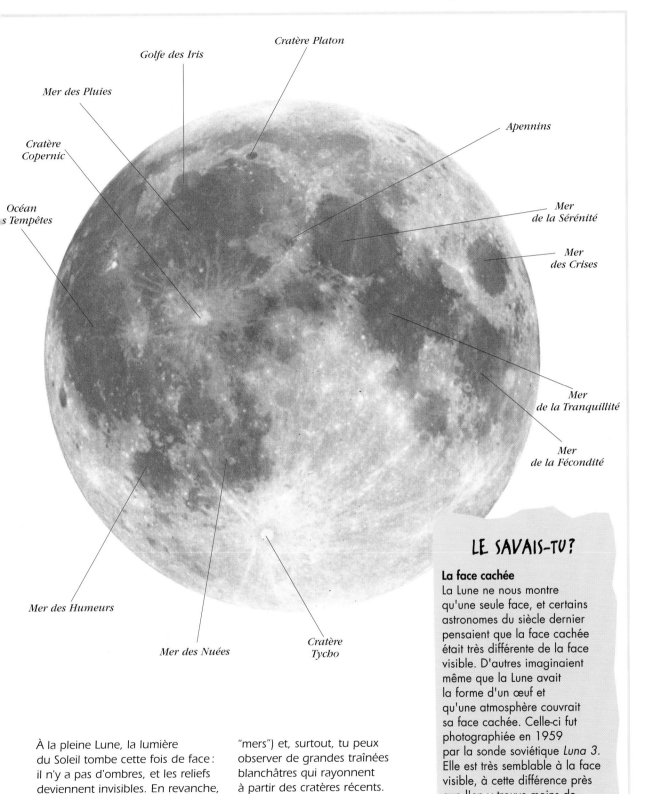

Cratère Platon

Golfe des Iris

Mer des Pluies

Apennins

Cratère
Copernic

Mer
de la Sérénité

Océan
s Tempêtes

Mer
des Crises

Mer
de la Tranquillité

Mer
de la Fécondité

Mer des Humeurs

Mer des Nuées

Cratère
Tycho

LE SAVAIS-TU?

La face cachée

La Lune ne nous montre
qu'une seule face, et certains
astronomes du siècle dernier
pensaient que la face cachée
était très différente de la face
visible. D'autres imaginaient
même que la Lune avait
la forme d'un œuf et
qu'une atmosphère couvrait
sa face cachée. Celle-ci fut
photographiée en 1959
par la sonde soviétique *Luna 3*.
Elle est très semblable à la face
visible, à cette différence près
que l'on y trouve moins de
grandes plaines de lave.

À la pleine Lune, la lumière
du Soleil tombe cette fois de face :
il n'y a pas d'ombres, et les reliefs
deviennent invisibles. En revanche,
tu peux remarquer la variété de
teintes des différentes plaines
de lave (appelées improprement
"mers") et, surtout, tu peux
observer de grandes traînées
blanchâtres qui rayonnent
à partir des cratères récents.
Les plus importantes proviennent
de Tycho, cratère situé dans
l'hémisphère Sud de la Lune.

Les mondes glacés des planètes géantes

Septembre 1977: la Nasa lance, à quinze jours d'intervalle, deux sondes spatiales aux ambitions extraordinaires. **Voyager 1** *et* **Voyager 2** *partent à l'assaut des planètes gazeuses, si lointaines que leur distance au Soleil se compte en milliards de kilomètres.*

L'occasion est exceptionnelle, car la disposition des planètes est favorable à un voyage "éclair" de seulement... 12 ans pour atteindre Neptune, la plus lointaine des géantes. On utilisera la technique du "ricochet" planétaire: le passage au voisinage d'une planète accélérera la sonde* et incurvera sa trajectoire vers la planète suivante. Les sondes (d'un poids de 815 kg) emportent une douzaine d'instruments d'observation et de mesure (dont deux caméras), un système de communication avec la Terre particulièrement élaboré et un générateur d'énergie nucléaire, car on ne peut compter sur l'énergie solaire à de telles distances.

Mars 1979

Jupiter envahit le champ des caméras de *Voyager 1.* Son disque gigantesque révèle une surface tourmentée, torturée par d'incroyables turbulences. Des rubans fluides, aux couleurs rouges, brunes, ocre, l'entourent et fuient parallèlement à l'équateur tantôt vers l'est, tantôt vers l'ouest, à 300, 400 ou 500 km/h! À leurs frontières, les affrontements sont terribles: ce ne sont que tourbillons, cyclones et chaos. Sous cette enveloppe visible de nuages délétères (ammoniac et hydrosulfite d'ammonium) se cache un énorme matelas d'hydrogène recouvrant un noyau rocheux. Au plus profond de cette enveloppe, la pression atteint 80 millions d'atmosphères. Et *Voyager 1* confirme ce qu'avait soupçonné la sonde *Pioneer 11* en 1974: un anneau extrêmement ténu, composé de particules fines comme des grains de fumée, embrasse Jupiter.

La grande tache rouge de Jupiter et les turbulences qui l'accompagnent

*La **structure fine** des anneaux de Saturne (en fausses couleurs) révélée par* Voyager 2

Puis, voici le globe d'Uranus. C'est le méthane gazeux de son atmosphère qui lui donne cette étrange couleur turquoise. *Voyager 2* s'éloigne enfin en découvrant encore un satellite et en traversant quelques anneaux.

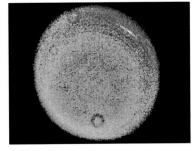

*La **planète Uranus** vue par* Voyager 2

Novembre 1980

Voyager 1 pénètre dans le royaume de **Saturne**. Elle trouve une planète à l'atmosphère bousculée par des vents quatre fois plus rapides que sur Jupiter. Mais elle révèle surtout les détails de l'ahurissant cortège d'anneaux qui l'accompagne. Les trois anneaux concentriques bien visibles depuis la Terre se divisent en centaines, sinon en milliers d'anneaux plus ou moins fins, plus ou moins serrés, parfois torsadés ou brisés. Chacun est composé de myriades de petits satellites recouverts de glace. Les plus gros ne dépassent pas 100 m de diamètre, les plus petits 1 cm, et l'anneau lui-même mesure moins de 1 km d'épaisseur : c'est 120 000 fois moins que le diamètre de la planète.

Janvier 1986

Voyager 2 a continué seule le voyage. Elle traverse la banlieue d'**Uranus**, découvrant, l'un après l'autre, un, deux, trois… neuf nouveaux satellites parmi les quinze (peut-être dix-sept) que compte la planète. Sa moisson élève celle-ci au même rang que ses consœurs : les géantes possèdent toutes de très nombreux satellites.

LE SAVAIS-TU ?

Les saisons d'Uranus

L'axe de rotation de la planète Uranus sur elle-même est presque couché dans le plan de son orbite* autour du Soleil. Conséquence : au cours d'une "année" de 84 ans, l'un des pôles fait face au Soleil (c'est "l'été" et il y fait toujours jour), alors que pour l'autre c'est "l'hiver" (et la nuit est permanente). Puis, la situation s'inverse.

Août 1989

Loin, si loin de la Terre ! Pourtant, *Voyager 2* adresse, obstinément et au goutte à goutte, ses observations de **Neptune**. Jusqu'ici, ce n'était qu'un point bleuâtre visible au télescope uniquement. Voici maintenant un globe bien réel, à la face couleur d'aiguemarine traversée de bandes sombres et de taches noires. Encore un monde de vents et de turbulences, glacé (il y fait moins 227 °C !) et entouré d'anneaux…

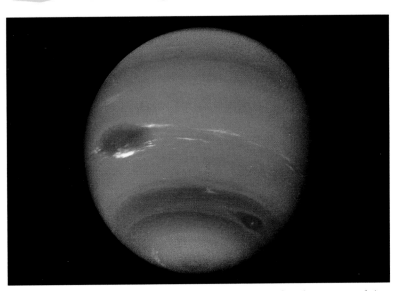

*La **planète Neptune** avec sa grande tache sombre et une bande nuageuse claire*

Cortèges de géantes

Simples points lumineux ou petits corps totalement invisibles pour un observateur terrestre, les satellites des planètes géantes sont apparus, sous les caméras des sondes spatiales, comme des mondes à part entière.

Ils sont près de soixante, dont plus d'un tiers découverts par les sondes spatiales*. Certains ne mesurent qu'une vingtaine de kilomètres de diamètre, mais le plus gros en fait plus de 5 000. On les pensait inertes, figés de froid, or ce sont de véritables petites planètes aux caractéristiques variées et même surprenantes, posant de véritables énigmes aux **planétologues***. Regardons-en quelques-unes.

Autour de Jupiter

Io (ci-dessous), gros comme la Lune, a suscité l'enthousiasme lors de sa découverte par la sonde *Voyager 1* : les manifestations de volcanisme y sont intenses et spectaculaires. Des volcans vomissent gaz et poussières qui, propulsés à 1 km/s, montent à 300 km et se déploient en larges panaches symétriques, semblables à des fontaines, mais elles sont de soufre et de gaz sulfureux. Les coulées de lave donnent au sol ses teintes jaunâtres et orangées.

Europe (ci-dessus) est de la même taille que Io, mais son aspect est bien différent. Recouvert d'une épaisse banquise de glace, c'est l'objet le plus lisse du système solaire. Sous cette glace, il y a peut-être un océan. Le satellite réunirait, selon certains scientifiques, les conditions nécessaires à l'apparition de la vie.

Ganymède, le plus gros satellite du système solaire, est enveloppé d'un manteau de glace portant les traces à demi effacées d'impacts de météorites. Des rides s'y entrecroisent, témoins de la transformation de sa surface.

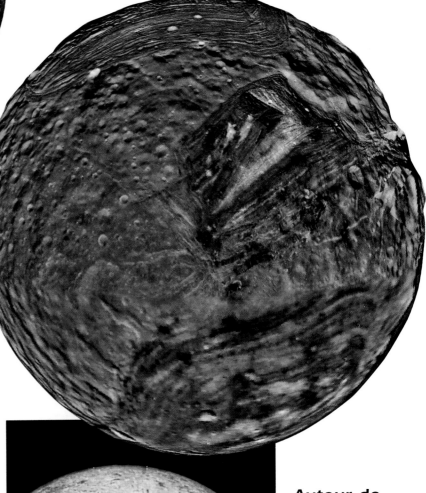

Autour d'Uranus

Miranda (ci-dessous), formé de glaces et de roches, a dû beaucoup souffrir, comme en témoigne son relief tourmenté : on y trouve des falaises de plusieurs kilomètres de haut alors qu'il ne mesure que 500 km de diamètre ! Peut-être s'est-il jadis brisé avant de se ressouder.

Callisto (ci-dessus) n'a sans doute pas évolué depuis sa formation. Les nombreux cratères, dont sa peau glacée est marquée, se sont seulement aplatis au fil des ans.

Autour de Saturne

Titan (ci-dessous) est entouré d'une épaisse atmosphère de couleur orangée, faite essentiellement d'azote et de méthane : c'était peut-être le cas de la Terre à l'origine. À ce titre, le satellite intéresse beaucoup les scientifiques, et la sonde *Cassini-Huygens* doit lui rendre visite en 2004, après un voyage de sept années.

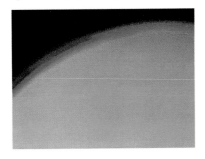

Japet (ci-dessous) est une énigme. Ce petit satellite, de 1 500 km de diamètre, composé de glace et de roche, possède une face claire et une face sombre. Nul ne peut expliquer ce phénomène.

Autour de Neptune

Triton est un astre gelé parcouru de craquelures qui a dû connaître une intense activité volcanique avec épanchement de glace. *Voyager 2* y a découvert des geysers crachant de l'azote gazeux.

Les petits corps du système solaire

Il pleut dans le système solaire. Il pleut de la poussière, des cailloux et des rochers. Depuis des milliards d'années, l'évolution du système solaire se fait au rythme des impacts produits par des myriades de petits corps.

Poussières

Le système solaire n'est pas propre. On y trouve de très nombreux grains de poussière, résultats de collisions ou déchets abandonnés par les comètes. Ces poussières, composées de roches et de métaux, se déplacent sur leurs orbites* à des vitesses de plusieurs kilomètres par seconde. Lorsque l'une d'elles pénètre dans notre atmosphère, elle s'échauffe et brûle, laissant dans le ciel une traînée lumineuse appelée **météore** ou **étoile filante**.

Météorites

Ce sont des débris de la taille de cailloux ou de rochers. Les météorites de plus de 1 kg ne sont pas totalement détruites en pénétrant dans l'atmosphère terrestre. Elles explosent en touchant le sol et laissent une cicatrice appelée **cratère d'impact** ou **astroblème**. Le plus célèbre d'entre eux se trouve en Arizona, aux États-Unis : le *Meteor Crater*, de 1 200 m de diamètre, a été produit, il y a environ 50 000 ans, par l'arrivée et l'explosion au sol d'une météorite de fer et de nickel de quelques mètres de diamètre.

Astéroïdes

Il s'agit d'énormes rochers dont le diamètre peut atteindre 1 000 km. Ces petites planètes sont essentiellement réparties entre les orbites de Mars et de Jupiter dans la **ceinture d'astéroïdes**. On en rencontre également un grand nombre au-delà de Neptune où ils forment peut-être une deuxième ceinture d'astéroïdes. Dans cette hypothèse, la planète Pluton ne serait que le plus gros objet de cette deuxième ceinture. (Ici, l'astéroïde Ida et son satellite Dactyl.)

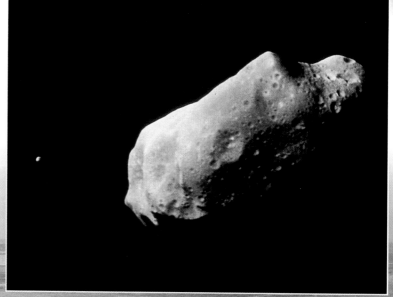

Comètes

Ce sont des objets formés très loin du Soleil, bien au-delà de l'orbite de Pluton. Dans cette région froide, glaces et poussières ont constitué des sortes de boules de neige sale de plusieurs kilomètres de diamètre. Lorsque l'une d'elles s'approche de l'intérieur du système solaire, la neige fond, devient gazeuse et reflète la lumière du soleil, donnant un astre brillant qui traîne derrière lui une chevelure bleutée ou jaunâtre. De grandes quantités de poussières s'échappent ainsi du noyau de la comète. (Ici, la comète Hyakutake.)

LE SAVAIS-TU ?

Astéroïdes : attention, danger !

Certains astéroïdes croisent l'orbite de la Terre et peuvent représenter un danger pour notre planète. On pense que des impacts d'astéroïdes ont été dans le passé responsables de l'extinction de certaines espèces animales. Par exemple, la disparition des dinosaures, il y a 65 millions d'années, est peut-être due à l'impact d'un petit astéroïde sur la Terre, qui aurait soulevé suffisamment de poussières pour obscurcir durablement le ciel et entraîner un changement climatique important.

Les Perséides

Tous les ans, entre la fin juillet et le 20 août, la Terre croise l'orbite de la comète Swift-Tuttle. Comme celle-ci laisse des débris derrière elle, la Terre traverse un nuage de poussières qui produisent des étoiles filantes. Aux alentours du 12 août, lorsque la Terre passe dans la partie la plus dense du nuage, on peut observer une "pluie" de plusieurs dizaines d'étoiles filantes à l'heure ! Elles semblent provenir de la constellation de Persée, d'où leur nom : les Perséides.

LES RIDES DONNENT L'ÂGE

Toutes les planètes, tous leurs satellites ont très probablement subi le même bombardement météoritique. Ainsi, plus les terrains sont anciens, plus ils sont cratérisés. Les scientifiques se font une idée de l'âge des surfaces observées d'après les "rides" (les cratères) qu'elles montrent. Certaines, comme sur Mercure, criblées d'impacts, n'ont pas dû évoluer depuis leur formation. D'autres, comme sur Europe, satellite de Jupiter, portent peu de marques. Elles se sont renouvelées depuis leur origine : elles sont jeunes.

317

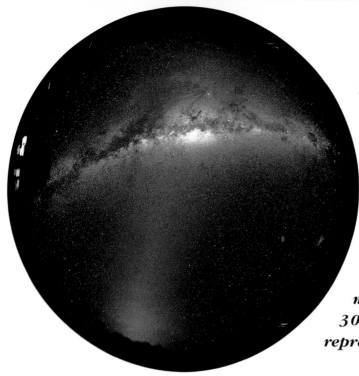

Par une belle nuit étoilée

Tandis que le Soleil disparaît derrière l'horizon "s'allument" dans le crépuscule les premières étoiles. Dans deux ou trois heures, à la campagne, par cette nuit sans Lune et sans voile nuageux qui s'annonce, près de 3 000 étoiles seront visibles. Mais que représente ce fourmillement d'astres?

Galaxie et Voie lactée

Toutes les étoiles visibles à l'œil nu ne constituent qu'une infime partie d'un ensemble, la Galaxie, constituée de milliards d'étoiles et de nuages de gaz et de poussières. Elle a la forme d'une galette plus épaisse au centre que sur le bord. La Voie lactée, bande lumineuse que nous découvrons en été, en est la partie visible depuis la Terre : elle fourmille d'étoiles que nous ne pouvons discerner sans télescope. En regardant dans la direction de la constellation du Sagittaire, nous tournons les yeux vers le centre de la Galaxie.

L'arbitraire des constellations

Le Sagittaire est l'une des quatre-vingt-huit figures que les hommes ont "dessinées" dans le ciel (*voir la carte du ciel, p. 323*). Figures totalement arbitraires, car il n'existe pas de liens particuliers entre les étoiles qui les composent, elles permettent cependant de se repérer dans le ciel. Nos constellations n'ont pas d'existence réelle, ce ne sont que des regroupements apparents d'étoiles situées parfois très loin les unes des autres. Certaines sont spectaculaires et faciles à reconnaître. C'est le cas du Scorpion qui, du Mexique à l'Europe, a toujours été identifié à cet animal. D'autres ont porté des noms différents selon les lieux et les époques. Ce que nous appelons Grande Ourse représentait jadis en Chine une louche, et pour les Romains, un troupeau de bœufs.

Les constellations de la Grande Ourse et de la Petite Ourse

Grande Ourse

étoile Polaire

Petite Ourse

Le ciel en trois dimensions

En regardant le ciel, nous avons l'impression que les astres sont tous situés sur une sphère extrêmement lointaine qui entourerait la Terre. En dessinant les constellations, nous faisons donc comme si toutes leurs étoiles étaient à la même distance de la Terre. Il n'en est rien.

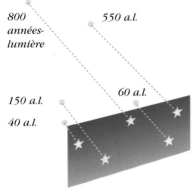

800 années-lumière
550 a.l.
150 a.l.
60 a.l.
40 a.l.

Par exemple, les étoiles de la constellation de Cassiopée, qui forment un grand W dans le ciel, semblent voisines les unes des autres. Or l'étoile la plus proche est à 40 années-lumière* de nous, alors que la plus lointaine est vingt fois plus éloignée.

Le "pivot du ciel"

Parmi les étoiles, il en est une à laquelle les habitants de l'hémisphère Nord de la Terre attachent une très grande importance : l'étoile Polaire.

Elle n'est pas de nature physique particulière, mais elle se trouve par hasard dans la direction indiquée par l'axe de rotation de la Terre. En conséquence, elle indique la direction du nord et elle reste immobile alors que toutes les autres étoiles semblent tourner autour d'elle en 24 heures (en réalité, c'est la Terre qui tourne !). Cette immobilité l'a fait surnommer "pivot du ciel".

En changeant de latitude

L'aspect du ciel est le même pour tous les hommes vivant à une même latitude. Les habitants de Genève voient les mêmes étoiles que ceux de Khabarovsk, Bucarest, Montréal ou Portland à quelques heures d'intervalle, parce qu'ils sont situés autour de 45° de latitude nord. Pour eux, l'étoile Polaire est à mi-chemin de l'horizon et du zénith, à 45° au-dessus de l'horizon. Qu'ils partent en voyage vers le nord ou vers le sud, et l'aspect de leur ciel familier se modifiera. Plus au sud, l'étoile Polaire se rapprochera de l'horizon et, à l'équateur, elle s'y confondra. En allant vers le nord, ils verront l'étoile Polaire monter de plus en plus haut dans le ciel et lorsqu'elle sera au zénith, ils découvriront qu'ils se trouvent… au pôle Nord. Dans l'hémisphère Sud, les étoiles semblent tourner autour du pôle

céleste Sud, mais il n'y a pas d'étoile brillante pour indiquer l'emplacement de ce point. En fait, un observateur connaissant bien le ciel des deux hémisphères peut, en regardant les étoiles, savoir à peu près à quelle latitude il se trouve. Pour le savoir avec plus de précision, il faut utiliser un instrument mesurant par exemple la hauteur de l'étoile Polaire au-dessus de l'horizon. C'est ce qu'ont fait les marins pendant des siècles.

LE ZODIAQUE

Les Anciens avaient noté quelle constellation était observable à l'ouest dans la direction où le Soleil se couchait. Jour après jour, le Soleil semblait se déplacer pour venir "habiter" une nouvelle constellation. Il retrouvait la même "maison" au bout d'un an : mouvement seulement apparent, résultant en réalité du mouvement orbital de la Terre autour du Soleil. La série de constellations ainsi repérées prit le nom de zodiaque. On lui attribua une importance particulière parce que c'est là que l'on observait le déplacement de ces "astres errants" que sont les planètes.

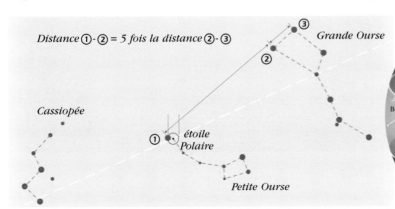

Distance ①-② = 5 fois la distance ②-③

Grande Ourse

Cassiopée

étoile Polaire

Petite Ourse

On repère l'étoile Polaire ① *à partir des étoiles* ② *et* ③ *de la Grande Ourse.*

Verseau · Capricorne · Sagittaire · Poissons · Scorpion · Balance · Bélier · Terre · Planète · Vierge · Taureau · Gémeaux · Lion · Cancer

La vie des étoiles

Les étoiles comme le Soleil sont d'énormes sphères de gaz très chaudes.
Leur durée de vie est infiniment plus longue que la nôtre, c'est pourquoi
nous ne les voyons pas changer.

Les étoiles ne sont pas toutes
apparues le même jour.
Certaines ont des milliards
d'années, d'autres ne sont âgées
que de quelques millions
d'années, d'autres encore
ne naîtront que dans des milliers
ou des millions d'années.
Notre Voie lactée compte
environ 200 milliards d'étoiles
à différents stades de vie.
Elle possède aussi suffisamment
d'hydrogène pour fabriquer
quelques dizaines de milliards
de nouvelles étoiles.

Amas ouvert
Chacun de ces globules, en rotation sur lui-même, devient de plus en plus petit,
dense et chaud. Lorsque la température atteint 10 millions de degrés,
des réactions nucléaires* s'amorcent et l'astre devient lumineux : une étoile
est née. Une nébuleuse donne ainsi naissance à plusieurs dizaines d'étoiles.

La Nébuleuse M16
L'hydrogène existe sous la forme
d'immenses nuages, très peu denses,
appelés nébuleuses diffuses.

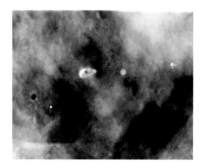

Les Proplydes
Lorsqu'une nébuleuse entre en rotation,
le gaz qu'elle contient se concentre
en quelques dizaines de petits
globules, sortes de nuages sombres.

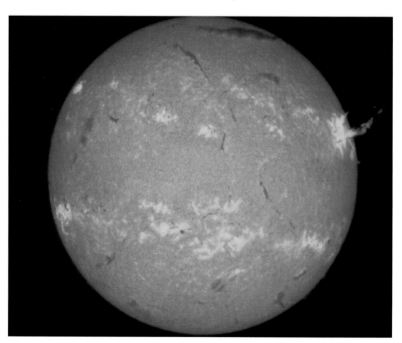

Le Soleil
Avec le temps, chaque étoile s'éloigne de ses sœurs,
c'est pourquoi la majorité des étoiles de la Voie lactée vivent en solitaire.
Une étoile comme le Soleil vit des milliards d'années.
Elle consume son hydrogène en produisant chaleur et lumière.

Bételgeuse
Lorsque l'étoile n'a plus assez d'hydrogène, elle gonfle, grossit et sa température de surface diminue. Elle devient une géante rouge.

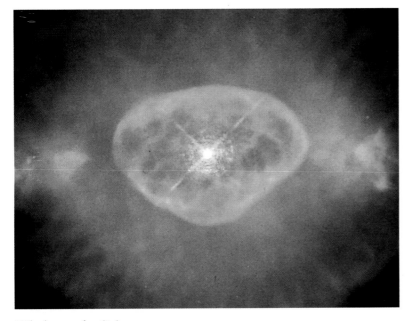

Nébuleuse planétaire
Des vents violents se développent dans les couches extérieures de l'étoile et expulsent une grande partie de l'hydrogène restant. Celui-ci va former une coquille de gaz, appelée nébuleuse planétaire, qui sera rendue visible grâce au rayonnement du noyau de l'étoile. Ce noyau, minuscule, très dense, très chaud, est appelé une naine blanche.
En quelques dizaines de milliers d'années, le gaz va s'éloigner et se dissoudre dans l'espace, la naine blanche s'éteindra et il ne restera plus trace de l'étoile. Tel sera le sort du Soleil. D'autres types d'étoiles terminent leur existence en explosant, donnant naissance à de brillantes supernovae qui se transforment peu à peu en étoiles à neutrons.

LA COULEUR DES ÉTOILES

Toutes les étoiles n'ont pas la même température de surface. Certaines sont très chaudes et leur couleur est blanche, tirant légèrement sur le bleu, comme Sirius, la plus brillante étoile du ciel d'hiver. D'autres étoiles, comme le Soleil, plus froides, ont une couleur jaune. Les étoiles les plus froides sont orangées, c'est le cas de Bételgeuse et d'Aldébaran, toutes deux bien visibles également dans le ciel hivernal.
Ces couleurs se devinent à l'œil nu et s'observent parfaitement avec une paire de jumelles.

EN SUIVANT LA VOIE LACTÉE

Le ciel est dégagé, il fait doux, tu te sens d'humeur voyageuse. En cette belle soirée d'été, prends tes jumelles et pars naviguer, loin de toute lumière parasite, sur la grande rivière céleste, la Voie lactée. Voici un petit guide pour prendre quelques premiers repères.

La première chose à faire est de trouver un lieu d'observation dégagé (pré, jardin), de préférence en altitude, loin des éclairages urbains. L'atmosphère lumineuse qui règne au-dessus des lumières artificielles "efface" les étoiles et rend l'observation très difficile, voire impossible.

Familiarise-toi avec la carte du ciel

● Sur cette carte du ciel d'août, les étoiles les plus grosses sont les plus brillantes.

● L'étoile la plus lumineuse du ciel d'été est Véga (située dans un groupe appelé la Lyre, [ci-contre]), presque au centre de la carte.

● Dans le ciel que tu observeras, allongé sur le sol, cette étoile sera juste au-dessus de toi.

● Proche de Véga et descendant vers le sud, tu remarques une traînée bleutée : c'est la Voie lactée, que tu t'apprêtes à explorer.

Oriente-toi par rapport aux étoiles

● Place la tête au nord et les pieds au sud. Laisse tes yeux s'habituer à l'obscurité.

● Pour trouver le nord, repère la Grande Ourse (en été, elle se trouve près de l'horizon nord).

● Regarde au-dessus de toi : tu devrais repérer Véga Ⓐ, que tu pourras saisir dans tes jumelles.

Explore sans te perdre

● Non loin de Véga, l'étoile double Delta 1 et 2 Ⓑ. La première est blanche, très légèrement bleutée, et la seconde est nettement orangée.

● En pleine Voie lactée, bien au sud de la Lyre, voici Altaïr Ⓒ, étoile brillante de la constellation de l'Aigle. Près de la queue de l'Aigle, tu remarques un petit amas de jeunes étoiles appelé M 11 Ⓓ, formées il y a quelques millions d'années.

● En descendant encore vers le sud, repère la constellation du Sagittaire Ⓔ, qui ressemble à une théière. Nous sommes ici au cœur de la Voie lactée, et des centaines d'étoiles sont visibles.

● Promène-toi lentement dans cette région sans te perdre. Vise l'étoile qui forme le couvercle de la théière, de couleur jaune et entourée de deux taches

TON ÉQUIPEMENT DE BASE

Il te faut :

- **une paire de jumelles**, les meilleures pour l'observation du ciel sont celles sur lesquelles on lit : 7 x 50 ou 10 x 50. Le premier chiffre indique le grossissement, et le second, le diamètre de l'objectif en millimètres.

Si tes jumelles ont un diamètre de 30 mm, elles seront un peu moins lumineuses, mais ce n'est pas très grave.

- **Une lampe d'astronome**, simple lampe de poche dont tu peindras l'ampoule en rouge avec du vernis à ongle. Cette précaution te permettra de t'éclairer sans t'éblouir.

- Enfin, **une carte du ciel**, une couverture et des vêtements chauds.

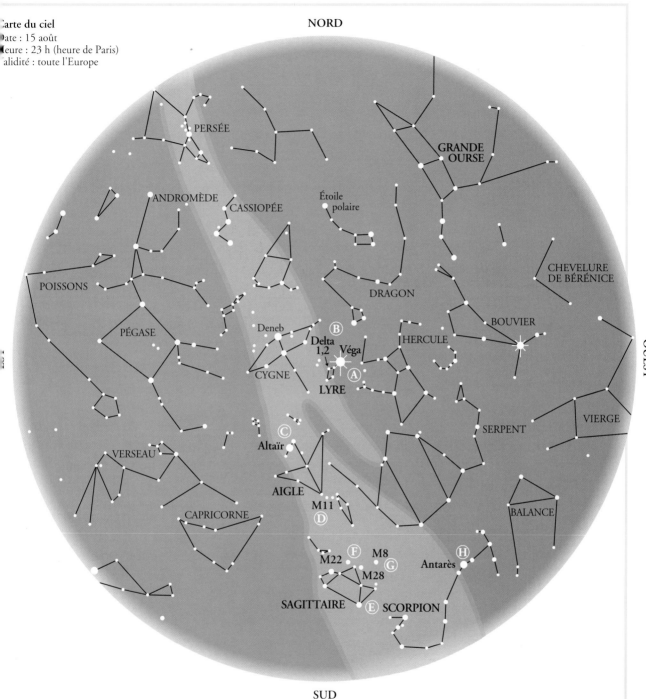

Carte du ciel
Date : 15 août
Heure : 23 h (heure de Paris)
Validité : toute l'Europe

NORD

PERSÉE

GRANDE OURSE

ANDROMÈDE
CASSIOPÉE

Étoile polaire

CHEVELURE DE BÉRÉNICE

POISSONS

DRAGON

BOUVIER

PÉGASE

Deneb

Ⓑ

Delta 1,2   Véga

HERCULE

CYGNE   Ⓐ

LYRE

SERPENT

VIERGE

Ⓒ

Altaïr

VERSEAU

AIGLE

M11
Ⓓ

BALANCE

CAPRICORNE

Ⓕ   M8
M22   Ⓖ   Ⓗ
M28   Antarès

SAGITTAIRE   Ⓔ   SCORPION

SUD

OUEST

laiteuses, amas de vieilles étoiles appelés M 22 et M 28 Ⓕ.
● Légèrement à droite et au-dessus de M 28, voici M 8 Ⓖ, nuages de gaz dans lesquels naissent des étoiles. Tes jumelles devraient t'en montrer une dizaine, enveloppées de gaz.

● Tout à fait à droite, va voir la région d'Antarès Ⓗ, l'étoile principale du Scorpion. Cette superbe étoile orangée est à la fin de sa vie et devrait exploser prochainement en supernova (prochainement pour une étoile, cela peut être demain,

par exemple, ou dans dix millions d'années). Si tu as réussi cette promenade sans t'égarer, l'Univers t'appartient.
Pour l'explorer, il te faudra un petit atlas du ciel.
Si tu t'es perdu en chemin, il te suffit de recommencer...

Une nuit au Cerro Paranal

*Le soleil se couche sur le Cerro Paranal, un sommet du Chili.
Là, à 2 400 m d'altitude, dans un des observatoires les plus perfectionnés
du moment, une nouvelle nuit d'observation commence.*

Dans un doux ronronnement, la coupole du télescope s'ouvre, découvrant un ciel d'un noir profond piqueté de milliers d'étoiles. Le télescope s'oriente vers une galaxie lointaine. Lorsque son image se forme sur la caméra électronique, un signal sonore prévient l'astronome qui commence à enregistrer la lumière de cet objet totalement invisible à l'œil nu. Après cette galaxie, une autre, puis une autre encore et cela jusqu'au lever du jour.

*Le **Very Large Telescope** (VLT) est installé sur le Cerro Paranal, au Chili.*

Chacun à sa place

L'équipe de techniciens basée au Chili a passé la journée à apporter des modifications à l'appareillage fixé au foyer du télescope. Maintenant, dans la coupole, le télescope est seul. L'astronome ne touche pas à l'appareil, ni pour le diriger, ni pour modifier ses réglages. Tout est motorisé, et l'informatique pilote l'ensemble. Face à l'image qui tremble doucement sur son écran, l'observateur reste au chaud dans une pièce située à quelques dizaines de mètres du télescope. L'appareil, quant à lui, doit demeurer à la température de l'air glacé des montagnes qui pénètre sous la coupole, la qualité des images en dépend.

LE SAVAIS-TU ?

Des télescopes sur la Lune ?
Certains scientifiques pensent que le meilleur parti que l'on pourrait tirer de la Lune serait de la transformer en observatoire. Pas d'atmosphère, donc pas de turbulences, et pas d'absorption des multiples rayonnements en provenance du cosmos*. Un ciel toujours noir (sauf en direction du Soleil et de la Terre), donc une observation permanente. Pas d'hommes, donc pas de signaux pollueurs : radio, télévision, radars, lumières de toutes sortes… Un inconvénient cependant : le coût, véritablement dissuasif.

À 12 000 km de là

L'astronome n'est même plus contraint de rester à proximité de son instrument. Les télescopes de l'observatoire européen austral (ESO), installés au Chili, sont pilotés depuis Garching, près de Munich, en Allemagne. C'est de Garching que l'on envoie les ordres vers un satellite de télécommunication qui les adresse au télescope. La situation est paradoxale : quand la nuit tombe au Chili, le jour se lève en Allemagne. Là, l'autre partie de l'équipe travaille en plein jour, tandis que le télescope qu'elle utilise est plongé dans la nuit. Image après image, les observations s'ajoutent, la mise au point se fait, elle aussi, à distance, ainsi que le changement de filtre ou de détecteur de lumière.

La Comète Hale-Bopp observée au Cerro Paranal

Galaxie spirale NGC 4945 par le VLT

Fin de moisson

La nuit tombe sur Garching, le soleil va se lever sur le Cerro Paranal. L'astronome a fini sa journée de travail… ou sa nuit d'observation. Des dizaines d'images de galaxies ont été enregistrées par un chercheur qui, en plein jour, dans la tiédeur de son bureau et devant son ordinateur, n'a pas vu une étoile.

Demain, un autre astronome prendra sa place pour faire progresser un autre programme de recherche, car le temps d'utilisation de ce splendide instrument est partagé entre de nombreuses équipes de diverses nationalités.

OÙ INSTALLER UN OBSERVATOIRE ?

En astronomie, la qualité d'une image dépend tout autant du lieu où le télescope est installé que de l'appareil lui-même. Le choix d'un site est donc une décision de première importance. Un bon site se trouve dans une région où le ciel est rarement couvert pour bénéficier d'un maximum de nuits étoilées (environ 330 nuits par an au Cerro Paranal). L'air y est peu turbulent et très peu humide. Cela permet d'éviter des déformations d'images et d'observer en lumière infrarouge*. Enfin, il se situe le plus loin possible des grandes villes, dont les lumières gênent considérablement les observations.
L'un des meilleurs sites terrestres se trouve au sommet du Mauna Kea, un volcan des îles Hawaï. Le Cerro Paranal, dans la cordillère des Andes, est peut-être encore meilleur. Les Européens ont construit le VLT (*Very Large Telescope*), observatoire du XXIe siècle, composé de quatre télescopes équipés de miroirs de 8 m de diamètre.

Bonjour les Martiens !

En 1882 paraît une étrange carte de la planète Mars. Son auteur, Giovanni Schiaparelli, le très estimé directeur de l'observatoire de Milan, a reproduit soigneusement ses observations. Et il annonce: la surface de Mars est couverte de canaux !

La nouvelle fait grand bruit, et bien des astronomes se précipitent sur leur lunette. Un certain nombre d'entre eux découvrent encore plus de canaux, publient d'autres cartes, commentent la découverte, en particulier l'Américain Percival Lowell. Celui-ci se passionne pour Mars et publie plusieurs ouvrages débordant d'imagination. Il affirme que ces canaux ont été creusés par des Martiens pour amener l'eau de fonte des neiges des pôles jusqu'aux régions sèches proches de l'équateur. La bataille fait rage entre ceux qui croient aux canaux et ceux qui pensent qu'il s'agit d'une mauvaise observation de la planète. Il faudra des dizaines d'années (jusqu'au début des années 1960) pour que le mythe des canaux disparaisse.

La grande interrogation

Mars est quand même une bien étrange planète. Sa surface change d'aspect au cours des mois : de toute évidence, des saisons s'y succèdent. On y a détecté une atmosphère et même des tempêtes de sable. Et l'on se pose naturellement des questions : ressemble-t-elle à la Terre, y trouve-t-on de la vie, peut-être simplement sous la forme de micro-organismes*?

Des sondes spatiales sur le sol martien

Dès le début de l'ère spatiale, les scientifiques lancent des sondes* sur les planètes proches de la Terre. Les premières sondes martiennes montrent, en 1965, que la planète est sèche. Mais on y découvre des vallées. Elles ont certainement été creusées à une époque lointaine par des torrents d'eau. Pour ceux qui pensent que Mars a pu accueillir la vie au moins sous une forme élémentaire, la présence d'eau est le meilleur des arguments. Des scientifiques américains imaginent des expériences capables d'en

La sonde Viking a creusé un sillon en prélevant un échantillon du sol de Mars.

déceler les traces. Deux sondes, appelées *Viking*, se posent sur le sol de Mars en 1976, prélèvent quelques pelletées de sable, et les appareils d'analyse se mettent au travail. Les résultats, transmis à la Terre, sont pour le moins ambigus. Ils plongent les scientifiques dans la perplexité. Après plusieurs années de débats les conclusions tombent : premièrement, les sondes n'ont rien détecté de vivant ou qui ait été vivant ; deuxièmement, le programme de recherche a été mal conçu.

Mars
présente une
calotte polaire faite de gaz carbonique
et d'eau congelés.

À la recherche d'extraterrestres

Pas de Martiens… mais n'y a-t-il pas des extraterrestres cachés quelque part dans notre Galaxie ? Cela revient à poser une cascade de questions. À la première – existe-t-il des planètes autour d'autres étoiles que le Soleil ? – on était incapable de répondre il y a vingt ans. Aujourd'hui, on en a découvert une vingtaine. Mais sont-elles susceptibles d'accueillir la vie ?

C'est peu probable, car elles ressembleraient plutôt à Jupiter. Mais il reste des milliards d'étoiles à examiner… Plutôt que de chercher des planètes, peut-être vaudrait-il mieux traquer des signes d'existence de civilisations technologiquement avancées, par exemple en "écoutant" le ciel. C'est ce qu'ont tenté une trentaine d'équipes de chercheurs de divers pays. Mais sur quelle fréquence régler les récepteurs et dans quelle direction braquer les antennes ? Pour l'instant, aucun signal radio significatif n'a été détecté. Les plus proches civilisations extraterrestres sont peut-être très éloignées, ou les signaux qu'elles émettent trop faibles. À moins qu'elles n'obéissent à ce vieil adage : pour vivre heureux, vivons cachés ?

LE SAVAIS-TU ?

Mars attaque !
30 octobre 1938.
Les Martiens ont débarqué aux États-Unis ! C'est la panique. Informés par la radio, les gens fuient dans tous les sens. Coups de téléphone, accidents, suicides, prières… Toute une nuit d'hystérie avant que l'on comprenne qu'il s'agit seulement d'une émission dramatique, inspirée du roman *La Guerre des mondes* de Herbert G. Wells. Le réalisateur en est le jeune Orson Welles qui deviendra l'un des plus grands réalisateurs de cinéma.

Lancer un satellite

Des milliers de satellites artificiels ont été lancés depuis une quarantaine d'années. Pourtant, dans tous les centres spatiaux, chaque lancement reste un moment émouvant : c'est une réussite (quelle joie !) ou un raté (quelle opération ruineuse, où a-t-on commis une erreur ?).

sur son orbite de travail, est mis en place, puis l'ensemble est enfermé dans la **coiffe** de la fusée, qui le protégera de l'atmosphère pendant le début du vol.

Préparer le satellite

Dès son arrivée au centre de Kourou en Guyane française, deux mois avant le lancement, le satellite de télécommunication est placé dans **un hall de préparation** ultra-propre. Des équipes de techniciens, dépêchées par les industriels qui l'ont fabriqué, en assemblent les éléments et vérifient que tout fonctionne comme avant son transport. Quelques jours avant le lancement, on fait le plein des réservoirs des moteurs du satellite, qui lui permettront de manœuvrer dans l'espace. Le moteur d'apogée*, destiné à l'injecter en fin de lancement

Préparer le lanceur

Les différents étages de la fusée sont arrivés dans d'énormes conteneurs de la Région parisienne, où ils ont été construits. Ils ont descendu la Seine sur des péniches et traversé l'océan Atlantique sur un cargo pour rejoindre Kourou,

avant de prendre la route jusqu'au gigantesque hall de préparation. On vérifie tout de suite qu'ils n'ont pas été endommagés. Le premier étage est alors dressé et fixé sur la **table de lancement**. Il est coiffé du deuxième puis du troisième étage. Des spécialistes effectuent les connexions électriques et les raccords de tuyauterie et les examinent avec soin. Tout en haut, la **case à équipements**, véritable cerveau du lanceur, est mise en place. Encore des vérifications avant de faire rouler la table portant la fusée jusqu'à la zone de lancement, à quelques centaines de mètres du hall.

Ariane 4 sur son pas de tir pendant le remplissage du troisième étage

À H moins 30 heures : des pompes déversent des dizaines de tonnes de carburant et de comburant dans les réservoirs des deux premiers étages.
H − 12 heures : fermeture de toutes les portes de visite, relevé des passerelles d'accès et recul du portique.
H − 3 heures : remplissage des réservoirs du troisième étage.
H − 6 minutes : tous les voyants sont au vert, retrait des dernières sécurités, le lanceur peut partir.
H − 5 secondes : tout est maintenant totalement automatique. Le responsable des opérations accompagne de la voix les dernières secondes : « 5… 4… 3… 2… 1… 0 ! »
Le premier étage s'allume, les crochets de retenue s'ouvrent, les 250 tonnes d'*Ariane 4* décollent dans un fracas assourdissant.

La **tour de servitude** roule jusqu'aux flancs du lanceur : elle permettra d'accéder à tous les niveaux. Le satellite est mis en place. Nouveaux contrôles jusqu'à la séance de répétition des opérations de lancement.

L'heure H

Le jour J et l'heure H du lancement ont été fixés. Dans la salle de contrôle, chacun a les yeux rivés sur son écran. À partir de maintenant, toutes les opérations sont chronométrées.

Du sol à l'orbite

Altitude 110 km : la coiffe est éjectée.

Altitude 135 km, vitesse 5,4 km/s. Le deuxième étage se sépare, le troisième étage s'allume. Cet étage fonctionne pendant 12 mn.

Altitude 70 km, vitesse 2,8 km/s. Le premier étage se sépare du corps de la fusée (il brûlera en rentrant dans l'atmosphère). Les moteurs du deuxième étage s'allument.

Vitesse 10,2 km/s. Le satellite se sépare du lanceur. Il est sur l'orbite de transfert* elliptique qui va le mener à 36 000 km du sol.

Ariane décolle, monte verticalement pendant 7 s, puis commence à s'incliner. Le premier étage fonctionne pendant 3 mn 1/2.

Antenne radar

329

Cinq cents spationautes en impesanteur

«Bonheur total»,
«expérience sublime»,
«liberté absolue»,
les spationautes n'ont
pas de mots assez forts
pour tenter de décrire
leur expérience
de l'impesanteur.
Ils sont unanimes:
«Si vous ne l'avez pas
vécue, vous ne pouvez
pas l'imaginer !»

Le premier homme qui ait voyagé dans l'espace a pour toujours accroché son nom au firmament. Le 12 avril 1961, le Soviétique Youri Gagarine fit le tour de la Terre en 108 mn, à 100 km d'altitude. Depuis cette date, près de cinq cents personnes ont connu les joies et les inconvénients de l'impesanteur*, cette sorte de chute sans fin.

Un Velcro sur chaque objet

Une poussée de la main, et voici le passager du vaisseau spatial à l'autre bout de la cabine. Le nouvel arrivant y va trop fort, bat des bras et des jambes inutilement, bute et repart dans l'autre sens. Le vétéran lui apprend le geste précis qui l'amènera à l'endroit où il veut aller. L'équipage expérimente réellement les trois dimensions de l'espace. Six personnes peuvent se mouvoir dans un très petit habitacle, car tout le volume est exploitable avec la même liberté. Il n'y a plus ni haut ni bas, ni sol ni plafond.
Le mot "table" n'a plus de sens. Puisque tout semble "flotter", il faut tout accrocher, fixer sur soi ou au mur, faute de quoi le plus grand désordre finit par régner : le Velcro est partout. Répandre une poudre est une catastrophe : on ne peut la récupérer. Vider un flacon n'est possible qu'en l'écrasant… mais le liquide éjecté se transforme en "boules flottantes".

Comment s'entraîner à l'impesanteur

Les spationautes s'entraînent parfois pendant des années avant d'accomplir un vol spatial. Une grande partie de ce temps sert à se familiariser avec l'impesanteur. Pour cela, les spationautes n'ont guère le choix. Un avion effectuant dans l'air une trajectoire parabolique peut créer l'impesanteur pendant quelques dizaines de secondes. L'entraînement en piscine peut en simuler certains effets, la poussée d'Archimède *(voir p. 252)* compensant le poids. Cela permet de mettre au point les gestes qu'exigent les opérations hors du véhicule spatial.

La nausée

Le fameux mal de l'espace, plus gênant que dangereux (sauf pour une mission courte), ressemble au mal de mer : le spationaute* est pris de vertiges, de maux de tête et de nausées pouvant l'empêcher de travailler. Il apparaît chez 70 % des spationautes après quelques heures d'impesanteur et disparaît généralement en quelques jours. On explique ainsi son origine : nous tenons en équilibre verticalement parce que notre cerveau adresse en permanence à nos muscles les ordres nécessaires, en fonction d'informations provenant non seulement des yeux mais aussi de capteurs situés dans l'oreille interne, la peau, les articulations… En impesanteur, ces informations sont ou supprimées ou contradictoires, et le cerveau a quelque peine à s'y retrouver.

Trop de repos est nuisible

Au programme des habitants de la station spatiale, entre leurs différentes tâches, il y a chaque jour deux heures de course

Spationaute soumis à des tests scientifiques

à pied sur un tapis roulant ou de pédalage sur un vélo fixe. Pour éviter de prendre du poids ? Non, mais pour limiter la décalcification* et donc la fragilisation du squelette. Les Russes ont constaté que le tibia de leurs cosmonautes perdait 20 % de son poids lors d'un vol de plusieurs mois ! En même temps, les muscles, peu sollicités, s'atrophient. Ni le sport, ni l'alimentation ne permettent de rattraper ces pertes (seules quelques semaines sur Terre permettront de revenir à la normale). Ces mesures ne sont que des palliatifs et il n'est pas sûr qu'elles suffiront pour des voyages de plusieurs années prévus dans l'espace. Le cosmonaute Valeri Poliakov n'en a pas moins passé près de 15 mois d'affilée dans la station *Mir* en 1994-1995.

TABLEAU DE RECORDS

Premier homme satellisé : le Soviétique Youri Gagarine (le 12 avril 1961 à bord de *Vostok 1*).

Valentina Tereshkova (avec Youri Gagarine)

Record d'équipage : 8 Américains à bord de la navette *Challenger* (le 30 octobre 1985).

Première femme satellisée : la Soviétique Valentina Tereshkova (le 16 juin 1963 à bord de *Vostok 6*).

Première sortie d'un homme : le Soviétique Alexis Leonov (le 18 mars 1965).

Première sortie d'une femme : la Soviétique Svetlana Savitskaïa (le 25 juillet 1984).

Record de séjour continu masculin : le Russe Valeri Poliakov (437 j 18 h du 8 janvier 1994 au 22 mars 1995 à bord de la station *Mir*).

Record de séjour continu féminin : l'Américaine Shannon Lucid (188 j 4 h en 1996).

Record de séjours cumulés en impesanteur : Valeri Poliakov, 678 j en deux vols (1988-1989 et 1994-1995).

Les missions actuelles comportent en moyenne 10 % de femmes.

Les stations spatiales, datchas de l'espace

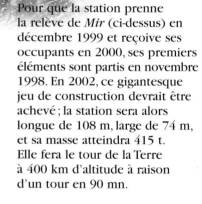

En 1971, les Soviétiques satellisaient la première station spatiale Saliout 1. Marquant la volonté d'habiter l'espace et plus seulement d'y faire des escapades, elle inaugurait une aventure qui n'a cessé de se développer, un va-et-vient continu d'hommes et de matériels entre les installations à terre et des installations spatiales permanentes.

Demain l'*ISS*

Au début du prochain millénaire, une demi-douzaine de spationautes* de différentes nationalités éliront domicile, pour des séjours d'une durée moyenne de 3 mois, dans la *Station spatiale internationale* (*ISS*). Les premiers éléments sont pour l'essentiel soit américains, soit russes, mais d'autres pays contribuent ou contribueront au développement de la station : Canada, Japon, Europe (par l'ESA, l'Agence spatiale européenne), Brésil. La station est constituée d'une très longue poutre sur laquelle viennent se fixer des modules (habitables ou non) et d'immenses panneaux solaires. Toutes sortes de possibilités d'amarrage permettent de modifier sa composition et d'accueillir des vaisseaux spatiaux.

Pour que la station prenne la relève de *Mir* (ci-dessus) en décembre 1999 et reçoive ses occupants en 2000, ses premiers éléments sont partis en novembre 1998. En 2002, ce gigantesque jeu de construction devrait être achevé ; la station sera alors longue de 108 m, large de 74 m, et sa masse atteindra 415 t. Elle fera le tour de la Terre à 400 km d'altitude à raison d'un tour en 90 mn.

De *Saliout* à *Mir*

Sept stations soviétiques *Saliout* furent lancées successivement. Puis, dès 1986, la station *Mir* prit le relais. Ce n'était plus un simple cylindre contenant un espace de vie et de travail et des équipements techniques, mais le premier élément d'un complexe qui devait se développer, année après année. *Mir* est devenu un énorme "train spatial" habité en permanence par des spationautes effectuant des tests de très longue durée ou par de simples visiteurs de différentes nationalités.

*Représentation de l'*ISS *(avec arrimage d'une navette spatiale)*

Lieux de vie

Affirmer que l'on puisse s'ébattre à l'aise dans une station spatiale, s'isoler des autres membres, serait sans doute exagéré ! L'espace habitable est terriblement étroit et encombré, et il est difficile d'y faire régner l'ordre. Toutefois les éléments essentiels du confort sont présents : lavabo et douche (peu pratiques), WC, coin cuisine avec four permettant de réchauffer les aliments que le ravitaillement bimensuel par vaisseau automatique fournit. La journée est très chargée : outre les expériences dont chacun a la responsabilité, il y a en permanence des observations à assurer et des réparations ou modifications à apporter à la station. Et aussi les exercices physiques, aussi fastidieux qu'indispensables. Il reste cependant des heures de loisirs, où les membres de l'équipage discutent avec leur famille par radio, regardent un match sur cassette vidéo, jouent de la musique ou jettent un œil à la Terre à travers le hublot : elle défile au rythme de 16 fois par 24 heures. Enfin, il y a les heures de sommeil obligatoires, accrochés à la paroi pour ne pas errer en impesanteur*.

Lieux de recherche

La station orbitale est en premier lieu une merveilleuse plate-forme d'observation de la Terre et du ciel. Ses occupants braquent leurs appareils photo, de mesure et leurs télescopes vers les objectifs assignés à leur mission suivant un calendrier précis. Mais la part la plus originale du travail est réservée à ce qui ne peut se réaliser que dans l'espace : la recherche en impesanteur. En physique comme en biologie, tout restait à découvrir au début de l'ère spatiale. Derrière cette physique amusante (les liquides se mettent en boule, la bougie ne veut pas rester allumée, etc.) se cachent des conséquences que l'on voudrait rendre pratiques. Peut-on, par exemple, créer des matériaux impossibles à réaliser sur notre planète ? La vie étant apparue sur la Terre et s'y étant développée sous l'influence permanente de la gravité*, on ne savait rien sur la manière dont se comporteraient les êtres vivants en impesanteur, et l'homme en particulier. Expérience après expérience, on a beaucoup appris, et ce n'est pas fini.

LE SAVAIS-TU ?

Arabella et Anita vont dans l'espace
Une lycéenne américaine se demandait si les araignées étaient capables de tisser leur toile en se passant de ce repère vertical qu'est la pesanteur*. Elle proposa à la Nasa de tenter l'expérience. Eh bien oui ! Après quelques essais infructueux, Arabella et Anita, deux araignées très ordinaires emmenées par un astronaute à bord de *Skylab*, arrivèrent à fabriquer des toiles régulières, aussi belles que celles qu'elles tissaient à terre.

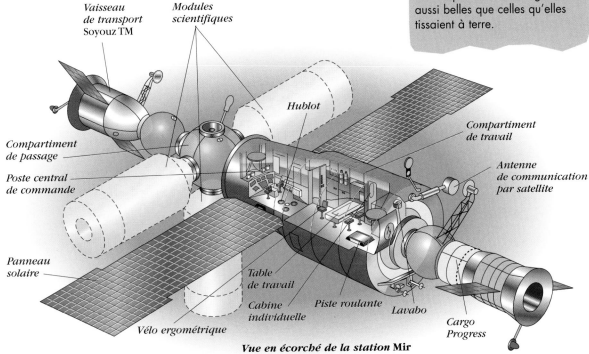

Vaisseau de transport Soyouz TM
Modules scientifiques
Hublot
Compartiment de travail
Compartiment de passage
Antenne de communication par satellite
Poste central de commande
Panneau solaire
Table de travail
Cabine individuelle
Vélo ergométrique
Piste roulante
Lavabo
Cargo Progress

Vue en écorché de la station Mir

En route pour Mars

Du sable rougeâtre, des rochers bruns, quelques nuages jaunes dans un ciel violet, voilà le paysage qui attend les hommes qui poseront le pied sur Mars. Ce voyage n'est pas pour demain. Pour après-demain, alors ?

Imaginons que l'idée fasse son chemin, qu'elle s'impose, que les solutions techniques envisageables soient cernées, que le financement ne pose plus de problèmes… Il resterait encore bien des étapes à franchir.

Préparer une expédition

• En premier lieu, approfondir notre connaissance de Mars et choisir un site d'atterrissage.
• Développer le système de transport et d'exploration : un très gros lanceur assemblé en orbite* terrestre (400 km d'altitude environ), à la manière de la Station spatiale internationale ? Ou alors deux lanceurs plus modestes, l'un portant les "bagages" (provisions, véhicules d'explorations, générateur d'énergie, petite usine chimique pour fabriquer le carburant nécessaire au retour, etc.), l'autre emmenant les passagers ?
• Tester les matériels et procédures sur de longues durées dans des conditions proches de celles qu'ils connaîtront sur Mars. Cela devra sans doute se passer sur la Lune.
• Enfin, choisir et entraîner des équipages : c'est peut-être la question la plus épineuse, même si l'on pense que les candidats ne manqueront pas.

Un voyage interminable…

L'expédition va demander près de 2,5 ans de la vie de ces futurs héros. Le voyage aller dure 9 ou 10 mois car le vaisseau emprunte un chemin qui économise le carburant, l'orbite de Hohmann. Puis, ces nouveaux "Martiens" restent 16 mois sur la planète, non pas que le programme d'exploration l'exige, mais parce qu'il faut retrouver les conditions du voyage économique, qui ne se reproduisent que tous les deux ans.

… et éprouvant

Une telle durée en impesanteur* entamera les ressources physiques des hommes, malgré les exercices, les régimes et les pilules. Or, sitôt sur Mars, il faudra encore prendre des initiatives : agir sur un milieu à la pesanteur* réduite (les quatre dixièmes [4/10] de la pesanteur terrestre), utiliser des matériels qui, même s'ils sont très automatisés, ne pourront pas tout faire, etc. Enfin, il faut compter 6 mois encore dans le vaisseau pour le retour sur Terre.

Moral d'enfer

Serrés à quatre dans une capsule qui ne peut être qu'étroite, puis confrontés, sur le terrain, aux petites et grosses surprises de tous ordres, nos pionniers doivent faire preuve de nombreuses qualités. Leur choix ne peut s'effectuer sur de simples critères physiques. Chaque spationaute* doit être capable de supporter l'ennui, la promiscuité et l'inconfort, présenter des nerfs d'acier, un moral à toute épreuve et accumuler de multiples connaissances techniques…

Solitude face au désert

L'exploration de Mars n'aura pas grand-chose à voir avec les missions Apollo de conquête de la Lune. Abandonner notre satellite n'était qu'une question d'heures. Quitter Mars peut demander des mois. Tout doit être conçu pour une autonomie matérielle totale par rapport à la Terre. Nos aventuriers pourront toujours demander des conseils… s'il n'y a pas d'urgence, car il faut entre 5 et 25 mn pour qu'un message passe d'une planète à l'autre (il faut 1 s entre la Terre et la Lune). Une montagne de difficultés, donc. Pourtant, pouvons-nous douter que l'humanité résistera à l'appel de Mars ?

QUAND IRONS-NOUS SUR MARS ?

Si l'on prenait aujourd'hui la décision d'aller le plus tôt possible vers Mars, il faudrait entre dix et quinze ans pour fabriquer et essayer le matériel. Les essais sur la Lune débuteraient vers 2015 et le premier homme à marcher dans la poussière martienne pourrait arriver vers 2025. Cette échéance (optimiste ?) paraît lointaine, mais elle signifie que le premier Martien est déjà parmi nous et qu'il a à peu près ton âge !

PHOTOGRAPHIER LE CIEL

Déclencheur

Élastique

Avec un simple appareil photo, un peu de patience et de minutie, tu peux te constituer un atlas du ciel sur lequel apparaîtront non seulement toutes les étoiles visibles à l'œil nu, mais aussi des amas, des nébuleuses et même certaines galaxies.

Carré de carton collé au bout du tube

Un tube de carton que tu fabriques en enroulant une feuille de carton léger.

Il te faut :
- Un appareil photographique 24 x 36 muni d'un objectif de 40 à 55 mm de focale (la focale est inscrite sur le bord de la face avant), équipé de bagues de réglage de vitesse et d'ouverture (diaphragme). Le diaphragme sera toujours réglé sur l'ouverture maximale (3,5, 1,8 ou 1,4 suivant l'appareil). La mise au point restera réglée sur l'infini. La bague des vitesses sera réglée sur pose "B".
- Un déclencheur souple dont la vis de blocage servira à réaliser de longues poses de durée variable.
- Une montre dotée d'une trotteuse indiquant les secondes et une lampe d'astronome (voir p. 322).
- Un pied d'appareil photo avec une tête permettant d'orienter l'appareil dans une direction quelconque.
Si tu n'en possèdes pas, fabrique un support comme indiqué ci-dessous et pose-le sur un mur, un bord de fenêtre, un toit d'auto, etc.
- Une pellicule photo : il faut une émulsion rapide de 400 ASA. Les clichés les plus intéressants seront obtenus sur une pellicule pour diapositives plutôt que pour papier couleur.

La prise de vue

Une fois l'appareil orienté dans la direction qui t'intéresse et les réglages effectués, tu n'as plus qu'à t'occuper du temps de pose. Il est impossible de donner ici une valeur précise, car cela dépend du diaphragme de ton appareil et de la luminosité du ciel.
Fais des poses de 5, 10, 15 et 20 s en te guidant sur la trotteuse de ta montre : tu auras des chances d'obtenir une bonne photo sur les quatre.
Note toutes les conditions dans lesquelles tu as opéré pour corriger dans le bon sens lors de la série de photos suivante.
Si tu n'as pas de déclencheur souple, tu peux opérer de la manière suivante.
Fabrique un cache-objectif (comme indiqué sur la figure ci-dessus). Passe un élastique autour de ton appareil au voisinage du bouton de déclenchement.
Au moment de la prise de vue, mets en place le couvre-objectif, déclenche l'obturateur en déplaçant l'élastique pour qu'il appuie sur le déclencheur, puis enlève le couvre-objectif.
Compte le nombre de secondes correspondant au temps de pose choisi, puis remets le couvre-objectif (sans faire bouger l'appareil).
Enfin, retire l'élastique du déclencheur.

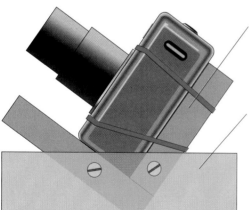

Bâti : 2 morceaux de contreplaqué collés ou vissés en équerre. On immobilise l'appareil contre le bâti avec des élastiques.

Une planchette vissée sur le côté du bâti stabilise celui-ci en lui donnant l'inclinaison voulue.

Tu peux aussi faire du noir et blanc si tu aimes réaliser toi-même des agrandissements.
Pour commencer, une pellicule de 12 vues suffira.

Elle te permettra de juger si tes conditions de prise de vue sont satisfaisantes et de corriger en conséquence à la séance de photos suivante.

Que photographier ?

Commence par le plus simple :
deux ou trois jours après
la nouvelle lune, le croissant
lunaire devient visible dans
les lumières du crépuscule,
parfois accompagné de Vénus
et peut-être même d'une autre
planète brillante.

Après cet entraînement, tu pourras
photographier le ciel étoilé.
Cela ne présente pas de difficulté
particulière, mais il faudra
te souvenir que la Terre tourne :
ton appareil photo et toi aussi.
Si tu poses trop longtemps,
ce mouvement sera visible, et
les étoiles, au lieu d'être des points,
ressembleront à des petits traits

Un croissant de lune avec Vénus (à gauche)

sur les images. Pour éviter cela,
ne pose pas plus de 30 s, toujours
avec une pellicule de 400 ASA.

Mais tu peux vouloir enregistrer
le mouvement apparent des étoiles
autour de l'étoile Polaire pendant
un quart d'heure ou plus.
Ce n'est possible que par une nuit
absolument noire avec un ciel très
pur et en un lieu totalement
dépourvu de lumières parasites.
En dominant peu à peu cette
technique, tu pourras photographier
les constellations de ton choix
et, sur tes images apparaîtront
quelques amas d'étoiles,
les nébuleuses du Sagittaire
et d'Orion, et même la galaxie
d'Andromède, située à près
de 3 millions d'années-lumière*.
Tu pourras également, en
photographiant une planète
à quelques semaines d'intervalle,
mettre en évidence son mouvement
par rapport au ciel étoilé.

Exploiter

À partir des diapositives, fais tirer
des photos au format de ton
choix. Tu peux bien sûr projeter
les diapositives si tu possèdes
ou empruntes un projecteur.
Par projection sur une grande
feuille de papier, reporte les astres
photographiés : tiens compte de
leur éclat en les représentant par
des points plus ou moins gros.
Dessine également les constellations
et écris leur nom. Ainsi, tu pourras
construire ta propre carte du ciel
et fixer cette affiche originale
où il te plaira.

Un ciel étoilé photographié avec un temps de pose de plusieurs heures

Lexique

Acide
Un acide est une espèce chimique capable de fournir des ions hydrogène H+ à une autre espèce chimique capable de les accepter et que l'on appelle "base". Toute solution aqueuse* contient des ions H+ et la valeur de son "pH" renseigne sur leur concentration. La solution est acide si le pH est inférieur à 7, neutre si le pH est égal à 7, basique (ou alcaline) s'il est supérieur à 7.

Adsorption
Fixation de molécules à la surface d'un solide sans qu'il n'y ait de réaction chimique.

Année-lumière
Unité de longueur. Distance parcourue par la lumière en un an, soit environ 9 461 milliards de kilomètres.

Antiseptique
Qui détruit les germes pathogènes* ou s'oppose à leur prolifération.

Antistatique
Qui réduit ou annule l'électricité statique, accumulation de charges électriques.

Apogée (moteur d')
Pour atteindre son orbite* de travail, le satellite est placé par le lanceur sur une "orbite de transfert" en forme d'ellipse* extrêmement allongée, dont l'apogée (le point le plus éloigné de la Terre) se trouve à 36 000 km. Lorsque le satellite atteint ce point, le moteur d'apogée s'allume et l'"injecte" sur l'orbite géostationnaire circulaire.

Aqueux, aqueuse
Qui contient de l'eau.

Basique
Voir "Acide".

Capillarité
Phénomène d'ascension des liquides dans les conduits fins : tubes ou passages étroits de forme quelconque dans un solide (par exemple, les fibres d'un tissu).

Céramique
Matériau obtenu par chauffage d'une pâte constituée d'une poudre de matière minérale et d'un liant (de l'eau, par exemple).

Champ magnétique
Voir "Magnétique".

Concave
De forme creuse (exemple : l'intérieur d'une cuillère ou d'une demi-sphère).

Converger
Se diriger vers le même point.

Convexe
De forme bombée (exemple : l'extérieur d'une cuillère ou d'une demi-sphère).

Cosmos
L'espace extraterrestre. Plus largement, cosmos est synonyme d'univers.

Cristal
Dans un cristal solide, les constituants (atomes ou molécules) sont organisés de manière parfaitement régulière. Lorsque l'on range des billes identiques sur un plateau, sans laisser d'espace, on crée une structure cristalline à deux dimensions. En les rangeant de la même manière en plusieurs couches dans une boîte, on crée une structure cristalline à trois dimensions. Le mode de rangement des constituants des cristaux naturels ou de synthèse dépend de leur nature chimique et de leur encombrement.

Décalcification
Chute de la quantité de calcium dans un organisme.

Distillation
Séparation des constituants d'un mélange liquide par une évaporation suivie d'une condensation. On joue sur le fait que les constituants présentent des températures différentes de "changement de phase" (passage de l'état liquide à l'état gazeux, et inversement). Par exemple, lorsque l'on chauffe un mélange eau + alcool, les molécules d'alcool s'évaporent les premières. On les condense et on les recueille à l'état liquide en faisant passer les vapeurs sur une paroi froide.

Électrolyse
Décomposition d'une espèce chimique sous l'effet d'un courant électrique.

Électromagnétiques (ondes)
Ondes de même nature que la lumière. Elles se propagent toutes dans le vide à la vitesse de la lumière. On leur donne des noms différents suivant la longueur d'onde qui les caractérise.
On distingue ainsi :
– les rayons gamma, puis les rayons X (en deçà du milliardième de mètre) ;
– l'ultraviolet (du milliardième au millionième de mètre) ;
– le visible (de 0,4 à 0,8 millionième de mètre) ;
– l'infrarouge (du millionième de mètre au millimètre) ;
– les micro-ondes (du millimètre au mètre) ;
– les ondes radio (au-delà du mètre).

Électron
Particule constitutive de l'atome, portant une charge électrique négative élémentaire.

Ellipse
Courbe fermée définie comme étant, dans un plan, le lieu de points dont la somme des distances à deux points fixes (appelés "foyers") est constante. Pour tracer une ellipse, tu plantes deux punaises A et B dans un plateau : ce sont les foyers. Tu attaches un fil plus long que la distance AB aux punaises, et tu le tends avec la pointe M d'un crayon. Puis tu déplaces celui-ci en maintenant le fil bien tendu. La somme des distances AM + MB reste constante et tu obtiens une ellipse plus ou moins allongée suivant les distances AB que tu as choisies.

Elliptique
Qui a la forme d'une ellipse.

Émulsion
Dispersion, sous forme de gouttelettes, d'un liquide dans un autre avec lequel il ne peut se mélanger.

Fossile
Débris d'être vivant, végétal ou animal, lentement minéralisé, que l'on trouve dans des roches antérieures à l'actuelle période géologique.

Gestation
Chez les mammifères, état des femelles portant leurs petits, de la fécondation jusqu'à la naissance.

Gravité (centre de)

Dans l'étude des mouvements d'un corps pesant non déformable, on peut faire comme s'il était remplacé par un simple point dont la masse serait celle du corps. L'emplacement de ce point, le "centre de gravité", est rigoureusement défini par la forme du corps et la répartition des masses de ses éléments. Toute déformation entraîne son déplacement.

Gravité

Deux objets matériels exercent l'un sur l'autre une force d'attraction proportionnelle à leur masse et qui décroît comme le carré de leur distance : c'est la force de "gravitation universelle", énoncée par Newton vers 1670. Elle s'exerce aussi bien entre deux molécules de gaz, une molécule de gaz et l'ensemble du Soleil, la Lune et la Terre, etc.
On emploie souvent le terme de "gravité" pour désigner l'attraction qui s'exerce entre un astre et un corps quelconque.

Grisou

Nom commun donné au méthane, gaz inflammable libéré par la houille. L'exploitation d'une mine peut ouvrir une poche de gaz. Une flamme risque alors de provoquer une explosion appelée "coup de grisou".

Hectopascal

Unité de pression multiple du pascal (Pa) qui vaut 100 Pa. La pression atmosphérique normale est de 1 013 hectopascals (htPa).

Impesanteur

Absence apparente de pesanteur, synonyme d'apesanteur. Un corps lancé dans l'espace à une certaine vitesse se déplacerait en ligne droite par rapport aux étoiles s'il ne subissait pas l'attraction gravitationnelle de la Terre. Celle-ci lui impose une orbite elliptique plus ou moins prononcée suivant sa vitesse : il "tombe" en permanence en direction du centre du globe. S'il s'agit d'un vaisseau spatial, tous les objets qui le composent, toutes les parties du corps de ses occupants, sont dans la même situation. La pesanteur n'est pas supprimée, mais elle n'est plus perceptible. Il n'y a plus, par exemple, cette force de réaction du sol qui donne la sensation de pesanteur aux hommes restés sur la planète.

Infrarouge

Voir "Électromagnétiques (ondes)".

Intensité

Quantité d'électricité qui traverse, chaque seconde, un conducteur électrique.

Intersidéral

Qui se rapporte à ce qui se trouve entre les étoiles.

Joystick

Manette utilisée dans les jeux vidéo pour commander le déplacement d'un repère sur l'écran dans les deux directions de l'espace. Elle est accompagnée de boutons de commande déclenchant divers effets.

Magnétique

Qui présente les propriétés d'un aimant. Le champ magnétique autour d'un aimant exerce des forces sur les matériaux dits "magnétiques" (il peut, par exemple, orienter l'aiguille d'une boussole) et sur les particules électrisées en mouvement (il peut ainsi dévier un faisceau d'électrons).

Métabolisme

Dans la matière vivante, ensemble des réactions chimiques par lesquelles des substances s'élaborent ou se détruisent.

Micro-organisme

Organisme vivant microscopique.

Moteur d'apogée

Voir "Apogée (moteur d')".

Nucléaire (réaction)

Réaction au cours de laquelle des noyaux atomiques sont modifiés par fission ("brisure") ou fusion ("soudure").

Nutriment

Substance nutritive utilisable directement par l'organisme sans qu'elle passe par le système digestif.

Olfactive

Relative au sens de l'odorat.

Ondes radio

Voir "Électromagnétiques (ondes)".

Orbite

Trajectoire suivie par un objet autour d'un autre sous l'effet de la gravitation : un satellite artificiel autour de la Terre, un satellite naturel autour d'une planète, une étoile autour d'une autre étoile…
Les satellites artificiels sont placés autour de la Terre sur différents types d'orbites suivant leur mission.
Par exemple :
– orbite géostationnaire : sur cette orbite circulaire située dans le plan de l'équateur terrestre, le satellite, à 36 000 km d'altitude, reste à la verticale du même point de la Terre (satellite météorologique, satellite de télécommunication) ;
– orbite semi-polaire : orbite circulaire située dans un plan proche d'un plan méridien et se décalant à chaque révolution (satellite d'observation de la Terre) ;
– orbite à défilement : orbite inclinée sur le plan équatorial d'un angle permettant l'observation de régions particulières (satellites d'observation, en particulier militaires).

Organoleptique

Qui peut impressionner un récepteur sensoriel (cellules réceptrices de la langue ou du nez, terminaisons nerveuses à l'intérieur de la peau…).

Oxygénation

Fixation d'oxygène sur une espèce chimique.

Pasteurisation

Opération préconisée par le biologiste français Louis Pasteur (1822-1895), destinée à détruire une grande part des germes pathogènes* que l'on peut trouver dans le vin, le lait, la bière. Le liquide est chauffé à une température inférieure à l'ébullition (en pratique entre 60 et 75 °C) et brusquement refroidi.

Pathogène

Susceptible d'engendrer une maladie.

Pesanteur

La pesanteur est la force d'attraction s'exerçant sur un objet matériel à la surface d'un astre (Terre, Mars, Lune, etc.). Elle est égale à la gravité* corrigée de la force centrifuge due à la rotation de l'astre. Il en résulte, par exemple, que si on lâche un objet de masse m au voisinage de la Terre, il tombe, attiré par le centre du globe, en un mouvement accéléré. Si g est l'accélération, le poids (ou force de pesanteur) est le produit $P = mg$. L'accélération g est plus faible sur la Lune que sur la Terre :

la masse de la Lune, et donc l'attraction qu'elle exerce sont inférieures à celles de la Terre.

Planétologue
Spécialiste scientifique des corps du système solaire et en particulier des planètes. Le planétologue étudie la nature de ces corps : physique, chimie, géologie, atmosphère…

Polder
Terre récupérée sur une zone maritime. La zone est entourée de digues, des canaux permettent de la drainer et l'eau est pompée pour être rejetée à la mer.

Polymère
Composé résultant de la réunion d'un certain nombre de molécules d'une même espèce chimique, appelée "monomère", en une molécule unique.

Primitive (atmosphère)
Atmosphère qui entourait les planètes telluriques aussitôt après leur formation. Au cours des temps, et pour diverses raisons, cette atmosphère a changé de composition pour céder la place à une atmosphère dite secondaire. Les atmosphères secondaires sont différentes d'une planète à l'autre.

Proton
L'un des constituants du noyau de l'atome. Il porte une charge positive élémentaire.

Radiations
Ensemble de particules (électrons, protons, noyaux atomiques) et d'ondes électromagnétiques* émises par de multiples sources dans l'univers.

Rayon gamma
Voir "Électromagnétiques (ondes)".

Rayons X
Voir "Électromagnétiques (ondes)".

Réaction nucléaire
Voir "Nucléaire (réaction)".

Salle blanche
Salle dont la température, le degré d'humidité et la propreté sont strictement définis et contrôlés. Les personnes et les matériels autorisés à y pénétrer obéissent également à des normes strictes.

Sapide
Qui a de la saveur (impression produite sur les organes du goût).

Sébum
Substance grasse sécrétée par la peau, qui la protège et l'assouplit.

Semi-précieuse (pierre)
En joaillerie, on distingue les pierres précieuses (diamant, émeraude, rubis et saphir) et les pierres fines ou semi-précieuses (topaze, grenat, béryl, turquoise…). En France, ces appellations sont réglementées par la loi.

Sismique (onde)
Déformation de la croûte terrestre se propageant à la suite d'un tremblement de Terre.

Soluble
Qui peut se dissoudre dans un solvant. Après dissolution complète d'un solide dans un solvant liquide, il ne reste plus qu'un liquide.

Sonde spatiale
Véhicule spatial non habité que l'on utilise pour recueillir des mesures et des images lors de voyages dans le système solaire.

Spationaute
Nom officiel donné en France aux hommes et femmes effectuant un séjour dans l'espace. Synonyme d'astronaute (terme américain) et de cosmonaute (terme russe).

Substrat
Matériau servant de support à une culture. Ce mot est employé surtout pour désigner des supports autres que la terre, capables de retenir l'eau et les différents apports chimiques indispensables sans réagir avec eux.

Symbiose
Association d'organismes d'espèces différentes qui ne peuvent vivre l'un sans l'autre, et qui est donc profitable à chacun d'eux.

Transfert (orbite de)
Voir "Apogée (moteur d')".

Translation
Déplacement suivant un chemin rectiligne.

Ultraviolet
Voir "Électromagnétiques (ondes)".

Vérin
Appareil destiné à soutenir une charge, à la soulever, à comprimer un matériau, etc.

Vestibulaire (système)
Situé dans l'oreille interne, il est composé de plusieurs parties, en particulier de deux petites "poches" (l'utricule et le saccule) contenant de minuscules cristaux solides, les otolithes. Ceux-ci se déplacent du fait de leur poids lorsque nous inclinons la tête, comme des graviers dans une boîte, pour venir reposer sur des cellules nerveuses. Celles-ci envoient alors au cerveau un signal l'informant au sujet de l'inclinaison de notre tête. L'ensemble joue le rôle d'un fil à plomb.

Index

Crédit photographique

Couverture

1re de couverture :
Grande photo : R.-H. Wetmore / FOTOGRAM-STONE IMAGES.
Titraille (de g à d) : P. Poulides / FOTOGRAM-STONE IMAGES ; Matheisl / PIX ; D. Armand / FOTOGRAM-STONE IMAGES ; Neunhoffer / PIX ; B. C. Moller / PIX ; W. Bolster / FOTOGRAM-STONE IMAGES ; Waldecker / PIX.

Dos :
Titraille : voir ci-dessus.
D. Klein / VANDYSTADT.

4e de couverture :
Titraille : voir ci-dessus.
hg : B. Machet / HOA-QUI ; bg : C. Valentin / HOA-QUI ; hd : ESA ; md : D. Klein / VANDYSTADT ; bd : NASA / SPL / COSMOS.

Sommaire

p. 4 hg : Hulton Getty / FOTOGRAM-STONE IMAGES ; bg : C. Valentin / HOA-QUI ; mm : G. Vandystadt / VANDYSTADT ; hd : Benelux Press / HOA-QUI ; bd : E. Lessing / MAGNUM. p. 5 mg : S. Stammers / SPL / COSMOS ; hm : TH.J. Peterson / FOTOGRAM-STONE IMAGES ; bm : C. Everard / FOTOGRAM-STONE IMAGES ; md : M. Lamoureux / CSI. p. 6 hg : V.C.L. / PIX ; mg : Perouse / HOA-QUI ; bm : D. Klein / VANDYSTADT ; md : musée de la Marine. p. 7 hg : Woude / SUNSET ; bg : Holt Studios / SUNSET ; mm : NASA / CIEL et ESPACE ; hd : NASA / SPL / COSMOS ; bd : ROGER-VIOLLET.

Bon Appétit !

p. 10-11 : S. Werner / FOTOGRAM-STONE IMAGES. p. 12 hd : Hulton Getty / FOTOGRAM-STONE IMAGES ; mm : P. Hussenot / Agence TOP. p. 13 : L. Dutton / FOTOGRAM-STONE IMAGES. p. 14 hd : Pinto / ZEFA / HOA-QUI ; bg : Hackenberg / ZEFA / HOA-QUI. p. 15 hg : Weisbecker / P & C / HOA-QUI ; md : X. Zimbardo / HOA-QUI. p. 16 hg : Darque / JERRICAN ; mm : R. Burri / MAGNUM ; md : P. Hussenot / Agence TOP. p. 17 hm : P. Hussenot / Agence TOP ; mm : M. Barberousse / Agence TOP ; bm : P. Hussenot / Agence TOP. p. 18 hg : A. Brusaferri / Agence TOP bg : D. Miller / FOTOGRAM-STONE IMAGES ; md : Darque / JERRICAN. p. 19 : P. Hussenot / Agence TOP. p. 20 hd : Gaillard / JERRICAN ; bg : Hanoteau / JERRICAN ; md : J. Thomas / JERRICAN. p. 21 : C. Valentin / HOA-QUI. p. 22 hd : E. Valentin / HOA-QUI ; md : C. Everard / FOTOGRAM-STONE IMAGES. p. 23 hd : P. Jacob / Agence TOP ; bg : D. Czap / Agence TOP. p. 24 : Treal / Ruiz / HOA-QUI. p. 25 hd : H. Silvester / RAPHO ; bg : D. Derambur / HOA-QUI. p. 26 hd : Liaison Int. / HOA-QUI ; bg : J. Wyand / FOTOGRAM-STONE IMAGES ; md : Martin / JERRICAN. p. 27 hg : Treal / Ruiz / HOA-QUI ; mm : Manaud / Icone / HOA-QUI. p. 28 hd : Woude / SUNSET ; bg : Delfino / SUNSET ; mm : M. Ascani / HOA-QUI. p. 29 : Ph. Bourseiller / HOA-QUI. p. 30 hd : C. Valentin / HOA-QUI ; md : C. Vaisse / HOA-QUI ; bm : Lerosey / JERRICAN. p. 30-31 : B. Dupont / SUNSET. p. 31 : Rocher / JERRICAN. p. 32 hd : Fotostock / SUNSET ; md : Jolyot / SUNSET ; bg : Ph. Roy / HOA-QUI. p. 33 : Photobank / SUNSET. p. 34 : K. Su / FOTOGRAM-STONE IMAGES. p. 35 : Megapress / HOA-QUI. p. 36 hg : M. Ascani / HOA-QUI ; bg : Favre-Félix / JERRICAN ; md : Valls / JERRICAN ; bd : Lerosey / JERRICAN. p. 37 bd : Berenguier / JERRICAN ; mm : Favre-Félix / JERRICAN ; bd : C. Valentin / HOA-QUI. p. 38 hd : M. Lamoureux / CSI ; bg : Gile / RAPHO. p. 39 mm : C. Raush / RAPHO ; hm : S.T.F. / SUNSET ; bd : Ch. Pick / RAPHO. p. 40 hd : Gaillard / JERRICAN ; bg : Ch. Fleurent / Agence TOP. p. 41 hg : P. Box / RAPHO ; bd : Michel Viard / CSI. p. 42 hd : R. Kalvar / MAGNUM. p. 42-43 : CSI / X Dr.

Le corps en action

p. 44-45 : A. Thornton / FOTOGRAM-STONE IMAGES. p. 46 : L. Enkelis / Editorial Concepts / COSMOS. p. 48 hd : J.T. Turner / FPG / PIX ; b : P. Blois / Revue E.P.S. p. 49 bd : H. Raguet / EURELIOS. p. 50 h : R. Lynn / FOTOGRAM-STONE IMAGES. p. 51 hd : H. Hommel / HOMMEL AVS 1990 / Revue New Studies in Athletics / Dr ; bg : D.J. Sams / FOTOGRAM-STONE IMAGES ; bd : L.A. Peek / FOTOGRAM-STONE IMAGES. p. 52 bg : B. Machet / HOA-QUI. p. 54 : R. Martin / VANDYSTADT. p. 56 : G. Vandystadt / VANDYSTADT. p. 58 : R. Martin / VANDYSTADT. p. 59 : D. Iundt et F. Seguin / TEMPSPORT. p. 60 bg : G. Vandystadt / VANDYSTADT. p. 61 bd : G. Mortimore / VANDYSTADT. p. 62 : B. Osborne / FOTOGRAM-STONE IMAGES. p. 63 hd : Ph. Plailly / EURELIOS ; mm : M. Lamoureux / CSI. p. 64 : Benelux Press / HOA-QUI. p. 65 : R. Martin / VANDYSTADT. p. 66 hg : Benelux Press / HOA-QUI ; bd : M. Powell / Allsport / VANDYSTADT. p. 67 : C. Petit / Allsport / VANDYSTADT. p. 68 h : Boulanger / VANDYSTADT ; bg : Lerosey / JERRICAN. p. 69 hg : G. Cranham's / RAPHO ; bg : M. Lamoureux / CSI ; mm : Gaillard / JERRICAN. p. 70 : Popperfoto / COSMOS. p. 72 hg : L.A. Peek / FOTOGRAM-STONE IMAGES ; bd : Perlstein / JERRICAN ; mm : idem ; md : Ph. Plailly / EURELIOS. p. 73 hg : S. Bruty / VANDYSTADT ; bm : F. Nebinger / VANDYSTADT. p. 74 hg : Liaison Int. / HOA-QUI ; bg : G. Kirk / FOTOGRAM-STONE IMAGES ; md : K. Weatherly / FOTOGRAM-STONE IMAGES. p. 75 hg : R. Martin / VANDYSTADT ; bd : Ph. Plailly / EURELIOS. p. 76 hg : GJLP / CNRI ; bg : Ducloux / BSIP. p. 77 hg : GJLP / CNRI ; bg : idem ; bd : Ducloux / BSIP.

Temps et rythmes

p. 78-79 : R. Estakhian / FOTOGRAM-STONE IMAGES. p. 80 hd : BN / J.-L. CHARMET ; bg : J. Azel / AURORA / COSMOS. p. 81 mg : J.-E. Pasquier / RAPHO ; hm : E. Lessing / MAGNUM. p. 82 bg : ROGER-VIOLLET ; mm : E. Lessing / MAGNUM ; md : coll. J.-C. Sabrier / Dr. p. 83 hg : J.-L. CHARMET ; bg : SWATCH / Dr ; hm : coll. J.-C. Sabrier / Dr md : M. Viard / JACANA. p. 84 : E. Valentin / HOA-QUI. p. 88 hg : Grahame / HOA-QUI ;

bd : Ph. Body / HOA-QUI. p. 89 hg : ROGER-VIOLLET ;
bd : Favre-Félix / JERRICAN. p. 90 hd : Doug / Armand /
FOTOGRAM-STONE IMAGES ; mm : GIRAUDON ; bg :
LAUROS-GIRAUDON. p. 91 mg : E. Lessing / MAGNUM ;
hd : idem ; bm : coll. particulière / X. Dr. p. 92 hd :
H. Cartier-Bresson / MAGNUM ; bd : S. Grandaham /
HOA-QUI. p. 93 : D. Noirot / HOA-QUI. p. 94 hd :
Abbas / MAGNUM ; bg : D. Huot / HOA-QUI ; md :
PHR / JACANA. p. 95 hm : S. Cordier / JACANA ; bg :
C. Nardin / JACANA ; md : Lerosey / JERRICAN. p. 98
hg : Krafft / I & V / HOA-QUI ; bg : F. Gohier / HOA-
QUI ; md : IFREMER. p. 99 hg : J.-P. Champroux /
JACANA ; bg : D. Parker / SPL COSMOS ; hd : S. Stammers/
SPL / COSMOS. p. 100 hg : A. Felix / HOA-QUI ; bg : Ph.
Plailly / EURELIOS ; bd : G. Bosio / HOA-QUI. p. 101
hg : C. Pouedras / EURELIOS ; mm : idem. p. 102 hd : R.
Shock / FOTOGRAM-STONE IMAGES ; mg : P. Sisul /
FOTOGRAM-STONE IMAGES ; bd : Gable / JERRICAN.
p. 103 hg : V. Clement / JERRICAN ; bd : idem. p. 104
hg : D. Derambur / HOA-QUI ; bd : coll. D. Pasquier ;
md : LAPI-VIOLLET. p. 105 hg : Popperfoto / COSMOS ;
bg : ROGER-VIOLLET ; hd : BOYER-VIOLLET ; mm :
ROGER-VIOLLET. p. 106 : AAO / D. Malin / CIEL et
ESPACE.

Inventions de la matière
p. 108-109 : J.-C. Meauxsoone / PIX ; p. 110 :
M. Yamashita / RAPHO ; p. 111 bg : ZEFA-Schneiders /
HOA-QUI ; mm : E. Ferorelli / COSMOS ; hd : Lerosey /
JERRICAN ; T. Braise / FOTOGRAM-STONE IMAGES.
p. 112 : GIRAUDON / Musée de l'Annonciade, Saint-
Tropez / ©ADAGP, Paris 1999. p. 113 : G. Buthaud /
COSMOS. p. 114 hd : A. Abramowitz / FOTOGRAM-
STONE IMAGES bm : D. Hiser / FOTOGRAM-STONE
IMAGES. p. 115 mg : Hulton Getty / FOTOGRAM-
STONE IMAGES ; bd : C. Everard / FOTOGRAM-STONE
IMAGES. p. 116 hg : R. Weller / FOTOGRAM-STONE
IMAGES ; md : P. Reinbold / HOA-QUI ; bm : Y. Gellie /
Icone / HOA-QUI. p. 117 mg : M. Freemann / Editorial
Concepts / COSMOS ; bd : M. Lamoureux / CSI. p. 118 :
X. Richer / HOA-QUI. p. 119 m g : B. Machet / HOA-
QUI ; bd : Martel / Icone / HOA-QUI. p. 120 h :
Popperfoto / COSMOS ; bd : Mountain Stock SUNSET.
p. 121 : P. Royer / HOA-QUI. p. 122 hg : Picturesque /
SUNSET ; bg : A. Patrice / VANDYSTADT ; md : Japack /
SUNSET. p. 123 hg : Weststock / SUNSET ; mg :
G. Mortimore / Allsport USA / VANDYSTADT ; hd :
R. Martin / VANDYSTADT ; mm : Japack / SUNSET.
p. 124 hg : ZEFA-Madison / HOA-QUI ; bd : V. Storman /
FOTOGRAM-STONE IMAGES. p. 125 hg : Ch. Petit /
VANDYSTADT ; md : M. Hans / VANDYSTADT. p. 126
hd : G. Adams / FOTOGRAM-STONE IMAGES ; md :
Benelux Press / HOA-QUI ; bg : idem. p. 127 mg :
Hanoteau / JERRICAN ; bm : S. Kempinaire /
VANDYSTADT. p. 128 hd : F. Herholdt / FOTOGRAM-
STONE IMAGES ; bg : C. Ehlers / FOTOGRAM-STONE
IMAGES ; md : B. Wojtek / HOA-QUI. p. 129 hg :
P. Mckelvey / FOTOGRAM-STONE IMAGES ; bg :
L. Gullachsen / FOTOGRAM-STONE IMAGES ; mm :
Reimbold / HOA-QUI ; md : G. Boutin / HOA-QUI.
p. 130 : Blow Up / PIX. p. 131 mh : coll. KHARBINE-
TAPABOR ; bg : E. Raz / HOA-QUI. p. 132 hd : C. Munoz-
Yagüe / EURELIOS ; mb : S. Murphree / FOTOGRAM-

STONE IMAGES ; mm : R. Litchfield / SPL / COSMOS ;
md : SPL / COSMOS. p. 133 mg : M. Denis-Huot / HOA-
QUI ; hd : Treal-Ruiz / HOA-QUI ; md : I.T.F. /
EURELIOS. p. 134 hg : P. Chesley / FOTOGRAM-STONE
IMAGES ; md : M. Renaudeau / HOA-QUI. p. 135 bg :
X. Richer / HOA-QUI ; hg : B. Simon / SUNSET. p. 137 :
B. Hagene. p. 138 : A. Roberts / FOTOGRAM-STONE
IMAGES. p. 138-139 : C Windsor / FOTOGRAM-STONE
IMAGES. p. 139 : R. Cowan / FOTOGRAM-STONE
IMAGES. p. 140 : M. Lamoureux / CSI. p. 141 bd :
Bavaria / PIX ; md : M. Lamoureux / CSI ; bd : B. Forster
/ FOTOGRAM-STONE IMAGES. p. 142 hm : Th. J.
Peterson / FOTOGRAM-STONE IMAGES ; bd : M.
Lamoureux / Cebal / CSI. p. 143 hg : B. Decoux / REA ;
bg : Hestoft / SABA-REA ; mm : B. Decoux / REA ;
hd : idem. p. 144-145 : M. Lamoureux / CSI. p. 146 hg :
C. Davidson / Editorial Concepts / COSMOS ; mg :
E. Raz / HOA-QUI ; md : J.-L. Roger / SUNSET ; bd :
J. Fernandez / Woodfin Camp / COSMOS. p. 147 : Labat
/ JERRICAN. p. 148 hd : Bertinetti / RAPHO ; md :
Ph. Roy / HOA-QUI ; bg : R. Hutchings / Katz /
COSMOS. p. 149 md : J. Holmes / SPL / COSMOS ; bd :
idem.

Confort moderne
p. 150-151 : K. Su / FOTOGRAM-STONE IMAGES.
p. 152 : G. Vandystadt / VANDYSTADT. p. 153 hg :
F. Le Diascorn / RAPHO ; mm : A. Delcourt / RAPHO.
p. 154 : P. Edmonson / FOTOGRAM-STONE IMAGES.
p. 156 : Ph. Bourseiller / HOA-QUI. p. 157 : Benelux
Press / HOA-QUI. p. 158 hg : De Wilde / HOA-QUI ; bd :
F. Perri / COSMOS. p. 160 : G. Uferas / RAPHO. p. 161 :
L.A. Peek / FOTOGRAM-STONE IMAGES. p. 162-163 :
Tim Carroll / SCIENCE et VIE JUNIOR / LEVI'S®. p. 164
hd : R. Kalvar / MAGNUM ; bg : P. Puard / SUNSET.
p. 166 : J. Harrington / FOTOGRAM-STONE IMAGES.
p. 167 hg : O. Franken / FOTOGRAM-STONE IMAGES ;
hd : M. Renaudeau / HOA-QUI ; md : Gaillard /
JERRICAN. p. 168 bg : J. Polillio / ZEFA / HOA-QUI ;
md : E. Bernager / HOA-QUI. p. 169 hg : Wartenberg /
ZEFA / HOA-QUI ; bd : G. Guittard / HOA-QUI. p. 170 :
E. Valentin / HOA-QUI. p. 171 hg : E. Valentin / HOA-
QUI ; mm : Weiss-Sanofi / JERRICAN ; bg : P. Dumas /
EURELIOS. p. 172 mg : ROGER-VIOLLET ; hd : ND-
VIOLLET ; mb : M. Lamoureux / CSI. p. 173 hg : BOYER-
VIOLLET ; bg : M. Lamoureux / CSI ; mm : idem ; md :
A. Marsland / FOTOGRAM -STONE IMAGES. p. 174 hg :
Bavaria / PIX ; bg : V. Clement / JERRICAN. p. 175 hg :
D. Scharf / SPL / COSMOS ; bd : Ph. Gontier /
EURELIOS. p. 176 hd : J. Greypink / FOTOGRAM-
STONE IMAGES. p. 176-177 : M. Lamoureux / CSI.

Entre nous
p. 180-181 : P. Borges / FOTOGRAM-STONE IMAGES.
p. 182 hd : R. Kalvar / MAGNUM ; mm : Gorgoni /
COSMOS ; bd : Mega / ZEFA / HOA-QUI. p. 183 hg :
P. Moulu / SUNSET ; b : dessins d'après "La Langue des
signes" (tome 1), édition 1998 - "avec l'aimable
autorisation d'ITV-Éditions". p. 184 hd : Ph. Body /
HOA-QUI ; dessins X. Dr. p. 185 hg : schèma X. Dr ; mg :
Raymond Savignac (Vite ASPRO, 1963) / Bibliothèque
FORNEY - Ville de Paris ; b : André Daix "Les Aventures
du Professeur Nimbus", 1934-1940, Éditions

FUTUROPOLIS-Dr. p. 186 : R. Krisel / FOTOGRAM-STONE IMAGES. p. 187 : B. Plotkin / FOTOGRAM-STONE IMAGES. p. 188 : calligraphies de Sébastien Blain ; mg : X. Richer / HOA-QUI ; hd : tombe de Nefertari-Thebes / GIRAUDON ; md : A. Wright / HOA-QUI. p. 189 mm : L. Sarfati / MAGNUM ; bd : musée Condé-Chantilly / GIRAUDON. p. 190 mg : P. Poncelet / HOA-QUI ; hd : Fournier / RAPHO ; mb : E. Lessing / MAGNUM ; md : N. Devore / FOTOGRAM-STONE IMAGES. p. 191 hg : E. Lessing / MAGNUM ; mg : musée de Condé-Chantilly / GIRAUDON ; md : S. Johnson / FOTOGRAM-STONE IMAGES ; bd : Gaillard / JERRICAN. p. 192 hd : Perousse / NF / HOA-QUI ; mg : A. Crozon / coll. F. Soufflet ; bd : M. Tulane / RAPHO. p. 193 hg : Somatino / JERRICAN ; bg : Lescour / JERRICAN ; hd : coll. D. Pasquier / Dr. p. 194 : C. Farhi / HOA-QUI. p. 194-195 : © Michelin - d'après carte n° 80-28ᵉ édition 98 / 99 - autorisation n° 9 902 083. p. 195 : extrait de la carte du SHOM n° 6 522 - autorisation de reproduction n° 416 / 99 - ne pas utiliser pour la navigation. p. 196 : MITOCK Publishers, Inc. / Los Angeles / Dr. p. 197 mm : STUCM, 1990 / Montréal / Dr ; bd : Mary Evans Picture / EXPLORER. p. 198 hg : Hulton Getty / FOTOGRAM-STONE IMAGES mm : musée de la Poste / J.-L. CHARMET. p. 199 : Bramaz / JERRICAN. p. 200 g : K. Kent / SPL / COSMOS ; mm : Gibault / JERRICAN. p. 201 hg : D. Roberts / SPL / COSMOS ; hd : Agema Infrared Systems / SPL / COSMOS ; mg : M. Dohrn / SPL / COSMOS. p. 202 hd : W. Krutein / Liaison Int. / HOA-QUI ; bg : Mcintyre / Photo Researchers / COSMOS. p. 203 mg : S. Horrel / SPL / COSMOS ; hm : M. Lamoureux / CSI ; md : G. Tompkinson / SPL / COSMOS ; bd : Putz / ZEFA / HOA-QUI. p. 204 hg : G. Brighting / PIX ; bd : D. Parker / SPL / COSMOS. p. 205 : J. Hanssens / Globale Picture / HOA-QUI. p. 206-207 : V. Winckler / RAPHO - "avec l'aimable autorisation du journal Le Monde". p. 208 : L. Kourcia / RAPHO. p. 209 hg : M. Baret / RAPHO ; bm : C. Steiner / J. B. Pictures / COSMOS. p. 210 hd : V.C.L. / PIX ; mg : S. Friess / EDITING Diffusion. p. 210-211 : Spichtinger / ZEFA / HOA-QUI. p. 212-213 : M. Lamoureux, "avec l'aimable autorisation de La Géode" / CSI. p. 214 : ROGER-VIOLLET. p. 215 : coll. VIOLLET. p. 216-217 : Matthieu Hagene.

Le souffle et le flot
p. 218-219 : C. Sanders / FOTOGRAM-STONE IMAGES. p. 220 : Ph. Roy / HOA-QUI. p. 221 hg : Benelux / PIX ; bg : NASA / SPL / COSMOS. p. 222 hd : R. Van Der Hilst / FOTOGRAM-STONE IMAGES ; mg : P. Chesley / FOTOGRAM-STONE IMAGES. p. 224 hg : D. Klein / VANDYSTADT ; md : J.-P. Lenfant / VANDYSTADT ; bd : ZEFA / HOA-QUI. p. 225 hg : D. Klein / VANDYSTADT ; hd : M. Renaudeau / HOA-QUI. p. 226-229 : plans de M. Bernard / ECAV Communication. p. 230 : ONERA. p. 231 hg : ONERA ; mg : C. Borlenghi / SEA and SEE ; bg : Ph. Plailly / EURELIOS ; hd : Mercedes Benz ; bd : B. Bade / VANDYSTADT. p. 232 hg : S. Rands / FOTOGRAM-STONE IMAGES ; bd : Ph. Gontier / EURELIOS. p. 233 : Delhay / JERRICAN. p. 234 g : Krafft / I & V / HOA-QUI ; md : P. Arkell Impact / COSMOS. p. 235 : T. Latham / FOTOGRAM-STONE IMAGES. p. 236 hd : V. Streano / FOTOGRAM-STONE IMAGES ; mm :

Metcalfe / Thatcher / FOTOGRAM-STONE IMAGES ; bd : J. Mead / SPL / COSMOS. p. 238 hg : R. Harrison Koty / FOTOGRAM-STONE IMAGES ; hd : S.E.P. p. 239 : NASA. p. 240 : Sh. Beougher / Liaison Int. / HOA-QUI. p. 241 bd : B. Frakes / Matrix / COSMOS ; md : NASA Woodfin Camp / COSMOS. p.242 hd : C. Boisvieux / HOA-QUI ; bg : S.T.F. / SUNSET ; bd : J. Azel / AURORA / COSMOS. p. 243 bg : B. Gibson / Impact / COSMOS ; mm : Brenner / RAPHO. p. 244 hd : P. de Wilde / HOA-QUI ; bd : C. Bissell / FOTOGRAM-STONE IMAGES. p. 245 hg : X. Richer / HOA-QUI ; bg : C. Vaisse / HOA-QUI. p. 246 hd : J. Warden / SUNSET ; b : Mountain Stock / SUNSET. p. 247 hg : E. Benard / SUNSET ; mm : idem. p. 248 hd : Tainturier / JERRICAN ; bg : C. Pavard / HOA-QUI ; bd : F. Stock / SUNSET. p. 249 : Holt Studios / SUNSET. p. 250 bg : Th. Perrin / HOA-QUI ; hd : E. Valentin / HOA-QUI ; bd : G. Bosio / HOA-QUI. p. 251 hg : ONERA ; bg : X. Richer / HOA-QUI ; mm : La médiathèque EDF ; bm : J. Higginson FOTOGRAM-STONE IMAGES ; hd : La médiathèque EDF. p. 252 hd : K. Weatherly / FOTOGRAM-STONE IMAGES ; mm : D. O'Clair / FOTOGRAM-STONE IMAGES. p. 253 hg : A. Fyot / SEA and SEE ; mm : R. Berhmann / COSMOS ; bm : SIRPA / ECPA ; md : musée de la Marine. p. 254 : musée de la Marine. p. 255 hm : Hulton Getty / FOTOGRAM-STONE IMAGES ; bm : S Westmorland / FOTOGRAM-STONE IMAGES ; md : NASA / CIEL et ESPACE.

Lieux et milieux
p. 256-257 : Beinat / JERRICAN. p. 258 h : UPI / CORBIS-BETTMANN / SIPA PRESS ; mm : T.P.S. / PIX. p. 259 mg : PIX ; bd : Lespinasse / JERRICAN. p. 260 : Manez et Favret / ARCHIPRESS. p. 261 mm : B. Wojtek / HOA-QUI ; b : E. Valentin / HOA-QUI. p. 262 : P. Koch / RAPHO. p. 263 hg : Berenguier / JERRICAN ; hm : J. Warden / COSMOS ; bg : B. Desestres / ALTITUDE / HOA-QUI. p. 264 hg : Damm / ZEFA / HOA-QUI ; bd : UPI / CORBIS-BETTMANN / SIPA PRESS. p. 265 : Fuste-Raga / JERRICAN. p. 266 md : G. Halary / RAPHO ; bd : M. Hilgert / COSMOS. p. 267 : J. Mead / SPL / COSMOS. p. 268 : X. Desnier / RAPHO. p. 269 hg : Z. Kaluzny / FOTOGRAM-STONE IMAGES ; bd : Martel / Icone / HOA-QUI. p. 270 hg : Mcintyre / FOTOGRAM-STONE IMAGES ; bg : F. Jourdan / ALTITUDE / HOA-QUI ; hd : J.-N. de Soye / RAPHO. p. 271 hg : Fuste-Raga / JERRICAN ; bg : Langlois / JERRICAN ; md : R. Doisneau / RAPHO. p. 272 hg : P. Royer / HOA-QUI ; mm : Parisienne des Eaux / Dr ; bd : VO. Trung / COSMOS. p. 273 hg : D. Pasquier ; bm : VO. Trung / COSMOS. p. 274 hd : BNF / J.-L. CHARMET ; mg : M. Paygnard / RAPHO ; bd : F. Perri / COSMOS. p. 275 mg : Liaison Int. / HOA-QUI ; bg : C. Vaisse / HOA-QUI. p. 276 : Woude / SUNSET. p. 276-277 : Picturesque / SUNSET. p. 277 hm : S.T.F. / SUNSET ; hd : M. Troncy / HOA-QUI. p. 278 hg : Mura / JERRICAN ; mm : Bramaz / JERRICAN ; bd : Lerosey / JERRICAN. p. 279 mg : Nicolas / JERRICAN ; hm : De Hogues / JERRICAN ; md : J. Waizmann / IMAPRESS. p. 280 : M. Baret / RAPHO. p. 281 mg : C. Pick / RAPHO ; bm : Cohen / JERRICAN. p. 282 hg : J. Thomas / JERRICAN ; md : Peyronel / JERRICAN ; bd : Transglobe / JERRICAN. p. 283 hg : Hugo / JERRICAN ; bg : Limier / JERRICAN ; hd : F. Charel / HOA-QUI ;

bd : M. Setboun / RAPHO. p. 284 hd : M. Danegger / JACANA ; md : Delfino / SUNSET ; bg : FLPA / SUNSET. p. 285 hg : J. Soler / JACANA ; bg : Rouxaime / JACANA ; bd : Holt Studios / SUNSET. p. 286 : Y. Arthus-Bertrand / ALTITUDE / HOA-QUI. p. 287 mg : J.-P. Cantournet / Mairie de Paris ; hm : M. Gilbert / RAPHO ; md : Gable / JERRICAN. p. 288-289 : J.-P. Cantournet et D. Gander-Gosse / Mairie de Paris. p. 292 hg : G. Graig / HOA-QUI ; bg : Jimagine / ALTITUDE / HOA-QUI ; hd : C. Sappa / ALTITUDE / HOA-QUI ; bd : Y. Arthus-Bertrand / ALTITUDE / HOA-QUI. p. 293 hg : SPL / COSMOS ; bg : NASA ; hd : NASA / SPL / COSMOS ; bd : A. Fujii / CIEL et ESPACE.

Rêves d'Univers

p. 294-295 : C. Birnbaum / A. Fujii / S. Aubin / CIEL et ESPACE. p. 296 hg : SPL / COSMOS ; bd : NOAO / SPL / COSMOS. p. 297 hg : Hale Observatories / SPL / COSMOS ; mg : D. Von Ravensswaay / SPL / COSMOS ; hd : SPL / COSMOS md : NASA / SPL / COSMOS. p. 298 : P. Parviainen / SPL / COSMOS. p. 299 mm : N. Thibaut / HOA-QUI ; md : C. Pavard / HOA-QUI ; bd : M. Renaudeau / HOA-QUI. p. 300 d : O. Hodasava / NASA / CIEL et ESPACE ; bm : NASA / CIEL et ESPACE. p. 301 hg : USGS / CIEL et ESPACE ; bg : Hale Observatories / CIEL et ESPACE. p. 304 h : CIEL et ESPACE ; md : NASA / SPL / COSMOS. p. 305 hm : CIEL et ESPACE ; mg : Y. Arthus-Bertrand / ALTITUDE / HOA-QUI ; bd : US GEOLOGICAL SURVEY / SPL / COSMOS. p. 306 hd : ESA / CIEL et ESPACE ; bg : idem. p. 307 : B. Naegelen / HOA-QUI. p. 308-309 : NASA / CIEL et ESPACE. p. 310-311 : A. Fujii / CIEL et ESPACE. p. 312 hd : NASA / SPL / COSMOS ; bd : JPL. p. 313 hg : NASA / CIEL et ESPACE ; hd : JPL ; bd : JPL / CIEL et ESPACE. p. 314 bg : NASA / CIEL et ESPACE ; hd : NASA / SPL / COSMOS ; bd : NASA / CIEL et ESPACE. p. 315 hg : NASA / CIEL et ESPACE ; mg : JPL / CIEL et ESPACE ; bg : NASA / CIEL et ESPACE ; hd : USGS / CIEL et ESPACE ; bm : JPL / CIEL et ESPACE. p. 316 hg : A. Fujii / CIEL et ESPACE ; md : JPL / CIEL et ESPACE ; b : S. Brunier / CIEL et ESPACE. p. 316-317 : A. Fujii / CIEL et ESPACE. p. 318 hg : S. Numazawa / APB / CIEL et ESPACE ; bd : A. Fujii / CIEL et ESPACE. p. 320 mg : AAO / D. Malin / CIEL et ESPACE ; bg : NASA / CIEL et ESPACE ; hd : ROE / AAO / D. Malin / CIEL et ESPACE ; bd : SAC-Peak / CIEL et ESPACE. p. 321 hg : A. Fujii / CIEL et ESPACE ; bg : B. Balick / Univ. Washington / CIEL et ESPACE. p : 322 : P. Parviainen / SPL / COSMOS. p. 324 hd : VLT / ESO Press Photos ; b : G. Tompkinson / Aspect / COSMOS. p. 325 : VLT / ESO Press Photos. p. 326 hd : Lowell Obs. / CIEL et ESPACE ; bg : NASA / CIEL et ESPACE. p. 327 mg : US GEOLOGICAL SURVEY / SPL / COSMOS ; bd : D. Hardy / SPL / COSMOS. p. 328 hd : ESA ; mg : F. Buxin / PREMIERE BASE ; mm : idem ; md : idem. p. 329 hg : S. Vermeer / ESA ; md : F. Buxin PREMIERE BASE. p. 330 hd : NASA / SPL / COSMOS ; bd : idem. p. 331 hm : NASA / SPL / COSMOS ; mm : NOVOSTI / SPL / COSMOS ; bd : NASA / SPL / COSMOS. p. 332 hd : NASA / SPL / COSMOS ; bg : NASA / Photo Researchers / COSMOS. p. 334-335 : D. Van Ravensswaay / SPL / COSMOS. p. 337 hd : S. Brunier / CIEL et ESPACE ; bg : P. Parviainen / CIEL et ESPACE.

Table des illustrateurs

Les rubriques "Le savais-tu ?" sont illustrées par Barbe.

Les pictos des pages "activité" et des pages "catalogue" ont été réalisés par Killiwatch.

18-19 : J.-J. Hatton ; 20-21 : J.-J. Hatton ; 22-23 : J.-J. Hatton ; 24-25 : J.-J. Hatton ; 28-29 : J.-J. Hatton ; 30-31 : J.-J. Hatton ; 32-33 : L. Blondel ; 34-35 : J.-J. Hatton ; 36-37 : J.-J. Hatton ; 40-41 : Killiwatch ; 46-47 : J.-J. Hatton ; 48-49 : D. Horvath (dessin réalisé d'après X. DR) ; 50 : L. Blondel (dessins réalisés d'après E. Muybridge) ; 51 : L. Blondel (dessin réalisé d'après F. Leplanquais, 1995 / CNRS-Poitiers) ; 52-53 : D. Horvath (3 dessins "projections au sol" réalisés d'après R. Jeddi, 1999 / CNRS-Poitiers) ; 54-55 : L. Blondel (dessins réalisés d'après F. Leplanquais / CNRS-Poitiers) ; 56-57 : D. Horvath (dessins réalisés d'après Cl. Daireaux / CNRS-Poitiers-DR) ; 57 bas : D. Horvath ; 58-59 : L. Blondel (dessins réalisés d'après P. Holvoet / CNRS-Poitiers) ; 60 : D. Horvath (dessin réalisé d'après documentation IAAF Tokyo, 1991 / DR) ; 61 : D. Horvath (dessin réalisé d'après X. DR) ; 64-65 : D. Horvath ; 70-71 : J.-J. Hatton ; 80-81 : D. Horvath ; 84-85 : L. Blondel ; 86-87 : L. Blondel ; 92-93 : L. Blondel ; 96-97 : L. Blondel, J.-C. Senée ; 98 : L. Blondel ; 99 : L. Blondel, dessins d'après IADE / CSI ; 106-107 : D. Horvath ; 110-111 : D. Horvath ; 112-113 : J.-J. Hatton ; 118-119 : L. Blondel ; 124-125 : J.-J. Hatton ; 130-131 : L. Blondel ; 136-137 : J.-J. Hatton ; 146-147 : L. Blondel ; 152-153 : D. Horvath ; 154-155 : J.-J. Hatton, L. Blondel ; 156-157 : D. Horvath ; 158-159 : D. Horvath ; 164-165 : L. Blondel ; 166-167 : D. Horvath ; 172-173 : D. Horvath ; 174-175 : D. Horvath ; 178-179 : J.-J. Hatton ; 184-185 : L. Blondel ; 196-197 : D. Horvath ; 198-199 : L. Blondel ; 208-209 : J.-J. Hatton ; 212-213 : L. Blondel ; 214-215 : J.-J. Hatton ; 220-221 : L. Blondel ; 222-223 : L. Blondel ; 224-225 : L. Blondel ; 226-227 : L. Blondel ; 228-229 : L. Blondel ; 232-233 : J.-J. Hatton ; 234-235 : L. Blondel ; 236-237 : L. Blondel ; 238-239 : D. Horvath ; 240-241 : D. Horvath ; 242-243 : L. Blondel ; 244-245 : D. Horvath ; 246-247 : D. Horvath ; 248-249 : J.-J. Hatton ; 252-253 : L. Blondel ; 254-255 : L. Blondel ; 258-259 : L. Blondel ; 260-261 : L. Blondel ; 262-263 : L. Blondel ; 266-267 : L. Blondel ; 268-269 : J.-J. Hatton ; 274-275 : L. Blondel ; 278-279 : L. Blondel ; 280-281 : G. Macé ; 286-287 : L. Blondel ; 290-291 : L. Blondel ; 296-297 : D. Horvath ; 302 : L. Blondel (dessin réalisé d'après N. Blotti) ; 303 : L. Blondel ; 306-307 : D. Horvath ; 310-311 : J.-J. Hatton ; 318-319 : G. Macé, L. Blondel ; 322 : G. Macé ; 323 : G. Macé (dessins d'après B. Nomblot) ; 328-329 : L. Blondel ; 332-333 : L. Blondel ; 336-337 : D. Horvath.

Couverture, de haut en bas : L. Blondel, J.-J. Hatton, D. Horvath, D. Horvath, D. Horvath, J.-J. Hatton, L. Blondel
4e de couverture : planètes par D. Horvath
Page de titre : L. Blondel